WILBUR SMITH

AVCININ KADERİ

TÜRKÇESİ
PINAR ÖCAL

Yazarın Yayınevimizden Çıkan Kitapları

BENCİL (Courtney Dizisi)
FIRTINA (Courtney Dizisi)
BİR SERÇE DÜŞTÜ (Courtney Dizisi)
ALEV KIYILARI (Courtney Dizisi)
HÜKMEDENLER (Courtney Dizisi)
GAZAP (Courtney Dizisi)
ŞİMDİ ÖLMEK ZAMANI (Courtney Dizisi)
TUZAK (Courtney Dizisi)
YIRTICI KUŞ (Courtney Dizisi)
MUSON YAĞMURLARI (Courtney Dizisi)
MAVİ UFUKLAR (Courtney Dizisi)

LEOPAR KARANLIKTA AVLANIR (Ballantyne Dizisi)
MELEKLERİN GAZABI (Ballantyne Dizisi)
ŞAHİN (Ballantyne Dizisi)

NEHİR TANRISI (Mısır Dizisi)
YEDİNCİ PAPİRÜS (Mısır Dizisi)
BÜYÜCÜLER KRALI (Mısır Dizisi)
11. YAZIT (Mısır Dizisi)

LANETLİLER KÖRFEZİ
MACERACILAR
ŞEYTAN ÇIĞLIĞI
BİR AVUÇ KUM
DENİZ KADAR AÇ
VAHŞİ ADALET
FİLLERİN ŞARKISI
GÖKLERİ SÜSLEYEN KARTAL
GÜNEŞİN ZAFERİ

Bu kitabı başıma gelen

en güzel şey olan

sevgili karım

MOKHINISO'*ya ithaf ediyorum.*

Bu harita döneme uygun orijinal harita

M.
Nyiro
Marsabit M^t.
Galan Salal
Daido Madiera
Asi
Sugota L.
Lasamis
Gara
Leikipia
Loroghi M^ts.
Mariss el Logwaramba Plateau
Lorian Swamp
Guasu Nyiro R.
Chanler Falls
Dvambani M^ts
Hargazo Falls
BRITISH
Grand Falls
M^t. Kenia 18020
Balarti (Hameye)
Bisan hu
Bokoro
Tana R.
Oda Doki
Mara
Ndoro
Ngomeni
KORO KORO
Tana R.
Sagana
Naivasha L.
Escarpment St^n.
Thaka
EAST
Manyole
Kitui
Katalwa
Tuni
Bura
Kilowanya
Korr
Nairobi
Ndula
Ripa
Kuru
Ft. Smith
Atki
Tiwa R.
Ikanga
Chevani
Machako's
Marumbini
POKOMO
Safare
Kapotei
Machako R^d.
Nzoi M^t.
Ngutunga
Kibaranja
Mtoni
Seki
Ukambani
AFRICA
Kosi
Kidongoi
Salt R.
Athi R.
Madhe
Mwina
Kibwezi
Engatana
Witu
Nyiri L.
Ngao
Kau
Lamu
J. Erok
Mikomani
Golbanti
Shagga
Kipini
Masimani
Mtoto Andei
Charra
Ugama B.
Kilima Njaro 19718
Tsavo
Marereni
Tana R.
Komboko
Sabaki R.
Rombo
Tsavo
Makengeni
Malindi
Meru M^t.
Ndi
Voi R.
Voi
Fudadoya
Ganda
Taveta
Ndara
Matundia
Mikinduni
Jipe L.
Kilifi
Lettima M^t.
Kirije
Maungu
Taru
Takaunga
Sereri L.
Kisingo
Rabe
Opuni
Pare M^ts.
Mwachi
Kisauni (Freretown)
Kiswani
Ada
Mombasa
Massimani
Gonya
Pemba
Ukindini
J. Sambu
Ruvu R.
Gasi
Mbaramu
Umba R.
Mlalo
Pongwe
Ndigira
Butko
Usambara
Wanga
Vuga
Tanga
Mkaramo
Pangani R.
Magila
Pemba (Br.)
Karogwe
Leva
Chaka
Mgera
Msangas R.
Mionn
Sagasa
Luanguo
Pangani
Railway

'zerinde hiçbir güncelleme yapılmamıştır.

9 Ağustos 1906, Birleşik Krallık ve Britanya Dominyonları(*) Kralı ve Hindistan İmparatoru VII. Edward'ın tahta çıkışının dördüncü yıl dönümüydü. Tesadüfen, aynı zamanda majestelerinin sadık hizmetkârlarından, Kraliyet Afrika Piyadeleri ya da daha popüler adıyla KAR Birliği'nin 1. Alay, 3. Tabur, C Bölüğü'nden Teğmen Leon Courtney'in de on dokuzuncu yaş günüydü. Leon doğum gününü, imparatorluğun mücevheri olan İngiliz Doğu Afrika'sının sarp Great Rift Vadisi yamaçlarında Nandi asilerini kovalayarak geçirmekteydi.

Nandi'ler otoriteye başkaldıran savaşçı bir ulustu. Yüce büyücü doktorları, büyük bir siyah yılanın kabile topraklarını ateş ve dumanla sarsacağı, kabileye felaket ve ölüm getireceği kehanetinde bulunduğundan bu yana, on yıldır ara ara ayaklanıyorlardı. İngiliz Koloni Yönetimi, Hint Okyanusu kıyısındaki Mombasa Limanı'ndan, yaklaşık bin kilometre içeride kalan Victoria Gölü kıyılarına ulaşmak üzere demiryolu hattı döşemeye başlayınca, Nandi'ler o feci kehanetin gerçekleşmekte olduğunu gördüler ve için için yanan isyan yeniden alevlendi. Demiryolunun ucu Nairobi'ye ulaşıp, Rift Vadisi ve Nandi kabile topraklarından geçerek Victoria Gölü'ne doğru inmeye başlayınca isyanın coşkusu daha da arttı.

KAR Birliği'nin komutanı olan Albay Penrod Ballantyne koloni valisinden kabilenin yeniden ayaklandığı ve demiryolunun geçeceği hattaki

(*) Eskiden Britanya İmparatorluğu'na ya da Commonwealth'e bağlı ülkeleri belirten terim.

tenha ileri karakollara saldırılarda bulundukları haberini alınca öfkeyle, "Eh, sanırım bunlara yine iyi bir kötek atmanın zamanı geldi," yorumunu yaptı. Sonra da Nairobi'de bulunan 3. Tabur'una kışlasından çıkıp bu görevi yerine getirmeleri emrini verdi.

Bu emir gelmeseydi, Leon Courtney o gün başka bir işle meşgul olacaktı. Kısa süre önce koloninin yeni başkenti Nairobi'den birkaç kilometre ötedeki Ngong Tepelerinde bulunan kahve *shamba*'larında kocası öfkeli bir aslan tarafından öldürülmüş olan genç bir hanım tanıyordu. Korkusuz bir binici ve olağanüstü bir forvet olan Leon, genç hanımın eşinin polo takımında bir numarada oynaması için davet edilmişti. Elbette genç bir subay olarak pony(*) yetiştirecek gücü yoktu, ama kulübün daha varlıklı üyelerinden bazıları ona seve seve sponsorluk ediyorlardı. Hanımın müteveffa eşinin takımının bir üyesi olarak Leon'un belli ayrıcalıkları vardı ya da kendisi öyle olduğuna inanıyordu. Aradan uygun bir süre geçip, dul hanım mateminin en keskin acılarını atlatınca, atına atlayıp saygılarını ve başsağlığı dileklerini sunmak üzere *shamba*'ya gitti. Genç hanımın kendisini iyice toparlamış olduğunu keşfedince de memnun oldu. Matem kıyafeti içinde bile onu tanıdığı diğer hanımlardan çok daha cazip bulmuştu.

Verity O'Hearne, yani dul genç hanım, başını kaldırıp da üzerinde en iyi üniforması, başında alayın aslanı ve fildişi arması, bulunan yana yatmış şapkası ve pırıl pırıl çizmeleriyle boylu boslu delikanlıyı görünce şaşırmış; gencin yakışıklı hatlarına, masum ve hevesle bakan içten gözlerine bakınca da önce anaçlıkla karıştırdığı kadınsı bir duyguya kapılmıştı. Leon'a çiftlik evinin geniş, gölgeli verandasında çayla üzerine marmelat sürülmüş sandviçler ikram etti. Başlangıçta Leon, onun karşısında beceriksiz ve utangaçtı, ama genç kadın sıcakkanlı davranışları ve Leon'u mest eden yumuşak İrlanda aksanıyla konuşarak konuğunu ustalıkla rahatlattı. Bir saat, insanı irkilten bir hızla geçmişti. Leon gitmek üzere kalkınca Verity de ön

---

(*) Dünyanın en küçük ve en cesur atları olarak bilinen bir at türü.

merdivene kadar ona eşlik etti ve vedalaşmak üzere elini uzattı. "Yolunuz düşerse lütfen yine uğrayın Teğmen Courtney. Bazen yalnızlık ağır bir yük oluyor." Sesi yumuşak ve tatlıydı, minik eli ise ipek gibi pürüzsüz.

Taburun en genç subayı olarak Leon'un görevleri oldukça fazla ve yorucuydu, bu nedenle davete karşılık verme fırsatını ancak iki hafta sonra bulabildi. Çay ve sandviç servisi bittikten sonra Verity, Leon'u içeri davet edip kocasının av tüfeklerini gösterdi, bunları satmak istiyordu. "Kocam fazla bir gelir bırakmadı, o yüzden maalesef bunlara bir alıcı bulmak zorundayım. Subay olduğunuz için değerleri hakkında bir fikir verebileceğinizi umuyorum."

"Mümkün olan her şekilde size yardımcı olmaktan zevk duyarım Bayan O'Hearne."

"Çok naziksiniz. Dostum olduğunuzu ve size tamamen güvenebileceğimi hissediyorum."

Leon verecek cevap bulamadı. Onun yerine, mahzun mahzun artık kölesi olduğu iri mavi gözlere baktı.

Verity, "Size Leon diyebilir miyim?" diye sordu ve daha o cevap veremeden hıçkırıklarla sarsılmaya başladı. "Ah, Leon! Öyle perişan ve yalnızım ki," dedikten sonra da kollarına yığıldı.

Leon, genç kadını göğsüne bastırdı. Onu rahatlatmanın tek yolu buymuş gibiydi. Bebek gibi narindi ve o güzel başını omzuna yaslayarak Leon'un kucaklamasına hevesle karşılık veriyordu. Leon, olanları sonradan tekrar gözünün önünde canlandırmaya çalıştı ama her şey mest edici bir sisten ibaretti. Genç kadının odasına nasıl gittiklerini hatırlayamıyordu. Pirinç karyola kocamandı, kuştüyü şilteye uzandıkları anda genç dul, ona cenneti göstermiş ve Leon'u tümden değiştirmişti.

Şimdi aylar sonra Leon, Rift Vadisi'nin ışıltılı sıcağında, yerel kabilelerden derlenmiş yedi *askari*'den oluşan müfrezesinin başındaydı. Süngü takmış olarak Niombi'deki bölge karargâhı binalarını çevreleyen bereketli muz plantasyonunda ilerlerken, kendisini bekleyen görevlerini Verity O'Hearne'nin kucağını düşündüğü kadar düşünmüyordu.

Sol tarafındaki Çavuş Manyoro dilini şaklattı. Leon da Verity'nin yatak odasından gerçeğe döndü ve bu hafif uyarıyla donup kaldı. Düşüncelere dalmış ve görevini ihmal etmişti. Bedenindeki tüm sinirler Pemba Kanalı'nın derin mavi sularında ağır bir kılıçbalığını çeken misina gibi gerilmişti. Sağ elini kaldırarak dur emri verdi ve iki yanında dizili *askari*'ler durdu. Gözucuyla çavuşuna baktı.

Manyoro, Masai kabilesinden bir *morani*'ydi. Kabilenin saygın bir üyesiydi, boyu bir seksenin üstünde olmasına rağmen bir boğa güreşçisinin zarif ve ince hatlarına sahipti. Üstünde haki üniforma, başındaysa püsküllü, sorguçlu fes vardı. Tam bir Afrikalı savaşçıydı. Leon'un ona baktığını hissedince çenesini kaldırdı.

Leon bu hareketi takip edince akbabaları gördü. Sadece *boma*'nın, yani Niombi'deki resmi yönetim binasının çatısından çok yüksekte, kanat kanada dönüp duran iki tane akbaba vardı.

Leon alçak sesle, "Dert ve pislik," diye fısıldadı. Bir sorunla karşılaşmayı beklemiyordu: Ayaklanmanın yüz yirmi kilometre daha batıda olduğu bildirilmişti. Bu ileri karakol, Nandi kabile topraklarının bilinen sınırlarının dışında kalıyordu. Burası Masai Bölgesi'ydi. Leon'a sadece olur da isyan kabile sınırlarını aşarsa diye birkaç adamıyla bu hükümet *boma*'sını takviye etmesi emredilmişti. Şimdi de sınırların aşıldığı anlaşılıyordu.

Niombi'deki bölge komiseri, Hugh Turvey'di. Leon, onu ve karısını geçen Noel arifesinde düzenlenen Göçmen Kulübü balosunda tanımıştı. Turvey, Leon'dan olsa olsa dört, beş yaş büyüktü ama İskoçya büyüklüğünde bir bölgeden sorumluydu. Şimdiden sıkı biri olarak ün yapmıştı, bir avuç asinin *boma*'sına sürpriz baskın yapmasına göz yumacak biri değildi. Fakat havada dönüp duran kuşlar bir uğursuzluk işareti ve ölüm habercisiydi.

Leon, eliyle *askari*'lerine "doldur" emri verdi ve uzun namlulu Lee-Enfield tüfeklerin .303 mermileri yüklenirken mekanizmaların çıtırtısı duyuldu. Bir el hareketi daha yaptı ve savaş pozisyonunda ilerlemeye başladılar.

Leon, sadece iki kuş, diye düşündü. Bunlar sürüden kopanlar da olabilirdi. Başkaları da olmalıydı, tabii eğer... O sırada tam karşıdan geniş kanatların sesini duydu ve muz ağaçlarının ötesinden bir akbaba daha havalandı. Leon ürperdiğini hissetti. Eğer bu canavarlar yere konmuşsa, orada et var demekti, ölü et.

Tekrar dur işareti verdi. Manyoro'yu parmağıyla dürtüp tek başına ilerledi, Manyoro da peşinden onu takip etti. Sessiz ve temkinli yaklaştığı halde diğer devasa leş yiyicileri ürkütmüştü. Onlar da tek tek veya gruplar halinde mavi gökyüzünde kanat çırparak dönüp duran arkadaşlarına katıldılar.

Leon son muz ağacını da geçip geniş tören alanının kenarında durdu. İleride, *boma*'nın kireçle sıvanmış çamurdan tuğla duvarları parlıyordu. Ana binanın ön kapısı ardına kadar açıktı. Verandaya ve tören alanının pişmiş kil yüzeyine parçalanmış mobilyalarla resmi hükümet evrakları saçılmıştı. *Boma*'nın altı üstüne gelmişti.

Hugh Turvey'le karısı Helen, kolları iki yana açık olarak meydanda çırılçıplak yatıyorlardı. Beş yaşındaki kızlarının cesedi de az ötelerindeydi. Geniş ağızlı bir Nandi *assegai*'siyle göğsünden tek darbe almıştı. Minik bedenindeki kan o koca yaradan akıp gittiği için parlak gün ışığında teni tuz kadar beyaz görünüyordu. Her iki ebeveyni de çarmıha gerilmişti. El ve ayak bileklerine çakılan ucu sivri tahta kazıklarla kil yüzeye sabitlenmişlerdi.

Leon üzüntüyle demek ki sonunda Nandi'ler misyonerlerden bir şey öğrenmiş, diye düşündü. Saldırganların hâlâ orada olabileceği düşüncesiyle dikkatle tören alanının etrafını gözden geçirdi. Gittiklerinden emin olunca döküntülerin arasında ilerlemeye devam etti. Cesetlere yaklaşınca Hugh'un vahşice hadım edildiğini ve Helen'in ise göğüslerinin kesilmiş olduğunu gördü. Akbabalar, vücutlarındaki yaraları büyütmüştü. Her ikisinin de çeneleri tahta çivilerle sonuna kadar açılmıştı. Leon yanlarına gelince durup cesetlere baktı. Çavuşu yaklaşırken Kiswahili dilinde, "Neden ağızlarını böyle açmışlar?" diye sordu.

Manyoro alçak sesle, "Onları boğmuşlar," diye cevap verdi. Leon o zaman cesetlerin başlarının altındaki kilde kurumuş sıvı izleri olduğunu fark etti. Sonra da cesetlerin burun deliklerine kil topakları tıkıldığını gördü, son nefeslerini ağızdan almaya zorlanmış olmalılardı.

"Boğmuşlar ha?" Leon şaşkın şaşkın başını sallıyordu. Sonra birden, keskin sidik kokusunu algıladı. "Hayır!"

Manyoro, "Evet," dedi. "Nandi'lerin düşmanlarına yaptıkları şeylerden biridir. Boğulana kadar açık ağızlarına işerler. Bu Nandi'ler erkek değil, babun maymunu." Duyduğu tiksintiyi ve feodal düşmanlığı anlamamak imkânsızdı.

Leon öfkesini belli etmemeye çalışarak, "Bunu yapanı bulmak isterdim," diye söylendi.

"Ben bulacağım. Uzakta değildirler."

Leon mide bulandıran vahşetten başını kaldırıp üç yüz metre yüksekikteki vadiye baktı. Şapkasını kaldırıp Webley beylik tabancasını tutan elinin tersiyle kaşında biriken teri sildi. Gözle görünür bir çaba harcayarak duygularını kontrol altına alıp tekrar aşağı baktı.

Manyoro'ya, "Önce bu insanları gömmemiz lazım," dedi. "Kuşlara bırakıp gidemeyiz."

Binaları dikkatle araştırıp durum belirlemesi yaptılar; belli ki olaylar başlar başlamaz hükümet personeli kaçmıştı. Leon daha sonra, Manyoro ile üç *askari*'yi muz plantasyonunu araştırmak ve *boma*'nın sınırlarını kontrol etmek için gönderdi.

Adamları işlerinin başındayken kendisi Turvey'lerin yaşadığı bölüme gitti. Burası ofis binasının arkasında kalan küçük bir kulübeydi. Orası da altüst edilmişti ama bir mutfak dolabında yağmacıların gözünden kaçan pek çok çarşaf buldu. Bir kucak dolusu alıp dışarı taşıdı. Turvey'leri yere mıhlayan kazıkları, sonra da ağızlarındaki tahtaları çıkardı. Dişlerinden bazıları kırılmış ve dudakları ezilmişti. Leon boynundaki mendili matarasından döktüğü suyla ıslatıp yüzlerindeki kurumuş kanı ve idrarı temizledi. Cesetlerin kollarını iki yana getirmeye çalıştı ama ölüm sertliği yüzünden katılaşmışlardı. İkisini de çarşafa sardı.

Muz plantasyonundaki toprak kısa süre önce yağan yağmur yüzünden yumuşak ve nemliydi. Leon ve *askari*'lerin bir kısmı başka saldırılara karşı nöbet tutarken, dört *askari* siper kazma aletleriyle aileye sade bir mezar hazırladı.

Yamacın tepesinde, gökyüzünün hemen altında ve aşağıdan bakacak birinin gözünden rahatlıkla kaçabilecek küçük bir çalı grubunun arkasında üç erkek, savaş mızraklarına dayanmış, tek ayaklarını dinlenmekte olan bir leylek rahatlığıyla havaya kaldırmış duruyorlardı. Önlerinde Rift Vadisi'nin yer yer çalılıklar, fundalıklar ve akasya ağaçlarıyla bölünen muazzam kahverengi otlakları uzanıyordu. Kurumuş görüntüsüne rağmen otlaklar hoş bir manzara oluşturuyordu ve uzun boynuzlu, hörgüçlü sığırlarını buralarda otlatan Masai'ler için burası çok değerliydi. Ancak son Nandi isyanından beri sürülerini çok daha güneydeki güvenli bölgeye sürmüşlerdi. Çünkü Nandi'ler sığır hırsızlığıyla ünlüydü.

Vadinin bu kısmı düzlükte göz alabildiğine uzanan çeşitliliğiyle yabani yaşama terk edilmişti. Uzaklarda, yaklaşmakta olan düşman yüzünden kaçışan zebralar oluşturdukları toz bulutunun içinde gitgide grileşiyor kongoniler, antiloplar ve bufalolar altın rengi zeminde koyu renk lekeler oluşturuyorlardı. Zürafaların uzun boyunları, düz tepeli akasya ağaçlarının üstünden telgraf direği gibi uzanırken, antiloplar sıcak yüzünden, dans etmekte olan parlak, hayali lekeleri andırıyordu. Orada burada siyah volkanik kayaları andıran kütleler, daha küçük hayvanların arasında ağır ağır, sardunya sürülerinin arasından geçen okyanus aşırı gemiler gibi süzülüyordu. Bunlar da sağlam, kalın derileriyle gergedanlar ve fillerdi.

Çeşitliliği ve genişliğiyle hem tarih öncesi çağları andıran, hem de huşu uyandıran bir manzaraydı bu, ama tepedeki üç seyirci açısından sıradan bir görüntüydü. Onların ilgisi aşağıdaki küçük bina grubuna yönelmişti. Yamacın hemen dibinden sızan kaynak suyu, resmi *boma* yapılarını çevreleyen yeşillik boyunca akıp gidiyordu.

Üç adamın en yaşlısı, leopar kuyruklarından yapılmış bir etekle siyah ve altın rengi benekleri olan kürk bir şapka giymişti. Bu, Nandi kabilesinin yüce büyücü doktorunun simgesiydi. Adı Arap Samoei'ydi ve on yıldır halkının kutsal topraklarını bozan beyaz işgalcilere ve cehennem makinelerine karşı yürütülen isyanları yönetiyordu. Yanındaki adamların vücutları ve yüzleri savaş için boyanmıştı: Gözlerinin etrafına kırmızı aşıboyası halkalar çizilmiş, burunları boyunca birer çizgi çekilmiş ve yanakları aynı renk verev çizgilerle bezenmişti. Çıplak göğüslerine yanmış kireçle Afrika tavuğunun tüylerini andıran bir desen yapılmıştı. Etekleri ceylan derisinden, süslü başlıkları misk kedisiyle maymun kürkündendi.

Arap Samoei, "*Mzungu* ile Masai köpekleri tuzağa düştüler," dedi. "Daha fazlasını umuyordum ama yedi Masai ile bir *mzungu* öldürmek de hiç yoktan iyidir."

Yanındaki Nandi şefi elini gözüne siper ederek, "Ne yapıyorlar?" diye sordu.

Samoei, "Onlara bıraktığımız beyaz pisliği gömmek için çukur kazıyorlar," dedi.

Üçüncü savaşçı, "Mızraklarımızı atmanın zamanı geldi mi?" diye sordu.

Yüce büyücü doktor, "Zamanı geldi," dedi. "Ama *mzungu*'yu bana bırakın. Hayalarını kendi palamla kesmek istiyorum. Onlardan güçlü bir ilaç yapacağım." Leopar derisi kemerindeki *panga*'nın kabzasını okşadı. Ağzı kısa ve ağır bir bıçak olan *panga,* Nandi'lerin en sevdiği yakın dövüş silahıydı. "Erkekliğini alırken onun, çakalların dişleri arasında çırpınan Afrika domuzu gibi bağırışını duymanızı istiyorum. Ne kadar çok bağırırsa ilaç da o kadar güçlü olur." Dönüp kaya yamacının tepesine tırmandı ve arkada kalan cansız araziye baktı. Savaşçıları kısa otların arasına saflar halinde çömelmiş, sabırla bekliyorlardı. Samoei, sıkılı yumruğunu havaya kaldırdı ve bekleyen *impi* ayaklandı, avlarını ürkütmemek için hiç ses çıkarmamışlardı.

Samoei, "Meyve olgunlaştı!" diye bağırdı.

Savaşçıları hep bir ağızdan, "Biçmeye hazır!" diye ona katıldı.

"Hadi inip hasadı kaldıralım!"

Mezar hazırdı, armağanını almayı bekliyordu. Leon, Manyoro'ya başıyla işaret edince o da sessizce adamlarına emir verdi. İkisi kazılan çukura atladı, diğerleri de çarşafa sarılı çıkınları onlara uzattı. Şekilsiz iki cesedi mezarın dibine yan yana uzatıp, minik olanı da aralarına yatırdılar. Zavallı küçük grup ölümde sonsuza kadar birleşmişti.

Leon kenarları yumuşak şapkasını başından çıkarıp mezarın yanında tek dizinin üstüne çöktü. Manyoro da küçük müfrezeye silahlarını yamaca dayayıp aynı şeyi yapmalarını emretti. Leon dua etmeye başladı. *Askari*'ler sözleri anlamıyorlardı ama başka mezarların başında da çokça duymuş oldukları için önemini biliyorlardı.

"Krallığının gücü ve ışıltısı sonsuza kadar sürsün, amin!" Leon duayı bitirip kalkmaya davrandı ama o daha, sıcak Afrika öğleden sonrasının bunaltıcı sessizliğinde tam doğrulamadan havayı kulakları sağır eden uluma ve haykırışlar doldurdu. Kemerindeki Webley tabancasına davranıp hızla etrafına bakındı.

Sık muz ağaçlarının arasından terle parlayan vücutlar fırlamıştı. Hoplayıp zıplayarak, silahlarını savurarak dört bir yandan geliyorlardı. Mızrak uçlarından ve *panga* bıçaklarından güneş ışığı yansıyordu. Küçük asker grubuna yaklaşırken gürzleriyle ham deriden kalkanlarına vurarak tempo tutuyor, havalara sıçrıyorlardı.

Leon, "Arkama!" diye böğürdü. "Arkamda pozisyon alın! Doldur! Doldur! Doldur!" *Askari*'ler eğitimli oldukları için anında tüfekler ateşe hazır vaziyette, süngüleri dışa dönük olarak Leon'un etrafında sıkı bir çember oluşturmuşlardı. Durumu hızla gözden geçiren Leon, *boma*'nın ana binasına en yakın taraf dışında grubunun tamamen çevrildiğini saptadı. Nandi'ler etraflarını sararken küçük bir boşluk bırakmış olmalılardı.

Leon, "Ateşe başla!" diye bağırdı ve yedi tüfeğin sesi, haykırışların ve davul gibi çalınan kalkanların gürültüsü arasında adeta eriyip gitti. Sadece tek bir Nandi'nin, etek ve Colobus maymunu postundan başlık giymiş bir kabile şefinin devrildiğini gördü. Ağır kurşun mermiyle başı arkaya devrilmiş ve kafatasının arkasından bulut halinde kanlı dokular fışkırmıştı. Leon onu kimin vurduğunu biliyordu: Manyoro tecrübeli bir atıcıydı ve Leon onun tek bir hedef seçip dikkatle nişan aldığını görmüştü.

Şef yere yıkılınca saldırıda bir duraksama olsa da arkadaki leopar giysili büyücü doktordan gelen öfkeli çığlıkla saldırganlar tekrar atağa kalktılar. Leon bu büyücü doktorun isyanın meşhur önderi Arap Samoei olduğunu tahmin etti. Adama arka arkaya iki el ateş etti ama mesafe elli adımdan fazlaydı ve kısa namlulu Webley yakın mesafe silahıydı. İki merminin de bir etkisi olmamıştı.

Leon tekrar, "Arkama!" diye bağırdı. "Yakın durun! Beni takip edin!" Adamlarını Nandi saflarındaki o küçük boşluktan doğruca ana binaya götürüyordu. Nandi'ler bir hamle daha yapıp yollarını kestiklerinde haki giysili küçük grup neredeyse hedefine ulaşıyordu. İki taraf da anında karmakarışık bir arbedeye tutuşmuştu.

Leon, "Süngü hücumu!" diye haykırıp Webley'i karşısındaki buruşmuş surata sıktı. Adam düşer düşmez arkasından başkası belirmişti. Manyoro uzun gümüş süngüsünü bütün gücüyle adamın göğsüne sapladı ve cesedi kenara fırlatırken süngüsünü kurtardı. Leon da hemen arkasındaydı, aralarında üç kişiyi daha süngü ve tabancayla hakladıktan sonra kalabalığı yarıp verandanın basamaklarına ulaştılar. Artık müfrezeden ayakta kalan bir tek ikisi vardı. Diğerlerinin tümü mızrakla vurulmuştu.

Leon veranda basamaklarını üçer üçer tırmanıp açık kapıdan ana salona daldı. Manyoro kapıyı arkalarından kapattı. Her biri bir pencereye koşup peşlerinden gelen Nandi'lere ateş ettiler. Atışları o kadar isabetliydi ki saniyeler içinde basamaklar cesetlerle dolmuştu. Diğerleri de dehşetle geri çekilmiş, arkalarına dönüp plantasyonun içine dalmışlardı.

Leon gidişlerini izlerken pencere kenarında durmuş silahını doldurmaktaydı. Diğer penceredeki Manyoro'ya, "Ne kadar cephanen kaldı çavuş?" diye bağırdı.

Manyoro'nun tuniğinin kolunu bir Nandi *panga*'sı delmişti ama pek kanamadığı için yaraya aldırmıyordu. Tüfeğini açmış hazneye mermi doldurmaktaydı. "Bunlar son iki şarjörüm Bwana," diye cevap verdi. "Ama dışarıda daha çok var." Tören meydanına yığılmış *askari*'lerin fişekliklerini gösteriyordu, etraflarında da onların devirdiği yarı çıplak Nandi'ler vardı.

Leon, "Nandi'ler yeniden toparlanana kadar dışarı çıkıp hepsini alabiliriz," dedi.

Manyoro tüfeğin sürgüsünü indirdi ve silahı pencere pervazına koydu. Leon da tabancasını kılıfına yerleştirip kapıda Manyoro'ya yetişti. İkisi yan yana durup birbirlerine güç verdiler. Leon yüzüne bakmakta olan Manyoro'ya sırıttı. Bu uzun boylu Masai'nin kendinden yana olması iyiydi. Leon, İngiltere'den gelip alaya katıldığından beri birlikteydiler. Aradan bir yıldan biraz fazla zaman geçmişti ama aralarında oluşan bağ oldukça güçlüydü. "Hazır mısın çavuş?"

"Hazırım Bwana."

Leon, "Tüfek omza!" diye alay savaş narasını atıp kapıyı sonuna kadar açtı. İkisi aynı anda dışarı fırladılar. Basamaklar kandan kayganlaşmış ve cesetlerle dolmuştu, o yüzden Leon alçak korkuluğa tutunup aşağı kaydı. En yakındaki ölü *askari*'nin yanına koşup dizüstü çöktü. Çabucak adamın kayışını çözdü ve ağır cephane palaskasını omzuna attı. Sonra ayağa fırlayıp öteki adamın yanına koştu. Daha oraya varamadan muz plantasyonunun kenarından yüksek, öfkeli bir uğultu duyuldu. Leon sese aldırmayıp cesedin yanına çöktü. Onun fişekliğini de omzuna atana kadar başını kaldırıp bakmadı. Nandi'ler tekrar tören alanına üşüşürken ayağa kalktı.

Omzu fişeklikle dolu olan Manyoro'ya, "Geri çekil, hem de çabuk!" diye bağırdı. Ölü bir *askari*'nin tüfeğini kapacak kadar oyalanıp veranda duvarına koştu. Orada durup omzunun üstünden arkaya baktı. Nandi savaşçıları elli adım öteden hızla yaklaşırken Manyoro da birkaç metre gerisindeydi.

Leon, "Şunlara günlerini gösterelim," diye homurdandı. O arada saldırganlardan birinin ağır bir yayı omzuna kaldırdığını fark etti. Bu, fil avlamakta kullandıkları bir silahtı. Ensesinin ürperdiğini hissetti. Nandi'ler usta okçulardı. "Koş, lanet olsun, koş!" diye bağırdı, Nandi'nin uzun bir ok alıp yayını gerdiğini görmüştü. Sonra oku fırlattı ve yukarı doğru çıkan ok sessiz bir yay çizerek ileri uçtu. Leon, "Dikkat et!" diye bağırdı ama boşuna, ok çok hızlıydı. Çaresizce, okun Manyoro'nun korunmasız sırtına doğru uçuşunu izledi.

"Tanrım," diye mırıldandı. "Lütfen Tanrım!" Ok fazla dik indiği için bir an menzile erişmeyeceğini sandı ama sonra hedefi bulduğunu gördü. Manyoro'ya doğru bir adım inmiş ve durup çaresizce olanları izlemişti. Manyoro'nun bedeni okun saplanışını gizlemiş olsa da demirin eti parçalarken çıkardığı sesi duydu ve Manyoro olduğu yerde döndü. Okun ucu bacağına iyice saplanmıştı. Manyoro bir adım daha atmaya çalıştı ama yaralı bacağı buna engel oldu. Leon ondaki fişeklikleri de kendi boynuna dolayıp taşıdığı tüfekle birlikte duvarı aşarak açık kapıdan içeri daldı. Sonra dönüp arkasına baktı. Manyoro sağlam bacağıyla kendisine doğru zıplarken, öteki bacağı havada duruyor, saplanan okun gövdesi bacakla birlikte sallanıyordu. Leon bir anda kulağının dibinden vınlayarak geçen bir ok yüzünden irkildi, ok gidip veranda duvarına çarptı.

Manyoro'nun yanına gidip kolunu çavuşun koltukaltından geçirerek beline doladı. Adamı havaya kaldırıp duvara doğru koşmaya başladı. Uzun boyuna rağmen Masai'nin böylesine hafif olması Leon'u şaşırtmıştı. O anda güçlü bedeninin her noktası korku ve çaresizliğin yarattığı güçle doluydu. Duvara ulaşıp Manyoro'yu üstünden aşırttı. Sonra tek sıçrayışta kendisi de duvarı geçti. Etraflarında bir sürü ok uçuşmaya başlamıştı ama Leon onlara aldırmayıp Manyoro'yu çocuk gibi kucağına alarak kapıdan içeri girdi, o sırada peşlerindeki Nandi'lerden biri de arkalarındaki duvara varmıştı.

Manyoro'yu yere bırakıp ölü *askari*'den kaptığı tüfeği aldı. Açık kapıya doğru dönerken hazneye yeni bir fişek sürdü ve duvara tırmanmakta olan Nandi'yi öldürdü. Hızla yeni mermi sürüp bir daha ateş etti. Şarjör boşalınca tüfeği yere bırakıp kapıyı kapattı. Ağır kapı, maundan yapılmıştı ve pervazı kalın duvarlara iyice gömülmüştü. Öbür taraftan Nandi'lerin yüklenmesiyle sarsılıyordu. Leon tabancasını çekip panellerin arasından iki el ateş etti. Önce acı dolu bir feryat duyuldu, sonra bir sessizlik oldu. Leon tekrar gelmelerini bekledi. Fısıltıları ve ayak sürümelerini duyabiliyordu. Aniden yan pencerelerin birinde boyalı bir surat belirdi. Leon nişan aldı ama o daha tetiğe basamadan arkasından biri ateş etti. Surat gözden kaybolmuştu.

Leon dönünce Manyoro'nun yerde sürünerek öbür pencerenin pervazına bıraktığı tüfeğe ulaşmış olduğunu gördü. Pervaza tutunarak sağlam bacağının üstünde ayağa kalkmıştı. Pencereden tekrar ateş etti ve Leon merminin ete saplanırken çıkardığı boğuk sesi, ardından da verandaya birinin daha düştüğünü duydu. "Morani! Savaşçı!" diye soluyunca Manyoro, yapılan iltifata sırıttı.

"Bütün işi bana bırakma Bwana. Sen de öbür pencereyi tut!"

Leon tabancasını kılıfına sokup boş tüfeği aldı ve şarjörü doldururken açık pencereye koştu, on atışlık iki tane yerleştirmişti. Lee-Enfield harika bir silahtı. Eline yakışıyordu.

Pencereden uzanıp arka arkaya ateş etti. İkisi iki taraftan tören alanını tarayınca Nandi'ler kendilerini plantasyona atmak zorunda kaldılar. Manyoro ağır ağır yere çöküp sırtını duvara yasladı, bacaklarını ileri uzatmıştı, yaralı bacağını diğerinin üstüne attığı için ok yere değmiyordu.

Leon tören alanına bir daha göz atıp sinsice yaklaşan bir düşman olmadığından emin olunca pencerenin önünden ayrıldı ve çavuşunun yanına gitti. Önünde çömelip dikkatle okun gövdesini kavradı. Manyoro inledi. Leon biraz daha çabaladı ama dikenli demir uç yerinden oynamıyordu. Yüzünden akan ter tuniğine damladığı halde Manyoro'nun gıkı çıkmıyordu.

Leon, "Çekmeme imkân yok, o yüzden sapını kırıp yarayı saracağım," dedi.

Manyoro ifadesiz bir yüzle uzun süre Leon'a baktı, sonra gülümsedi, dişleri iri, muntazam ve beyazdı. Kulakmemeleri çocukken delinmiş, fildişi halkalar takılmıştı, bu da yüzüne yaramaz, muzip bir ifade veriyordu.

Manyoro, "Tüfek omza!" dedi ve o koşullarda Leon'un bu en sevdiği sözleri peltek peltek taklit etmesi öylesine şaşırtıcıydı ki Leon kahkahayı bastı ve aynı anda da okun kamış gövdesini yaradan çıktığı yerinden kırdı. Manyoro gözlerini yumdu ama sesini çıkarmadı.

Leon, *askari*'den almış olduğu örgü heybede bir sargı bezi buldu ve okun ucunu oynamasın diye sıkıca bağladı. Sonra hızla ayağa fırlayıp eserini inceledi. Kendi heybesine tutturduğu matarayı alıp kapağını açtı ve büyük bir yudum içtikten sonra Manyoro'ya uzattı. Masai çekindi, bir *askari* bir subayın matarasından su içmezdi. Leon kaşlarını çatarak matarayı eline sıkıştırdı. "İç şunu," dedi. "Bu bir emirdir!"

Manyoro başını geriye atıp matarayı havaya kaldırdı. Dudaklarını değdirmeden suyu doğruca gırtlağına akıttı. Üç kez yutkunurken âdemelması inip çıkıyordu. Sonra kapağı sıkıca kapattı ve Leon'a geri verdi. "Bal gibi tatlı," dedi.

Leon, "Karanlık çöker çökmez dışarı çıkacağız," dedi.

Manyoro bir an bu sözleri tarttı. "Hangi yoldan gideceksin?"

"Geldiğimiz yoldan gideceğiz." Leon çoğul ekini özellikle vurgulamıştı. "Tren yolu hattına ulaşmamız lazım."

Manyoro kıkırdadı.

Leon, "Seni güldüren nedir Morani?" diye sordu.

Manyoro, "Demiryolu neredeyse iki günlük yürüyüş mesafesinde," diye hatırlattı. Başını keyifle sallayıp sargılı bacağına dokundu. "Ne zaman gidersen yalnız olacaksın Bwana."

"Kaçmayı mı düşünüyorsun Manyoro? Biliyorsun ki cezası kurşuna dizilmek..." Dışarıda bir hareket gözüne iliştiği için lafını yarım bıraktı. Tüfeği kaptı ve tören alanının ötesine üç el ateş etti. Mermilerden biri canlı ete temas etmiş olmalıydı, çünkü bir acı ve öfke çığlığı duyulmuştu. Leon, "Babunlar ve babun çocukları," diye homurdandı. Kiswahili dilinde bu büyük bir hakaretti. Tüfeği kucağına yatırıp tekrar doldurdu. Başını kaldırmadan, "Seni taşıyacağım," dedi.

Manyoro suratında yine o muzip tebessümle kibarca, "İki gün Bwana," dedi. "Nandi kabilesinin yarısı da peşindeyken iki gün beni mi taşıyacaksın? Böyle dediğini mi duydum?"

Leon, "Belki zeki ve nüktedan çavuşumun daha iyi bir planı vardır," diye yüklendi.

Manyoro hayretle, "İki gün!" diye tekrarladı. "Sana 'at' demem lazım o zaman."

Bir süre sessizlik oldu, sonra Leon, "Konuş öyleyse bilge kişi," dedi. "Değerli fikirlerini söyle bana."

Manyoro biraz duraksadıktan sonra, "Burası Nandi toprağı değil," dedi. "Bunlar benim halkımın otlakları. Bu hain çakallar Masai topraklarına tecavüz ediyor."

Leon başını salladı. Onun bölge haritasında bu sınırlar görünmüyordu, ona verilen emirlerde de bu konu netleştirilmiş değildi. Amirleri muhtemelen kabile bölgelerinin ayrımları konusunda cahildi, ama Leon bu son isyandan önce Manyoro ile devriye gezerken buralarda epeyce taban tepmişlerdi. "Bana anlatmıştın, o yüzden biliyorum. Artık şu daha iyi planını söyle Manyoro."

"Eğer tren yoluna doğru gidersen..."

Leon sözünü kesti. "Yani gidersek demek istiyorsun."

Manyoro kabul ettiğini gösterircesine hafifçe başını eğdi. "Tren yoluna doğru gidersek yine Nandi Bölgesi'ne dönmüş olacağız. İyice azıtıp sırtlan gibi üstümüze saldıracaklar. Ama, eğer vadiden aşağı doğru gidersek..." Manyoro çenesiyle güneyi gösterdi. "...Masai Bölgesi'ne girmiş olacağız. Bizi takip ederken attıkları her adım Nandi'lerin karnını korkuyla dolduracak. Peşimizden gelemeyecekler."

Leon bu öneriyi düşünüp kuşkuyla başını salladı. "Güneyde vahşi doğadan başka bir şey yok ve bacağın iltihap kapıp kesilmeden seni bir doktora yetiştirmem lazım."

Manyoro, "Güneye doğru rahat yürüyüşle bir güne kalmadan annemin *manyatta*'sına ulaşırız," dedi.

Leon hayretle gözlerini kırpıştırdı. Her nasılsa, Manyoro'nun bir ebeveyni olacağını hiç düşünmemişti. Sonra kendini toparladı. "Beni duymuyorsun. Sana bir doktor lazım, seni öldürmeden önce o oku bacağından çıkaracak birini bulmalıyız."

"Annem ülkemin en ünlü doktorudur. Ulu büyücü doktor olarak ünü ta okyanustan büyük göllere kadar bilinir. Mızrakla vurulmuş, ok yemiş veya aslan saldırısına uğramış yüz tane *morani*'mizi kurtardı. Elinde senin Nairobi'deki beyaz doktorların hayal bile edemeyeceği ilaçlar var." Manyoro duvara yaslandı. Artık teni grimsi bir parıltı kazanmıştı ve terinde acı bir koku vardı. Bir an birbirlerine baktılar, sonra Leon başını salladı.

"Pekâlâ. Rift'ten güneye gideceğiz. Ay çıkmadan karanlıkta yola koyuluruz."

Ama Manyoro tekrar doğruldu ve uzakta bir koku yakalayan av köpeği gibi boğucu havayı kokladı. "Hayır Bwana. Eğer gideceksek acele etmeliyiz. Kokuyu duymuyor musun?"

Leon, "Duman!" diye fısıldadı. "Domuzlar bizi ateşte pişirmeye çalışıyorlar." Tekrar pencereden dışarı baktı. Tören alanı boştu, ama bir daha o yönden gelmeyeceklerini biliyordu. Binanın arka cephesinde pencere yoktu. Oradan geleceklerdi. En yakındaki muz ağaçlarının yapraklarını inceledi. Hafif bir rüzgârla oynaşıyorlardı. "Rüzgâr doğudan esiyor," diye mırıldandı. "Bu işimize yarar." Manyoro'ya baktı. "Yanımıza fazla bir şey alamayız. Fazladan her yük işi zorlaştırır. Tüfeklerle fişeklikleri bırakalım. Birer süngüyle birer matara alacağız. Hepsi o." Konuşurken kurtarmış oldukları torbalara uzandı. Üç tane kemeri birbirine iliştirip tek bir ilmek yaptı, başından geçirip sağ omzuna yerleştirdi. Neredeyse sol kalçasının hemen altına kadar inmişti. Matarasını kulağına kaldırıp salladı. "Yarıdan az." Kurtardıkları mataralardan kendisininkine su aktardıktan sonra Manyoro'nunkini doldurdu. "Götüremeyeceğimizi burada içeriz." Ardından kalan suları içip bitirdiler.

"Hadi çavuş, kalk bakalım." Leon bir elini Manyoro'nun koltuk altından geçirip ayağa kalkmasına yardım etti. Çavuş tek ayağı üzerinde dengesini bulup matarasıyla süngüsünü beline bağladı. Tam o anda saman kaplı dama ağır bir şey düştü.

Leon, "Meşaleler!" diye bağırdı. "Binanın arkasından yaklaştılar, çatıya yanan meşale atıyorlar." Yukarıdan bir düşme sesi daha duyuldu ve odadaki yanık kokusu arttı.

Pencereden kara bir duman görünmeye başlayınca Leon, "Gitme zamanı," diye mırıldandı, duman rüzgârla meydanı geçip ağaçlara yönelmişti. Uzaktan Nandi'lerin şarkılarını, heyecanlı çığlıklarını duyuyorlardı. Duman perdesi bir an için aralandıktan sonra öylesine yoğunlaştı ki bir kol boyundan ötesini göremez hale geldiler. Alevlerin çıtırtısı, Nandi'lerin seslerini bile bastıran boğuk bir kükremeye dönüştü, duman iyiden iyiye sıcak ve boğucu bir hal almıştı. Leon gömleğinin ucundan bir parça yırtıp Manyoro'ya uzattı. "Yüzünü ört!" diye emretti ve kendisi de boynundaki mendille ağzını burnunu kapattı. Sonra Manyoro'nun pencereden dışarı atlamasına yardım edip, ardından da kendisi atladı.

Koruma duvarını hızla aşarken Manyoro, Leon'un omzuna yaslanmış bir halde yanında zıplıyordu. Leon verandanın köşesine giderken yönünü bulmak için duvarı kullandı. Duvarın üstünden atlayıp yoğun dumanda eşyalarını bulmak için durakladılar. Çatıdan fırlayan kıvılcımlar çevrelerinde uçuşuyor, kollarının bacaklarının açıkta kalan yerlerini yakıyordu. Manyoro'nun tek bacak üstünde gidebildiği hızla ilerlediler, hafif rüzgâr arkalarından esiyordu. Her ikisi de dumandan boğulacak gibiydi, gözleri yanıyor, yaşarıyordu. Nefeslerini tıkayan duman yüzünden öksürmeye başlamışlardı. Sonra aniden kendilerini plantasyonun ilk sıra ağaçlarının arasında buldular.

Yoğun dumanın içinde süngüleri hazır, her an düşmanla karşılaşmayı bekleyerek el yordamıyla gidiyorlardı. Leon, Manyoro'nun şimdiden yalpalamaya başladığının farkındaydı. *Boma*'dan çıktıklarından beri Manyoro'yu tek bacak üstünde fazla zorlamıştı, böyle devam edemezdi. Daha şimdiden ağırlığının çoğunu Leon'un omzuna yüklemişti.

Leon, "İyice uzaklaşmadan duramayız," diye fısıldadı.

Manyoro, "Ben tek bacakla senin iki bacakla gittiğin kadar hızlı gidebilirim," diye soludu.

"Acaba, koca palavracı Manyoro bunun üzerine yüz şilin bahse girer miydi?" Fakat çavuş cevap veremeden Leon kolunu tutup sessizce uyardı. İleriyi görmeye çalışırken sesleri dinlemek için durdular. Aynı sesi tekrar duymuşlardı; fazla uzakta olmayan biri şiddetle öksürüyordu. Leon, Manyoro'nun elini omzundan çekip, "Burada bekle," diye fısıldadı.

Süngüsü sağ elinde, çömelerek ilerledi. Daha önce bıçakla birini öldürmemişti, ama eğitim sırasında komutanı bunun da pratiğini yaptırmıştı. Tam karşısında bir insan figürü belirdi. Leon ileri atıldı ve süngünün kabzasını muşta gibi kullanarak adamın başının yanına öyle bir güçle indirdi ki, adam dizlerinin üstüne düştü. Sonra dudaklarından tek bir ses çıkmasına izin vermeden kolunu Nandi'nin boynuna doladı. Fakat Nandi bütün vücuduna palmiye yağı sürmüştü. Balık gibi kaygandı ve tümü gücüyle mücadele ediyordu. Neredeyse Leon'un elinden kurtulmak üzereydi ki süngü tutan elini uzatıp bıçağı Nandi'nin kaburgalarının altına sapladı ve çeliğin nasıl da kolayca saplandığını görünce adeta şok geçirdi.

Nandi iki katı çabalarken haykırmaya çalıştı ama Leon boynuna doladığı kolunu iyice sıkınca adamın sesi gitgide boğulmaya başladı. Ölmekte olan Nandi'nin canhıraş çırpınışları bıçağın göğüs kafesine iyice girmesine neden oldu Leon bu kez bıçağı döndürüp kanırttı. Nandi aniden sarsıldı ve ağzından koyu kırmızı bir kan geldi. Kan, Leon'un koluna akmış, damlalar yüzüne sıçramıştı. Nandi şöyle bir doğruldu, sonra gevşeyip elinden kaydı.

Leon öldüğünden emin olmak için bir süre daha tuttuktan sonra cesedi bırakıp Manyoro'nun bulunduğu yere döndü. "Hadi!" diye fısıldadı. Büyük bir çabayla tutunarak yürümeye çabalayan, yalpalayan Manyoro'yla yürümeye devam ettiler.

Aniden altlarındaki toprak çöktü ve dik, çamurlu bir yamaçtan sığ bir dereye yuvarlandılar. Orada duman o kadar yoğun değildi. Leon rahatlayarak doğru yönde ilerlediklerini fark etti. *Boma*'nın güneyinden akan nehrin koluna ulaşmışlardı.

Derede çömelip yüzüne avuç avuç su serpti, yanan gözlerini yıkadı, Nandi'nin kanını temizlemek için ellerini ovuşturdu. Sonra ikisi birden kana kana su içtiler. Leon gargara yapıp tükürdü, duman yüzünden boğazı yanmış, kupkuru olmuştu.

Manyoro'yu bırakıp dumanların arasından etrafı kolaçan etmek için yukarı tırmandı. Duyduğu seslerden Nandi'lerin uzakta olduğunu anladı. Gücünü toplamak ve yakın takipte bir Nandi olmadığını anlayabilmek için birkaç dakika bekledikten sonra Manyoro'nun sığ derede oturduğu yere döndü.

"Şu bacağına bir bakayım." Çavuşun yanına oturup bacağını kucağına aldı. Sargı bezi ıslanmış ve çamura bulanmıştı. Sargıyı açar açmaz verdikleri mücadelenin bacağa yaptığı korkunç etkiyi gördü. Manyoro'nun uyluğu davul gibi şişmiş, yaranın etrafındaki etler okun sapının ileri geri hareketi yüzünden parçalanıp morarmıştı. Yaranın çevresinden kan sızıyordu. "Ne hoş bir manzara," diye mırıldanıp hafifçe dizin arkasına dokundu. Manyoro itiraz etmedi ama Leon etindeki çürümüş yerleri yoklarken gözbebekleri büyüyordu.

Sonra Leon yumuşak bir sesle, "Burada ne varmış?" diye fısıldadı. Manyoro'nun bacak kasında, tam dizin üstünde, derinin altında yatan yabancı bir madde vardı. İşaret parmağıyla onu incelerken Manyoro irkildi.

Leon İngilizce olarak, "Okun ucu bu," dedi, sonra tekrar Kiswahili diline döndü. "Arkadan öne bacak boyunca yürümüş." Manyoro'nun katlandığı acıyı düşünmek bile korkunçtu ve Leon böyle bir ıstırap karşısında kendini yetersiz hissetti. Başını kaldırıp gökyüzüne baktı. Yoğun dumanın akşam rüzgârıyla dağılmasıyla güneşin son huzmelerinin vurduğu batıdaki tepelerin üstü artık görülebiliyordu.

Manyoro'nun yüzüne bakmadan, "Bence şimdilik onları atlattık ve yakında hava kararacak," dedi. "O zamana kadar dinlenebilirsin. Gece için güç toplaman lazım." Leon'un gözleri dumanın etkisiyle hâlâ yanıyordu. Gözlerini sıkıca yumdu. Ama tekrar açması uzun sürmedi. *Boma* yönünden gelen sesler duymuştu.

Manyoro, "İzimizi sürüyorlar!" diye mırıldandı ve derenin kıyısında iyice büzüldüler. Muz plantasyonunda Nandi'ler kanı takip eden avcılar gibi alçak sesle birbirlerine sesleniyorlardı. Leon önceki iyimserliğinin manasız olduğunu kavramıştı. Nandi'ler onun çizmelerinin izini sürüyordu: İkisinin ağırlığı birleştiği için yumuşak toprakta derin izler bırakmıştı. Dere yatağında Manyoro'yla ikisinin saklanacağı bir yer olmadığı için Leon süngüsünü kemerinden çıkardı ve tam kenara gelene kadar emekledi. Böylece peşlerindeki Nandi'ler aşağı bakar da yerlerini keşfederlerse üzerlerine atlayacak kadar yakında olacaktı. Genel bir alarm verip herkesi başlarına toplamadan sessizce işlerini görebilmesi gelenlerin kaç kişi olduğuna bağlıydı. Seslerin geldiği yönü kestirine kadar biraz daha ilerledi. Olduğu yerde iyice büzüldü, ama tam o sırada *boma* yönünden bağırışlar yükseldi. Yukarıdaki adamlar da heyecanla bağırıştılar ve Leon, dönüp geldikleri yöne doğru koşmaya başladıklarını duydu.

Tekrar Manyoro'nun yanına kaydı. Bacağını yeniden sararken, "Neredeyse oyunun son hamlesine geliyorduk," dedi.

"Neden geri döndüler?"

"Bence öldürdüğüm adamın cesedini buldular. Ama bu onları fazla oyalamaz. Yine gelecekler."

Manyoro'yu ayağa kaldırıp sağ kolunu kendi omzundan geçirdi ve onu yarı taşıyıp yarı sürükleyerek dere yatağından yukarı çıkardı.

Dere yatağındaki mola Manyoro'nun durumunda bir iyileştirme sağlamamıştı. Hareketsiz kalmak bacağı ve çevresindeki yırtılmış kasları sertleştirmişti. Manyoro ağırlığını vermeyi deneyince bacak büküldü ve Leon tutmasa düşecekti.

"Buradan itibaren bana at diyebilirsin aslında." Durdu, arkasını döndü, sonra çömelip adamı sırtladı. Manyoro bacağı serbest kalınca acıyla inledi, sonra kendini toparladı ve gıkını bile çıkarmadı. Leon, silah kayışlarını onun oturacağı bir sapan şekline getirdikten sonra Manyoro'yu sırtında iyice yükseğe yerleştirdi. Adam, havada duran bacaklarıyla direğe tırmanmış bir maymunu andırıyordu. Leon herhangi bir gereksiz hareketi önlemek için bacakları el arabası sapı gibi kavradı ve tepenin yamacına doğru yola koyuldu. Dumanla kaplı olduğu için gizlenebildikleri yeşillik alandan açıktaki çalılara ulaştıklarında rüzgâr açık gri dumanları iyiden iyiye savurmaya başlamıştı. Ancak artık güneş alçalıp, tepede bir alev topu haline gelmişti ve yavaş yavaş karanlık çöküyordu.

Leon soluk soluğa, "On beş dakika," diye fısıldadı. "İhtiyacımız olan tek şey bu." Artık tepenin yamacı boyunca uzanan çalılıklara varmıştı. Çalılar biraz koruma sağlayacak kadar gürdü ve bölgede uzaktan seçilmeyecek girinti çıkıntılar vardı. Bir avcının içgüdüsü ile bir askerin dikkatine sahip olan Leon, bu yeteneklerini takipçilerine görünmeden ilerlemek için kullanıyordu. Karanlık iyice çöküp de etraflarındaki nesneler görünmez hale gelince biraz rahatladığını hissetti. Peşlerindekilerden kurtulmuş gibiydiler, ama emin olmak için hâlâ çok erkendi. Dizlerinin üstüne çöküp, Manyoro'yu sarsmamak için yavaşça yana yuvarlandı. Bir süre ikisi de konuşmadan, kıpırdamadan yattılar, sonra Leon yavaşça doğruldu ve Manyoro yaralı bacağını uzatabilsin diye sapan bağlarını çözdü. Mataranın kapağını açıp Manyoro'ya uzattı. İkisi de sularını içince boylu boyunca uzandı. Sırtındaki ve bacaklarındaki her bir kas ve kiriş sanki haykırıyor, dinlenmek için yalvarıyordu. Bu daha başlangıç, diye acımasızca kendini uyardı. Yarın sabaha iyice neşemizi bulmuş olacağız.

Gözlerini kapadı ama baldır kası ıstıraplı bir krampla kasılınca tekrar açtı. Doğrulup bacağına masaj yapmaya başladı.

Manyoro koluna dokundu. "Sana hayranım Bwana. Demir gibi bir adamsın, ama aptal da değilsin ve ikimizin birden burada ölmesi büyük aptallık olur. Tabancayı bana bırak ve sen devam et. Ben burada kalıp peşine takılmaya kalkan Nandi'leri öldürürüm."

Leon, "Seni mızmız piç!" diye homurdandı. "Ne tür bir kadınsın sen? Daha başlamadık bile ve şimdiden vazgeçmeye hazırsın. Yattığın yerde suratına tükürmeden bin tekrar sırtıma." Öfkesinin aşırı olduğunu biliyordu ama korkuyor ve acı çekiyordu.

Bu kez Manyoro'nun sapana yerleşmesi uzun sürmedi. İlk yüz adımda Leon bacaklarının tümden iflas edeceğini sandı. İçinden Manyoro yerine kendine kızmaya başladı. Şimdi kim mızmız piç oldu Courtney? Beyninin ve iradesinin tüm gücüyle acıyı bastırırken bacaklarına tekrar güç geldiğini hissetti. *Adım adım.* Yürümeye devam etmek için bacaklarını yüreklendiriyordu. *Sadece bir adım daha. İşte bu kadar. Şimdi bir tane daha. Bir tane daha.*

Dinlenmek için durursa bir daha hiç başlayamayacağını bildiği için, yeniayın doğuda, Rift Vadisi'nin tepesinde belirdiğini görene kadar devam etti. Ayın muhteşem doğuşunu izledi. Böylece, geçen saatleri de çan çalıyormuş gibi net bir şekilde takip edebiliyordu. Sırtındaki Manyoro ölmüş gibi hareketsizdi ama Leon kendi ter içindeki vücuduna yaslanan bedenin ateşinden onun canlı olduğunu hissedebiliyordu.

Ay, Leon'un sağında kalan batıdaki yüksek kara yamaca doğru alçalırken ağaçların altında garip gölgeler oluşturuyordu. Leon'un zihni oyunlar oynamaya başlamıştı. Birinde, tam yolunun üstünde siyah yeleli bir aslan görür gibi oldu. Hemen Webley'i kılıfından çıkarıp hayvana doğrulttu ama o daha tam nişan alamadan aslan akkarınca yuvasına dönüştü. Şaşkın şaşkın güldü. Yüksek sesle, "Seni ahmak! Birazdan da cinler periler görmeye başlayacaksın," dedi.

Tabancayı sağ elinde tutarak yürümeye devam etti, önünde hayaletler belirip kayboluyordu. Ay gökyüzündeki turunu yarıladığında son gücü de parmaklar arasından akıp giden su gibi akıp gitmişti. Sendeledi, neredeyse düşüyordu. Bacaklarını toparlayıp dengesini bulması büyük çaba gerektirdi. Ayaklarını açıp durdu, başı öne sarkmıştı. Tükenmişti ve bunun farkındaydı.

Manyoro'nun sırtında kıpırdadığını hissetti ve sonra Masai, inanılmaz bir şekilde şarkı söylemeye başladı. Sesi savanlarda esen şafak rüzgârı gibi hafif ve boğuk olduğu için ilk başta sözlerini anlayamadı. Sonra yorgunluktan körelmiş beyninde Aslan Şarkısı'nın sözleri yankılandı. Leon; Maa, yani Masai dilini pek bilmiyordu. Manyoro kendi bilebildiği kadarını öğretmişti. Diğerlerine benzemeyen, incelikli, karmaşık, zor bir dildi. Yine de Manyoro sabırlıydı ve Leon'un yabancı dillere karşı yeteneği vardı.

Aslan Şarkısı genç Masai morani'ye ruhen arınma dersinde öğretilirdi. Derse katılanlar gergin bacaklarla dans edip, havalanan bir kuş sürüsü gibi zahmetsizce yükseklere sıçrarken, togaya(*) benzer kırmızı pelerinleri etraflarında kanat gibi uçuşurdu.

Biz genç aslanlarız.
Kükrediğimizde yeryüzü titrer.
Mızraklarımız pençelerimizdir.
Mızraklarımız dişlerimizdir.
Korkun bizden ey hayvanlar.
Korkun bizden yabancılar.
Siz kadınlar, gözlerinizi başka yana çevirin.
Yüzlerimizin güzelliğine bakmaya cüret edemezsiniz.
Biz aslan gururu kardeşleriyiz.
Biz genç aslanlarız.
Biz Masai'yiz.

(*) Yaklaşık altı metre uzunluğundaki bir kuşağın vücuda belirli bir yöntemle sarılmasıyla elde edilen bir çeşit giysi.

Masai'ler bu şarkıyı daha küçük kabilelerin sığırlarını ve kadınlarını yağmalamaya gittikleri zaman ya da ellerinde *assegai* dışında bir silah olmadan aslan avlayarak cesaretlerini kanıtlamaya gittiklerinde söylerlerdi. Bu onları savaşmak için yüreklendiren şarkıydı. Masai'lerin savaş ilahisiydi. Manyoro şarkıya baştan başladı ve bu kez Leon da ona katıldı, sözleri hatırlayamadığı yerlerde ağzının içinde bir şeyler mırıldanıyordu. Manyoro omzunu sıkıp kulağına, "Söyle!" diye fısıldadı. "Sen bizden birisin. Sende de aslan yüreği ve büyük, siyah yeleli aslan gücü var. Masai kalbi ve cesareti taşıyorsun. Söyle!"

Güneye doğru yürümeye devam ettiler. Şarkının verdiği gayretle Leon'un bacakları hareket edecek gücü buluyor, zihni gerçekle hayal arasında gidip geliyordu. Manyoro'nun, sırtında gitgide kötüleştiğini hissediyordu. Tökezliyordu ama artık yalnız değildi. Karanlığın içinde sevdiği ve çok iyi hatırladığı yüzler beliriyordu. Babasıyla dört erkek kardeşi kendilerine yaklaşsın diye teşvik ediyorlar, ama yaklaşınca da geri çekiliyorlardı, yüzleri görünmez oluyordu. Güçlükle attığı her adımda beyni zonkluyor ve bazen duyduğu tek ses bu oluyordu. Kimi zaman da haykırıp uluyan sesler, davul ve keman sesleri duyuyordu. Aklını kaçıracak gibi olduğu için kafasındaki kakafoniye aldırmamaya çalışıyordu.

Hayaletleri kovmak için, "Rahat bırakın beni. Bırakın geçeyim!" diye bağırdı. Hayaletler kayboldu ve Leon güneşin ilk ışıkları tepeleri aydınlatana kadar ilerledi. Birden dizleri büküldü ve başından vurulmuş gibi yere yıkıldı.

Gömleğinin arkası güneşte ısınırken uyandı, ama kafasını kaldırmaya çalışınca başı döndü ve nerede olduğunu da, oraya nasıl geldiğini de hatırlayamadı. Koku duyusu ve kulakları ona oyun oynuyordu. Evcil hayvanların sert topraktaki toynak seslerini ve hüzünlü böğürtülerini duyduğunu, keskin kokularını aldığını sanıyordu. Sonra birbirine seslenen tiz sesler, çocuk sesleri duydu. Bir tanesinin gülüşü hayal olamayacak kadar gerçekti. Yuvarlanıp Manyoro'dan ayrıldı ve büyük bir çabayla tek dirseğinin üstünde doğruldu. Parlak gün ışığı ve toz yüzünden kıstığı çapaklanmış gözleriyle etrafa bakındı.

Alacalı renklerde, hörgüçlü ve heybetli boynuzları olan hayvanlardan oluşmuş koca bir sürü gördü. Manyoro'yla ikisinin yattığı yerin hemen yakınında tozu dumana katarak gidiyorlardı. Çocuklar da gerçekti, ellerinde sadece sığırları suya doğru gütmek için kullandıkları birer sopa bulunan üç tane çıplak oğlan. Çocukların sünnetli olduklarını fark etti, demek ki göründüklerinden daha büyüktüler, yaşları muhtemelen on üçle on beş arasındaydı. Birbirleriyle Maa dilinde konuşuyorlardı ama Leon söylediklerini anlayamıyordu. Yine büyük bir çabayla, ağrıyan bedenini oturur duruma getirdi. En uzun boylu çocuk bu hareketi görmüş ve aniden durmuştu. Leon'a şaşkınlıkla bakıyordu, belli ki aslında kaçıp gitmek istiyordu ama hemen hemen *morani* yaşına gelmiş bir Masai olarak korkusunu bastırıyordu.

"Kimsin sen?" Değneğini tehditkâr bir şekilde sallasa da sesi titrek ve ürkekti.

Leon basit sözleri ve durumu kavradı. Boğuk bir sesle, "Düşman değilim," diye seslendi. "Yardımınıza ihtiyacı olan bir dostum."

Öteki iki çocuk da bu garip sesi duymuş ve büyük bir heyecanla yabancıyı izlemeye koyulmuştu. En büyük ve en cesur olanları Leon'a doğru birkaç adım attıktan sonra durup ciddiyetle selam verdi. Maa dilinde bir soru daha sordu ama Leon anlamadı. Cevap olarak, uzanıp Manyoro'nun oturmasına yardım etti. "Kardeş!" dedi. "Bu adam sizin kardeşiniz!"

Oğlan onlara doğru birkaç hızlı adım atıp Manyoro'ya baktı. Sonra arkadaşlarına döndü ve elini kolunu sallayarak çocukların savana doğru koşmasına neden olan bir dizi komut verdi. Leon'un anlayabildiği tek sözcük, "Manyoro," olmuştu.

Küçükler yedi yüz metre kadar uzaktaki kulübelere doğru koşuyorlardı. Kulübeler Masai geleneğine uygun şekilde saz damlıydı ve dikenli çalılardan oluşan bir çitle çevriliydi. Burası bir Masai *manyatta*'sı, yani köyüydü. Yere gömülü kazıklardan oluşan dış çember değerli sığır sürülerinin geceleri kapatıldığı ağıldı. Büyük çocuk artık Leon'un yanına gelmiş ve önünde çömelmişti. Manyoro'yu gösterip huşu ve hayranlık içinde, "Manyoro!" dedi.

Leon da, "Evet, Manyoro," diye cevap verdi ve güçlükle başını salladı.

Çocuk zevkle bağırıp heyecan içinde bir şeyler daha söyledi. Yalnızca "dayı" kelimesini anlayabilen Leon, konuşmaların gerisini takip edememişti. Gözlerini yumup, yakıcı güneşten korumak için koluyla da kapatarak tekrar uzandı. "Yorgun," dedi. "Çok yorgun."

Tekrar kendinden geçti ve uyandığı zaman etrafını köylülerden oluşan bir kalabalığın sarmış olduğunu gördü. Hepsi de Masai'ydi, yanılması mümkün değildi. Erkekler uzun boyluydu. Delik kulaklarına büyük süslü halkalar ya da boynuzdan oyulmuş enfiye kutuları takmışlardı. Uzun kırmızı pelerinlerinin altında çıplaktılar; cinsel organlarını gurur ve gösterişle teşhir ediyorlardı. Kadınlar da kendi cinslerine göre uzun boyluydu. Kafaları yumurta gibi tıraşlıydı ve çıplak göğüslerine sarkan dizi dizi boncuk kolye takıyorlardı. Minicik boncuklu önlükleri vulvalarını zar zor örtüyordu.

Leon doğrulup oturmak için çabalarken ilgiyle onu seyrettiler. Genç kadınlar kıkırdayıp birbirlerini dürterek aralarına giren bu garip yaratığı gösterdiler. Muhtemelen daha önce hiçbiri beyaz bir erkek görmemişti. Leon dikkatlerini çekmek için sesini yükseltip, "Manyoro!" dedi. Arkadaşını gösteriyordu. "Anne? Manyoro anne?" Köylüler şaşkın şaşkın yüzüne bakıyorlardı.

Sonra en genç ve güzel kızlardan biri ne demeye çalıştığını anladı. "Lusima!" diye haykırıp doğuyu, tepenin en uzaktaki mavimsi noktasını gösterdi. Ötekiler de neşeyle ona katılarak, "Lusima Ana!" diye bağrışmaya başladılar.

Belli ki Manyoro'nun annesinin adıydı. Herkes durumu anladığı için seviniyordu. Leon kalkıp Manyoro'yu taşıyormuş gibi yaptı ve doğuyu gösterdi. "Manyoro'yu Lusima'ya götürün." Bu hareket yerlilerin arasında bir duraksama yaratırken hepsi de şaşkınlıkla birbirlerine baktılar.

Yine, güzel kız durumu kavradı. Ayağını yere vurarak erkeklere bir nutuk attı. Duraksadıklarını görünce de o güçlü savaşçılara çıplak elleriyle girişti; hepsini tokatlıyor, yumrukluyordu. Hatta birinin özenle yapılmış saç tuvaletini bile dağıtmıştı, sonra suçlu suçlu gülerek dediklerini yapmaya karar verdiler. İki tanesi köye koştu ve uzun, sağlam bir sırıkla geri döndü. Sırığa köşeleri düğümlenmiş deri pelerinlerinden yaptıkları bir hamak geçirdiler. Bu bir *mushila*, yani sedye olmuştu. Kısa sürede, baygın yatan Manyoro'yu sedyeye yerleştirdiler. Dördü sedyeyi kaldırdı ve bütün grup koşarak doğuya yöneldi, Leon'u toprak zeminde yatar vaziyette bırakmışlardı. Erkeklerin şarkıları ve kadınların çektiği zılgıtlar gitgide uzaklaştı.

Leon ayağa kalkıp onların peşinden gidecek gücü bulabilmek için gözlerini kapadı. Tekrar açtığında yalnız olmadığını gördü. Onu ilk bulan üç çıplak çocuk sıraya dizilmiş, ciddi bir tavırla kendisini selamlıyorlardı. En büyükleri bir şeyler söyleyerek otoriter bir hareket yaptı. Leon itaat edip dizlerinin üstünde doğruldu ve sendeleyerek ayağa kalktı. Çocuk, yanına gelip elini tuttu ve kendine doğru çekiştirdi. "Lusima," dedi.

Arkadaşı da gelip Leon'un öbür elini tuttu. O da çekiştirerek, "Lusima," dedi.

Leon, "Pekâlâ. Başka seçenek yok gibi görünüyor," dedi. "Lusima olsun bakalım." Parmağıyla en büyük çocuğun göğsüne dokundu. Maa dilinde, "İsin? İsmin ne?" diye sordu. Manyoro'nun öğrettiği kalıplardan biriydi.

Çocuk gururla, "Loikot!" diye cevap verdi.

"Loikot, Lusima Ana'ya gidelim. Yolu göster."

Aralarında topallayarak ilerleyen Leon'u, Manyoro'yu taşıyanların ardından uzaktaki mavi tepelere doğru sürüklemeye başladılar.

Vadide ilerlerken Leon, tek başına bir dağın aniden geniş düzlükte bitiverdiğini fark etti. Onun ilk başta, doğudaki tepelerin bir ayağı olduğunu sanmış, yeşil vadinin derinliklerinde bir garip durduğunu düşünmüştü. Fakat yaklaşınca tek başına dikildiğini ve dağ silsilesine bağlı olmadığını anladı. Uzaktan fark edilmeyen bir azameti vardı. Arkasında uzanan Rift Vadisi duvarından daha yüksek ve dikti. Alçak yamaçlar heybetli şemsiye akasyalarla kaplıydı, ama yükseklerde daha sık bir orman dokusu vardı ve bu da bulutların üstünde kalan zirvenin, insan eliyle yapılmış kalelerin eğimli yüzeyleri gibi, gri kayalardan sarp bir duvarla kaplı olduğunu gösteriyordu.

Bu görkemli doğal kaleye yaklaşırlarken, Leon dağın tepesinin gür bir ormanla kaplı olduğunu gördü. Belli ki bulutlardan gelen nemle besleniyordu. Bu mesafeden bile ağaçların uzamış üst dallarının likenlerle ve çiçek açmış ağaç orkideleriyle bezeli olduğunu seçebiliyordu. En uzun ağaçlar gelin buketi gibi çiçeklerle doluydu. Kartallar ve diğer yırtıcı kuşlar yuvalarını zirvenin altındaki dik yamaca yapmışlardı ve geniş kanatlarıyla gökyüzünün mavi boşluğunda süzülüyorlardı.

Leon'la üç yol arkadaşı dağın eteğine ulaştıklarında vakit öğleden sonrayı geçmişti. Şimdiden, zikzaklar çizerek dik yamaca tırmanan patikayı yarılamış olan Manyoro ve sedye taşıyıcıların epey gerisinde kalmışlardı. Leon ancak iki yüz adım kadar tırmanıp kendini yolun kenarındaki akasya ağacının gölgesine attı. Ayakları taşlı yolda kendisini daha fazla taşıyacak güçte değildi. Bir ayağını kucağına alıp çizmesinin bağcıklarını çözmeye koyuldu. Çizmeyi çıkarırken acıyla inledi. Yün çorabı, kuruyan kanlar yüzünden katılaşmıştı. Çorabı dikkatle inceleyip korkuyla ayağına baktı. Kalın deri tabakaları çoraba yapışıp kalkmıştı ve topuğu örselenmişti. Tabanında patlamış kabarcıkların kabukları sallanıyordu ve parmaklarını çakal çiğnemiş gibiydi. Üç Masai çocuğu yarım daire şeklinde çömelip yaralarını incelediler ve bu iğrenç görüntünün tadını çıkardılar.

Sonra Loikot kumandayı tekrar ele aldı ve bir dizi buyrukla öbür iki çocuğu küçük bir uzun boynuzlu Masai sürüsünün akasya ağaçlarının altında biten otları yediği çalılıklara yolladı. Çocuklar birkaç dakika sonra avuçları nemli hayvan gübresiyle dolu olarak geri geldiler. Leon bunu açık yaralarına merhem olarak sürmeye niyetlendiklerini anlayınca Loikot'un buyruklarına daha fazla kulak asmamaya karar verdi. Ama çocuklar kararlıydı ve gömleğinden şeritler yırtıp kanayan ayaklarına sararken de başının etini yemeyi sürdürdüler. Sonra çizmelerini bağcıklarından birbirine bağlayıp boynuna astılar. Loikot çoban değneğini Leon'a uzatınca o da aldı, sonra da patikaya zıpladı. Yol her adımda biraz daha dikleşiyordu, bu yüzden tekrar duraklamaya başlamıştı. Loikot arkadaşlarına dönüp birtakım sert emirler daha yağdırdı ve çocuklar sıska bacaklarının üstünde uçar gibi uzaklaştılar.

Loikot'la Leon da daha düşük bir tempoyla arkalarından tırmanmaya devam ettiler. Leon'un sargılı ayaklarından yoldaki taşlara kan bulaşıyordu. Nihayet yine bir kayanın üstüne çöktü ve kendisi için erişilmez görünen yükseklere baktı. Loikot da yanına oturmuş, uzun, karmaşık bir hikâye anlatmaya başlamıştı. Leon, çocuğun anlattıklarının yalnızca birkaç kelimesini anlıyordu, ama Loikot usta bir aktör olduğunu da kanıtladı. Ayağa fırlayıp bir savaş sahnesi canlandırdı; Leon'un anladığı kadarıyla, babasının sürülerini yağmacı aslanlardan nasıl koruduğunu anlatan bir öyküydü bu. Anlatı pek çok tüyler ürpertici kükremeyi, zıplayıp çoban değneğiyle havaya bıçak darbeleri indirmeyi de içeriyordu. Son birkaç günün çetin sınavlarından sonra bu gösteri zihin oyalamak için birebirdi. Leon yaralı ayaklarını hemen hemen unutmuş, çocuğun antikalıklarına katıla katıla gülüyordu. Patikanın yukarısından gelen sesleri duyduklarında neredeyse hava kararmıştı. Loikot bağırarak bir şeyler söyledi ve karşılığında altı tane pelerinli *morani* koşarak yanlarına geldi. Manyoro'yu taşıdıkları *mushila*'yı da getirmişlerdi. Adamların isteğiyle Leon sedyeye uzandı ve dört tanesi sırığı kaldırıp omuzlarına aldılar. Sonra da koşarak dik yokuşu tırmanmaya başladılar.

Yamacı tırmanıp dağın tepesindeki düzlüğe ulaştıklarında Leon çok uzakta olmayan devasa ağaçların altında yanan ateşlerin ışığını gördü. *Mushila* taşıyıcıları hızla oraya koştular, sırıklarla ve dikenli dallarla çevrilmiş, üstü açık, büyük bir sığır ağılına geldiler. Ortadaki büyük yabani incir ağacının etrafına yirmiden fazla saz damlı kulübe kurulmuştu. Evlerin işçiliği Leon'un Masailand'daki devriye gezilerinde gördüklerinden çok daha üstündü. Ağıldaki sığırlar da iri ve bakımlıydı; alevlerin ışığında derileri pırıl pırıl parlıyordu, boynuzları kocamandı.

Ateşin başından ayrılan bir grup kadın ve erkek yabancıya bakmak üzere yaklaştılar. Erkeklerin *shuka*'ları kaliteliydi, kadınların bol sayıdaki mücevher ve süsleri hem çok güzel, hem de en pahalı boncuk ve fildişinden yapılmıştı. Refah içinde yaşadıklarına hiç kuşku yoktu. Gülerek, Leon'a yüksek sesle sorular sorarak *mushila*'sının etrafına toplandılar. Genç kadınların birçoğu uzanıp hiç çekinmeden genç adamın yüzüne dokundular, paralanmış üniformasını çekiştirdiler. Masai kadınları karşı cinse duydukları ilgiyi gizlemeye pek gerek görmezlerdi.

Aniden gürültülü kalabalığı bastıran bir ses duyuldu. Kulübelerin oradan kraliçe edasıyla gelmekte olan bir kadın vardı. Köylüler iki yana çekilip yol açtılar ve kadın *mushila*'ya yaklaştı. O, Leon'a doğru süzülürken, kadının uzun ve anaç görüntüsünü aydınlatan meşaleler taşıyan iki hizmetkâr kız da arkasından yürüyordu. Köylüler rüzgârda salınan başaklar gibi başlarını eğdiler ve kadın aralarından geçerken saygı ve hayranlık belirten hafif, yumuşak mırıltılar duyuldu.

Gözlerini kadının ışıldayan güzelliğinden kaçırıp hafifçe el çırparak, "Lusima!" diye fısıldıyorlardı. Leon güçlükle *mushila*'da doğruldu ve kadını karşılamak üzere ayağa kalktı. Kadın tam önünde durmuş, büyüleyici kara gözlerini yüzüne dikmişti.

Leon, "Seni görüyorum Lusima," diye selam verdi ama uzun bir süre selamının duyulduğunu belirten bir hareket olmadı. Kadın neredeyse Leon kadar uzundu. Teni, meşalelerin ışığında tütsülenmiş bal renginde, parlak ve kırışıksız görünüyordu. Gerçekten Manyoro'nun annesiyse yaşı ellinin epey üzerinde olmalıydı ama en azından yirmi yaş daha genç görünüyordu. Çıplak göğüsleri diri ve yuvarlaktı. Dövmeli karnında yaşının ya da yaptığı doğumların izi yoktu. Güzel, Nilotik(*) hatları çarpıcıydı ve ka-

---

(*) Nil Nehri havzasında yaşayan farklı dinlere mensup kabileler.

ra gözleri öyle delici bakıyordu ki sanki hiç zahmet etmeden beynindeki tüm sırlara erişiyormuş gibiydi.

"Ndio." Başını salladı. "Evet. Ben Lusima'yım. Gelmenizi bekliyordum. Niombi'den çıktığınız gece yolculuğunda seni ve Manyoro'yu izliyordum." Leon, kadının Maa dili yerine Kiswahili diliyle konuşmasına sevinmişti, aralarındaki iletişim daha kolay olacaktı. Fakat söylediklerini anlamlandırmakta güçlük çekiyordu. Niombi'den geldiklerini nereden bilebilirdi ki? Tabii ki Manyoro ayılıp kendisi söylemediyse.

Lusima, "Manyoro bana geldiğinden beri konuşmadı. Hâlâ gölgeler ülkesinin derinliklerinde," dedi.

Leon irkildi. Kadın aklından geçenleri duymuş gibi sormadığı soruya yanıt vermişti.

Lusima, "Sizinleydim, sizi kolluyordum," dedi ve Leon, tüm olanlara rağmen ona inandı. "Oğlumu kesin bir ölümden kurtardığını ve bana getirdiğini gördüm. Bu iyiliğinle sen de benim oğlum oldun." Leon'un elini tuttu. Elinin teması serin ve kemik kadar sertti. "Gel. Ayaklarına bakmam lazım."

Leon, "Manyoro nerede?" diye sordu. "Hayatta olduğunu söyledin, kurtulacak mı?"

"Vurulmuş ve kanına şeytanlar girmiş. Zor bir mücadele olacak ve sonucu belirsiz."

Leon, "Onun yanına gitmeliyim," diye ısrar etti.

"Seni götüreceğim. Ama şimdi uyuyor. Önündeki çetin sınav için gücünü toplaması lazım. Gün ışığı olmadan oku çıkaramam. Sonra da bana yardım edecek güçlü bir adam lazım. Ama sen de dinlenmelisin, çünkü o büyük gücünü sonuna kadar kullandın. O güce sonra ihtiyacımız olacak."

Kadın, Leon'u kulübelerden birine götürdü ve Leon eğilerek loş, dumanlı kulübeye girdi. Lusima karşı duvarın dibinde duran maymun postu geçirilmiş döşekleri gösterdi. Leon gidip kendini bir tanesinin yumuşak kürküne bıraktı. Kadın önünde diz çöküp ayaklarındaki sargıları inceledi. O bunu yaparken, hizmetkâr kızlar da kulübenin ortasındaki ateşin üzerinde duran üç ayaklı kara demir kazanda bitki özlerinden bir karışım hazırlıyorlardı. Leon kızların muhtemelen daha küçük bir kabileden esir alındıklarını tahmin etti, adı konmasa da tam anlamıyla köleydiler. Masai'ler sığır, kadın ya da canları ne isterse gidip alırdı ve hiçbir kabile onlara karşı koymaya cesaret edemezdi.

Kazandakiler hazır olunca kızlar Leon'un oturduğu yere taşıdılar. Lusima sıcaklığı kontrol etti ve başka bir kaptan soğuk ama aynı derecede berbat kokan bir sıvı ekledi. Sonra Leon'un ayaklarını birer birer alıp karışıma batırdı.

Sıvı daha yeni ateşten indiğinden ve içindeki bitki özleri yakıcı olduğundan, Leon bağırmamak için insanüstü bir gayret gösterdi. Üç kadın, tepkisini dikkatle izlediler, yüzünü buruşturmayıp soğukkanlı ve sessiz kaldığı için onaylayan ifadelerle birbirlerine baktılar. Lusima ayaklarını yine teker teker kazandan çıkarıp hazır alınmış sargı bezleriyle sardı. "Şimdi yemek yiyip uyuman lazım," dedi ve kızlardan birine başıyla işaret etti. Kız bir sukabağı getirip saygıyla çömeldi ve iki eliyle Leon'a sundu. Leon kabın içindekinin kokusunu tanımıştı. Bir Masai ürünüydü ve geri çevirmeye cesaret edemezdi. Böyle bir şey ev sahiplerini aşağılamak olurdu. Kendini kasıp kabı dudaklarına götürdü.

Lusima, "Taze yapıldı," diye teminat verdi. "Kendi ellerimle karıştırdım. Gücünü toplamana ve yaralarının hızla iyileşmesine yardım edecek."

Leon ağzını doldurdu ve yutar yutmaz midesi ayağa kalktı. Ilıktı, ama sütle karışmış taze öküz kanı gırtlağında jölemsi bir tabaka oluşturmuştu. Sonra kabı indirip gök gürültüsü gibi bir sesle geğirdi. Köle kızlar zevkle bağrıştılar, Lusima bile gülümsemişti.

Onaylayarak, "Karnındaki şeytanlar çıktı," dedi. "Artık uyuman lazım." Leon'u döşeğe yatırıp üstüne yine bir maymun postu örttü. Genç adamın gözkapaklarına büyük bir ağırlık çökmüştü.

Gözlerini açtığında sabah güneşi kulübenin kapısından içeri vuruyordu. Loikot eşikte çömelmiş onu bekliyordu, ama Leon'un kıpırdadığını görür görmez ayağa fırladı. Hemen yanına gelip ayaklarını göstererek bir soru sordu.

Leon, "Söylemek için çok erken," diye cevap verdi. Ama kas ağrıları geçmişti. Oturup sargıları çözdü. Çoğu şişliklerin ve iltihapların iyileşmiş olduğunu görünce şaşırdı.

"Dr. Lusima'nın yılan yağı." Sırıttı. Manyoro aklına gelene kadar keyfi yerindeydi.

Ayaklarını çabucak yeniden sarıp, sekerek kapının dışında duran, kilden yapılmış büyük su çanağına gitti. Gömleğinden kalanları çıkardı ve yüzüyle saçındaki kurumuş teri, toz toprağı yıkadı. Doğrulduğunda köyün yarısını; kadın, erkek, ihtiyar, genç etrafına halka olup oturmuş vaziyette buldu. Yaptığı her hareketi büyük bir dikkatle izliyorlardı.

"Hanımlar!" diye seslendi. "Çişimi yapmak üzereyim. Bu işlemi görmenize izin yok." Loikot'un omzuna tutunarak sığır ağılına gitti.

Döndüğünde Lusima onu bekliyordu. "Haydi," diye emretti. "Başlama zamanı geldi." Leon'u kulübesinin yanındaki kulübeye götürdü. Parlak gün ışığından sonra içerisi karanlık geliyordu ve Leon'un gözünün alışması neredeyse bir dakika sürdü. İçerinin havası dumandan ve onun kadar yoğun olmayan tatlı, mide bulandırıcı çürümüş et kokusundan dolayı ağırlaşmıştı. Manyoro ateşin yanındaki deri döşekte yüzüstü yatmaktaydı. Leon yanına gider gitmez ümitsizliğe kapıldı. Manyoro ölü gibi yatıyordu ve derisi parlaklığını yitirmişti; ateşin üstündeki kazanın dibindeki is tabakası kadar mattı. Sırtındaki sırım gibi kaslar erimişti sanki. Başı yana dönüktü ve gözleri çukura kaçmıştı. Yarı açık gözkapaklarının ardında nehir yatağındaki kuvarslar gibi donuktu. Bacağının dizden yukarısı davul gibi şişti ve kırık okun kenarından sızan cerahatın pis kokusu odaya yayılıyordu.

Lusima el çırpınca içeri dört erkek üşüştü. Manyoro'nun yattığı döşeği dört ucundan kavrayıp dışarı çıkardılar ve açık ağılın ortasındaki tek, uzun *mukuyu* ağacının altına bıraktılar. Onlar Manyoro'yu gölgeye yerleştirirken Lusima da pelerinini çıkarıp çıplak göğüsleriyle oğlunun yanına geldi. Yumuşak bir sesle Leon'a, "Okun ucu girdiği yönden çıkamaz," dedi. "Bacağını yarmam lazım. Yara kokuşmuş. Sen de duyuyorsundur. Yine de oku kolayca bırakmayacaktır." Köle kızlardan biri Lusima'ya gergedan boynuzundan sapı olan küçük bir bıçak uzattı. Başka biri de kilden bir tencere getirdi, ipli sapından tutarak başının üstünde çevirip ateşi canlandırdı. Kömürler alazlanınca kabı efendisinin önüne bıraktı. Lusima bıçağı aleve tutup metal iyice kızana kadar ağır ağır çevirdi. Sonra da Leon'un ayaklarına uyguladığı gübre gibi kokan başka bir sıvıya batırdı. Metal soğurken sıvıdan kabarcıklar ve buhar çıkmıştı.

Lusima elinde bıçakla oğlunun yanına çömeldi. Manyoro'yu kulübeden getiren dört adam da onunla birlikte çömelmişti, ikisi Manyoro'nun başucunda ikisi ayakucundaydı. Kadın başını kaldırıp Leon'a baktı ve soğukkanlı bir tavırla, "Sen şunları yapacaksın," dedi. Sonra da ondan ne istediğini ayrıntısıyla açıkladı. "Aramızdaki en güçlü kişi sen olsan da bu iş bütün gücünü alacak. Okun dikenleri etine iyice gömülmüş." Dikkatle Leon'un yüzüne baktı. "Anladın mı oğlum?"

"Anladım Ana." Lusima beline asılı deri keseyi açtı ve bir çile ince, beyaz ip çıkardı. "Kullanacağın ip bu." İpi Leon'a verdi. "Leopar bağırsağından yaptım. Sağlamdır. Bundan daha dayanıklı ip yoktur." Heybeye tekrar elini atıp fil derisinden kalın bir şerit buldu. Yavaşça Manyoro'nun ağzını açtı. Fil derisinden şeridi ağzına yerleştirdi ve Manyoro tükürüp atamasın diye impala bağırsağından kısa bir telle alt çenesinden tutturdu.

"Acı zirveye çıktığında dişlerini kırmasın diye," açıkladı.

Leon başını salladı ama bunu aslında oğlu bağırıp kendisini utandırmasın diye yaptığını biliyordu.

Lusima, dört Morani'ye, "Sırtüstü çevirin, ama yavaşça," diye emretti. Onlar Manyoro'yu çevirirken okun sapı döşeğe takılmasın diye dikkat etti. Sonra bacağı yerden kaldırıp iki tahta arasına yerleştirdi. Morani'lere, "Tutun onu," dedi.

Kendisi de yaralı bacağın başına geçip iki elini üstüne koydu. Sıcak, şişmiş bacağın içindeki ok ucunu hissederek dikkatle yokladı. Parmakları ete gömülü ucu araştırırken Manyoro sürekli kıpırdıyordu. Gergedan boynuzu saplı bıçağı tam ucun bulunduğu noktaya getirdi ve Maa dilinde bir ilahi söylemeye başladı. Bir süre sonra Manyoro ilahinin etkisine karşı koyamaz hale gelmişti. Bitap bedeni gevşemiş ve deri şeridin arasından hafifçe horlamaya başlamıştı.

Lusima aniden, ilahisini kesmeden, bıçağın ucunu batırdı. Bıçak hiç zorlanmadan mor ete gömüldü. Manyoro kasıldı ve sırtındaki tüm kaslar gerildi. Bıçak metale değerken açtığı yaradan cerahat fışkırdı. Lusima bıçağı bırakıp kesiğin iki yanından bastırdı. Okun sivri ucu genişleyen yaradan dışarı çıktı ve ilk sıra çentikler görünmeye başladı.

Leon eğitimi sırasında, ele geçirilen çeşitli Nandi silahlarını inceleme fırsatı bulmuş, okun ucunun alışılmadık bir şekilde tasarlanmış olması onu pek şaşırtmamıştı. Lusima'nın küçük parmağı kalınlığında demir bir kazan ayağından yapılmıştı. Fillerin koca gövdesine saplanmak üzere tasarlandığı için, ortaçağda kalın zırhlı Fransız şövalyelerine karşı İngiliz okçuların kullandıkları gibi tek bir büyük çentiği yoktu. Onun yerine, eti rahatça delip geçecek bir dizi minik çentik vardı. Ancak, bu çentiklerin sayısı çok fazla olduğu için ve okun gövdesiyle yaptıkları açı yüzünden, ucun girdiği yerden çıkması da mümkün olmuyordu.

Lusima, Leon'a, "Çabuk ol," diye fısıldadı. "Bağla!"

Leon bağırsaktan yapılmış ipi ilmek yapmış bekliyordu. İlmeği okun ucundaki ilk çentiklerin dibine geçirip sıktı. "Tamamdır," dedi.

Lusima *morani*'leri, "Şimdi onu tutun. Kıpırdamasına ve ipin bükülmesine izin vermeyin, yoksa çentiklere takılıp kopar," diye uyardı. Hepsi birden bütün güçleriyle Manyoro'nun gevşek bedenine abandılar.

Lusima, Leon'a, "Çek," dedi. "Bütün gücünle oğlum. Bu lanet şeyi çıkart ondan."

Leon ipi üç kez bileğine dolayıp iyice gerdi. O sağ kolunun tüm gücüyle ipe asılırken Lusima da yine ilahi söylemeye başlamıştı. Leon, ip jilet gibi keskin çentiklere takılıp bükülmesin diye dikkat ediyordu. Ağır ağır ilmeğe uyguladığı gücü artırdı. İpin hafifçe gerildiğini hissetti ama ok ucu hâlâ ete gömülü duruyordu. İpi bir tur da öbür bileğine dolayıp ipin ellerini kesmesine aldırmadan iki koluyla birden çekmeye başladı. Parçalanmış gömleğinin içinde omuz kasları iyice gerilmişti. Boyun damarları kabarmış, harcadığı çaba yüzünden yüzü mosmor olmuştu.

Lusima, "Çek," diye fısıldadı. "Tanrılar tanrısı Mkuba Mkuba kollarına güç versin."

Artık Manyoro öyle ümitsizce çırpınıyordu ki dört adam başa çıkamıyordu. Ağzındaki tıkacın ardından bir feryat yükseldi, kan çanağına dönmüş çılgın gözleri yuvalarından fırlayacak gibiydi. Etine gömülen ok ucu, parçalanıp şişmiş etinde yukarı doğru kalkmıştı ama çentikler yüzünden hâlâ kıpırdamıyordu.

Lusima, "Çek!" diye bağırdı. "Sende aslan gücü var! Büyük bizon boğası M'bogo'nun gücü."

Sonunda okun ucu kıpırdadı. Hafif bir ses duyuldu ve minik çentiklerin ilk üç sırası ortaya çıktı. Kanla kaplı metalin beş santimlik kısmı yaradan dışarı fırlamıştı. Leon son bir gayretle asılmadan önce bir an mola verdi. Sonra çenesini kasıp dişlerini sıkarak tekrar asıldı. İki buçuk santimlik bir metal kısım daha ortaya çıktı. Sonra yaradan yarı pıhtılaşmış kara bir kanla mor bir cerahat aktı. Koku Lusima'nın bile nefesini kesmişti ama sıvılar okun sapını kayganlaştırmış gibiydi. Kötü bir ceninin doğum anı gibi yaradan kayarak çıkmıştı.

Leon soluk soluğa geriye yığıldı ve dehşetle, yaratmış olduğu hasara baktı. Yara, kara bir ağız gibi açılmıştı, parçalanmış etten kan ve pıhtılaşmış tortular fışkırıyordu. Manyoro yaşadığı ıstırapla fil derisinden tıkacı çiğnemiş ve dudaklarını ısırmıştı. Çenesinden de taze kan sızıyordu. Hâlâ deli gibi çırpınıyordu ve *morani*'ler onu zapt edebilmek için tüm güçlerini kullanmak zorunda kalıyorlardı.

Lusima, Leon'a, "Bacaklarını sıkı tut M'bogo," diye bağırdı. Kızlarından biri kaba bir baca şeklinde oyulmuş uzun, ince bir kaya antilobu boynuzu uzattı. Lusima boynuzun keskin ucunu yaranın iyice içine sapladı ve Manyoro'nun çırpınışları iki misline çıktı. Kız, Lusima'nın ağzına bir sukabağı yanaştırdı ve kadın içindeki sıvıyı ağzına doldurdu. Çenesinden sızan birkaç damlanın kokusunu alan Leon, bunun damarları büzüp kanamayı durduracak bir ilaç olduğunu anladı. Lusima dudaklarını borazan çalar gibi boynuzun diğer ucuna dayayıp ağzındaki sıvıyı içine püskürttü. Bu hareketi bir kez daha tekrarladı. Sıvı açık yarada kabarcıklar oluşturmuş, kokuşmuş kan ve diğer yabancı maddeler dışarı atılmıştı.

Lusima *morani*'lere, "Çevirin onu," diye emretti. Manyoro karşı koyduğu halde karın üstü döndürdüler ve Leon kıpırdaması için bütün gücünü kullanarak sırtına oturdu. Lusima boynuzu bacağın arkasındaki giriş yarasına sokup cerahatli etin derinliklerine yine aynı sıvıdan gönderdi.

Sonunda, "Yeter!" dedi. "Zehri temizledim." Boynuzu kenara bırakıp yaraların üstüne kurutulmuş bitkiler koydu ve uzun kumaş şeritlerle sardı. Manyoro'nun çırpınışları giderek azaldı ve sonunda ölüm benzeri bir komaya girdi.

Lusima, "Tamam," dedi. "Yapabileceğim başka bir şey yok. Artık bu, atalarının tanrılarıyla kara güçler arasında bir savaş. Kulübesine taşıyın onu." Başını kaldırıp Leon'a baktı. "M'bogo, sen ve ben sırayla başında oturup mücadele etmesi için güç vereceğiz."

Sonraki günlerde Manyoro boşlukta yüzdü. Bazen öyle derin bir komaya giriyordu ki Leon, kulağını göğsüne dayayıp nefes alıp almadığını kontrol etmek zorunda kalıyordu. Bazen de döşeğinde soluyor, inliyor ve bağırıyor, ateşler içinde yanarak dişlerini gıcırdatıyordu. Çılgınca debelendiği zamanlarda Lusima ve Leon iki yanına oturup kendine zarar vermemesi için onu tutuyorlardı. Geceler uzundu ve ikisi de uyumuyordu. Aralarındaki küçük ateşin başında alçak sesle saatler boyu konuşuyorlardı.

Lusima, "Afrika'daki diğer vatandaşlarının çoğu gibi denizin ötesindeki uzak bir adada doğmadığını hissediyorum," dedi. Leon artık onun esrarengiz algılarına şaşırmıyordu. "Sen uzaktaki büyük bir nehrin kuzey kıyılarında doğmuşsun."

Leon, "Evet," dedi. "Haklısın. Orası Kahire, nehir de Nil Nehri."

"Sen bu kıtaya aitsin ve asla terk etmeyeceksin."

"Bunu yapmayı hiç düşünmedim." Lusima uzanıp elini tuttu ve gözlerini yumup bir süre sessiz kaldı. "Anneni görüyorum," dedi. "Çok derin kavrayışı olan bir kadın. İkiniz ruhen çok yakınsınız. Ondan ayrılmanı istememiş."

Leon'un gözlerine koyu gölgeler doluştu.

"Babanı da görüyorum. Onun yüzünden çekip gitmişsin."

"Bana çocukmuşum gibi davranıyordu. Yapmak istemediğim şeyleri yapmaya zorluyordu. Ben de yapmayı reddettim. Kavga ettik ve annemi mutsuz ettik."

Lusima cevabı zaten bilen birinin havasıyla, "Ne yapmanı istemişti?" diye sordu.

"Babam para delisidir. Hayatında başka bir şey yoktur, ne karısını düşünür ne çocuklarını. Sert bir adamdır ve birbirimizden pek hoşlanmayız. Sanırım ona saygısızlık etmedim ama hayran da değilim. Onunla çalışıp, kendi yaptıklarını yapmamı istiyordu. Umutsuz bir durumdu."

"Sen de kaçtın?"

"Kaçmadım. Çekip gittim."

"Aradığın neydi?"

Leon düşünceli bir ifadeyle, "Aslında bilmiyorum Lusima Ana," dedi.

"Bulamadın mı?"

Leon şüpheyle başını salladı. Sonra Verity O'Hearne'yi düşündü. "Belki," dedi. "Belki birini bulmuşumdur."

"Hayır. Düşündüğün kadın değil. O sadece pek çok kadından biri."

Soru ağzından kaçtı. "Nereden biliyorsun onu?" Sonra yanıtı da kendi verdi. "Tabii. Oradaydın. Ve çok şey biliyorsun."

Lusìma kıkırdadı ve uzun bir süre sessizlik oldu. Sıcak, huzurlu bir sessizlikti. Leon kadınla arasında güçlü bir bağ, sanki gerçek annesiymiş gibi bir yakınlık hissediyordu.

Sonunda, "Yaşamakta olduğum hayattan memnun değilim," dedi. O ana kadar bunu hiç düşünmemişti, ama söylerken doğru olduğunu biliyordu.

Lusima, "Asker olduğun için kalbinin söylediklerini yapamıyorsun," diyerek ona hak verdi. "Yaşlıların emrettiklerini yapmak zorundasın."

Leon, "Sen anlıyorsun," dedi. "Ben hiç tanımadığım insanları öldürmeyi sevmiyorum."

"Sana yol göstermemi mi istiyorsun M'bogo?"

"Sana güveniyorum. Rehberliğine ihtiyacım var."

Lusima o kadar uzun bir süre sessiz kaldı ki Leon yeniden konuşmayı düşündü. Sonra kadının gözlerinin ardına kadar açıldığını ve yukarı kaydığını fark etti, ateşin ışığında sadece gözakları görünüyordu. Kalçalarının üstünde ritmik bir şekilde sallanıyordu. Bir süre sonra konuştuğunda sesi değişmiş; alçak, kulak tırmalayıcı bir hale gelmişti. "İki erkek var. İkisi de baban değil, ama ikisi birlikte babandan daha önemli olacaklar," dedi monoton bir sesle. "Başka bir yol var. Erkek olmayan o gri erkeklerin yolunu izlemelisin." Uzun, hırıltılı, bir soluk aldı. "Vahşi yaratıkların gizemli yollarını öğrenirsen öteki adamlar bu bilgini ve anlayışını ödüllendirecekler. Güçlü erkeklerin ulu yolundan gideceksin ve seni de eşitleri sayacaklar. Pek çok kadın olacak ama sadece bir tanesi pek çok kadının yerini tutacak. Sana bulutlardan gelecek. Onlar gibi sana bir sürü yüz gösterecek." Durup boğazının derinlerinden boğulur gibi bir ses çıkardı. Leon ürpertiyle kadının doğaüstü bir kehanette bulunduğunu kavradı. Sonunda Lusima şiddetle titreyip gözlerini kırpıştırdı. Gözleri tekrar aşağı kaydı ve Leon yüzüne odaklanmış kara gözbebeklerine bakabildi. Kadın yumuşak bir sesle, "Sözlerime kulak ver oğlum," dedi. "Yakında seçim yapma vaktin gelecek."

"Anlattıklarından hiçbir şey anlamadım."

"Zamanı geldiğinde anlayacaksın. Bana ihtiyaç duyduğunda hep yanında olacağım. Annen değilim ama annenden öte olacağım."

Leon, "Konuşmaların bilmeceyle dolu Ana," dedi ve Lusima sevecen ama esrarengiz bir tavırla gülümsedi.

Ertesi sabah kendine gelen Manyoro çok güçsüz ve perişandı. Doğrulup oturmaya çalıştı ama bunu yapacak takati yoktu. Uykulu uykulu yüzlerine baktı. "Neler oldu? Burası neresi?" Sonra annesini tanıdı. "Ana, sahiden sen misin? Rüya sanmıştım. Düş görüyordum."

Lusima, "Lonsonyo Dağı'ndaki *manyatta*'mda güvendesin," dedi. "Nandi okunu bacağından çıkardık."

"Ok mu? Doğru, hatırlıyorum... Nandi'ler?"

Köle kızların getirdiği kan ve süt karışımını çenesinden akıta akıta büyük bir iştahla içti. Soluyarak tekrar uzandı. Sonra ilk kez Leon'un da loş kulübede çömelmiş olduğunu fark etti. "Bwana!" Bu kez oturmayı başarabilmişti. "Hâlâ yanımda mısın?"

"Buradayım." Leon sessizce yanına gitti.

"Ne zamandır? Niombi'den çıkalı kaç gün oldu?"

"Yedi."

"Nairobi karargâhındakiler öldüğünü ya da kaçtığını sanacak." Leon'un gömleğini kavrayıp telaşla sarstı. "Karargâha rapor vermelisin Bwana. Benim yüzünden görevini ihmal edemezsin."

"Yürüyecek hale geldiğinde Nairobi'ye birlikte döneceğiz."

"Hayır, Bwana, hayır. Sen bir an evvel gitmelisin. Binbaşının sana dost olmadığını biliyorsun. Başına dert açar. Senin hemen gitmen lazım, ben de iyileşince gelirim."

Lusima, "Manyoro haklı," diye araya girdi. "Burada yapacak bir şeyin yok. Nairobi'deki şefine gitmen lazım." Leon zaman duygusunu yitirmişti, ama şimdi bir suçluluk şokuyla tabur karargâhıyla en az üç haftadır temas kurmamış olduğunu anlıyordu. Lusima, "Loikot sana tren yoluna kadar eşlik eder. Ülkenin o bölgesini iyi bilir. Onunla git," diye ısrar etti.

Leon, "Tamam," diyerek ayağa kalktı. Yolculuk için herhangi bir hazırlık yapması gerekmiyordu. Ne silahı, ne eşyası vardı ve üstündeki parçalanmış üniforma dışında kıyafeti yoktu.

Lusima ona bir Masai *shuka*'sı temin etti. "Yanına katabileceğim en iyi koruma bu. Seni güneşten ve soğuktan korur. Nandi'ler kırmızı *shuka*'dan korkarlar, aslanlar bile kaçar görünce."

"Aslanlar da mı?" diyen Leon tebessümünü bastırdı.

"Göreceksin." Lusima da gülümsüyordu.

Karar verildikten bir saat sonra Loikot'la yola çıktılar. Çocuk önceki mevsimin yağışları sırasında babasının sürülerini tren yoluna kadar kuzeye götürdüğünden bölgeyi gayet iyi biliyordu.

Leon'un ayakları çizmelerini giyebilecek kadar iyileşmişti. Dikkatle sekerek Loikot'un peşinden aşağıdaki büyük düzlüğe indi. Eteğe varınca bağcıklarını düzeltmek için durdu. Tekrar doğrulduğunda başını yukarı kaldırdı ve Lusima'nın yamacın tepesinde durduğunu gördü. Veda etmek üzere kolunu kaldırdı ama kadın karşılık vermedi. Arkasını dönüp yürüdü ve Leon'un görüş mesafesinden çıktı.

Leon, ayakları iyileşip güçlendikçe hızlanıyor, Loikot'u daha rahat izleyebiliyordu. Çocuk, halkının o tipik uzun ve akıcı adımlarıyla ilerliyordu.

Bir yandan da durmadan yolda ilgisini çeken şeyler hakkında yorumlar yapıyordu. Sık çalıların arasında duran Afrika ceylanının ince, gri siluetini üç yüz metre öteden seçebilen parlak ve genç gözleriyle hiçbir şeyi kaçırmıyordu.

Aşmakta oldukları düzlük, birçok canlıyı barındırıyordu. Loikot etraflarında hoplayıp zıplayan küçük antilop sürülerine aldırmıyor ama daha önemli olan her şeyi gösteriyordu. Leon artık çocuğu daha kolay anlayabilecek kadar Maa dili kapmıştı.

Lonsonyo Dağı'ndan ayrılırken yanlarına yiyecek almamışlardı ve Leon neyle yaşayacakları üzerine biraz kafa yormuştu, ama aslında meraklanmasına gerek olmadığını şimdi anlıyordu. Çünkü Loikot, her defasında ilginç bir mönü sağlamayı başarıyordu. Sunduğu yiyecekler arasında; küçük kuşlar ve yumurtaları, çekirgeler ve başka böcekler, yabani meyveler ve kökler, tembel tembel uçarken çoban değneğiyle avladığı bir beç tavuğu ve yine sopasıyla vurarak öldürmek için bozkırda bir kilometre peşinden koştuğu dev bir kertenkele vardı. Kertenkelenin eti tavuk etini andırıyordu ve her ne kadar leşine alacalı mavi sinek sürüleriyle şişko beyaz larvaları yerleşmiş olsa da onlara üç gün yeterdi.

Leon'la Loikot her gece küçük bir ateşin yanında, soğuğa karşı *shuka*'larına sarılarak uyudular ve her gün sabah yıldızı hâlâ şafakta parıldarken güne başladılar. Üçüncü sabah Loikot aniden kazık gibi durup, sadece elli metre uzaktaki düz tepeli akasya ağacının bulunduğu yeri gösterdiğinde, güneş daha yükselmemişti ve hava yarı karanlıktı.

Leon, "Kim ki o?" diye sordu.

"Onu görmüyor musun? Aç gözlerini M'bogo." Loikot bu kez değneğiyle gösterdi. Leon ancak o zaman ağaçla aralarındaki kahverengi otlakta iki küçük siyah püskül seçebildi. Bir anda ayıldı ve bütün resim gözünün önüne serildi. Leon, otlara dümdüz uzanmış, amansız sarı gözleriyle kendilerini izleyen dev gibi bir dişi aslana bakmaktaydı. O sevimsiz püsküller de hayvanın yuvarlak kulaklarının kara uçlarıydı.

"Güzel Tanrım!" Leon bir adım geri çekildi.

Loikot güldü. "Benim Masai olduğumu biliyor. Üstüne gidersem kaçar." Değneğini salladı. "Hey, ihtiyar, yakında sınav günüm gelecek. Seninle o zaman buluşur, hangimiz daha iyiymiş görürüz." Geleneksel cesaret sınavından söz ediyordu. Genç bir *morani*, erkekten sayılıp mızrağını beğendiği herhangi bir kadının kapısına saplama hakkına erişmeden önce bir aslanla yüzleşmek ve geniş ağızlı *assegai'*siyle onu öldürmek zorundaydı.

"Kork benden sığır hırsızı. Kork benden, çünkü senin ölümünüm ben!" Loikot, değneğini kaldırıp saplanacak bir mızrak gibi tuttu ve kıvrak adımlarla dans edercesine aslanın üstüne yürüdü. Aslan ayağa fırlayıp dudaklarını tehditkâr bir kükremeyle büktükten sonra otların arasından kaçıp gidince Leon hayretler içinde kaldı.

Loikot, "Beni gördün mü M'bogo?" diye bir çığlık attı. "Simba benden nasıl korktu gördün mü? Benden nasıl kaçtığını gördün mü? Bir *morani* olduğumu biliyor. Masai olduğumu biliyor."

"Seni çılgın velet!" Leon sıkılı yumruklarını gevşetti. "İkimizi de yem yapacaksın." Rahatlayarak güldü. Lusima'nın sözlerini hatırlamış ve anlamıştı ki yüzlerce yıldır aman vermeden kuşaklar dolusu aslan avlayan *Masai'*ler hayvanların hafızasında derin izler bırakmıştı. Uzun kırmızı pelerini ölümcül bir tehdit olarak algılar hale gelmişlerdi.

Loikot zaferle havaya zıplayıp tek ayak üstünde döndü ve Leon'la birlikte kuzeye doğru olan yolculuklarına devam ettiler. Çocuk, yol boyunca anlatmayı sürdürdü. Adımlarını yavaşlatmadan kendi galibiyetini ve hayvanın yaptıklarını açıkladı. Leon onun doğa ve içindeki canlılarla ilgili bilgisinin derinliğine hayran olmuştu. Aslında çocuğun bu kadar uzmanlaşmasında şaşılacak bir şey yoktu: neredeyse yürümeye başladığından beri kabilenin hayvanlarını güdüyordu. Manyoro en küçük çoban çocukların bile en çetin bölgelerde kayıp bir hayvanın izini günlerce sürebildiklerini anlatmıştı. Fakat Loikot durup değneğinin ucuyla yerdeki koca yuvarlak ayak izini gösterince yine de şaşırdı. Zemin güneşten kavrulup sertleşmişti ve çeşitli kayaçlar ve çakmaktaşlarıyla kaplıydı. Çocuğun yardımı olmadan kendi başına asla o erkek fil izini fark edemezdi, ama Loikot izin bütün detaylarını ve nüanslarını görebiliyordu.

"Bunu tanıyorum. Sık sık görürüm. Bu uzunlukta dişleri var..." Yere bir işaret koyup bacaklarını aça aça üç büyük adım attı ve bir işaret de oraya koydu. "Kabilesinin büyük gri şefidir."

Lusima da aynı tanımı kullanmıştı. "Erkek olmayan büyük gri erkekleri izle." O zaman bu sözler Leon'u şaşırtmıştı ama şimdi onun fillerden söz ettiğini anlıyordu. Kuzeye doğru yürümeye devam ederken Lusima'nın öğütlerini düşündü. Yabani doğada iz sürmek onu hep büyülemişti. Babasının kütüphanesinde büyük avcılar hakkında ne varsa hepsini okumuştu. Baker'in, Selous'un, Gordon-Cumming'in, Cornwallis Harris'in ve diğerlerinin tüm maceralarını öğrenmişti. Babasının işine girmek yerine KAR'a yazılmasının en önemli sebeplerinden biri doğa sporlarının cazibesiydi. Babası doğrudan para kazanmaya yönelik olmayan her türlü faaliyeti kaytarmak olarak nitelendirirdi. Fakat Leon yüksek rütbeli subayların genç subaylarını böyle büyük av partileri türünden erkeksi heveslere teşvik ettiğini duymuştu. Yüzbaşı Cornwallis Harris'e, Hindistan'daki birliğinden bir yıllığına ayrılıp Güney Afrika'ya gitmesi ve keşfedilmemiş doğada avlanması için izin verilmişti. Leon da kahramanlarının yaptıklarını yapmaya özeniyordu ama şimdiye kadar eline hayal kırıklığından başka bir şey geçmemişti.

KAR'a katıldığından beri birkaç kere o ilk büyük av deneyimini tatmak için müracaat etmişti. Ancak komutanı Binbaşı Snell, taleplerini elinin tersiyle geri çevirmişti. "Safari avlarında büyük zaferler kazanmak için imza attığını sanıyorsan yanılıyorsun Courtney," demişti. "İşinin başına dön. Bu saçmalıkları bir daha duymak istemiyorum." Leon'un o ana kadarki avcılığı, devriye gezerken *askari*'lerini beslemek için vurduğu birkaç küçük Grant ve Thomson antilobundan -bunlara Tommies deniyordu- ibaretti. Ama etrafı o muhteşem hayvanlarla doluyken kalbi yerinden çıkacak gibi oluyordu. Peşlerinden gitme fırsatı bulmanın özlemini çekiyordu.

Şimdi Lusima'nın, "Büyük gri erkeklerin peşinden git," derken fildişi avcılarının yaşamını sürmesini önerip önermediğini merak ediyordu.

Cazip bir fikirdi. Artık Loikot'un peşinden giderken daha neşeliydi. Hayat güzel ve vaatlerle dolu görünüyordu. İlk askeri operasyonunda başarılı olmuştu. Manyoro hayattaydı. Önünde yepyeni bir gelecek uzanıyordu. Hepsinden iyisi, Verity O'Hearne kendisini Nairobi'de bekliyordu. Evet, hayat güzeldi, aslında çok çok güzeldi.

Lonsonyo Dağı'ndan ayrıldıktan beş gün sonra Loikot doğuya döndü ve Leon'u Büyük Rift Vadisi tepelerinden yükseklerdeki hafif eğimli ormanlık tepelere ulaştırdı. Tepelere tırmanıp aşağıdaki gölgeli vadiyi seyrettiler. Uzakta, akşam güneşinde parlayan bir şey vardı. Leon elini gözlerine siper ederken. Loikot, "Evet M'bogo," dedi. "O senin demir yılanın işte."

Ağaçların tepesinden lokomotifin muntazam aralıklarla püskürttüğü dumanı gördü ve buhar düdüğünün kederli sesini duydu.

Loikot kibirli bir tavırla, "Artık senden ayrılıyorum," dedi. "Buradan sonra sen bile yolunu kaybedemezsin. Benim dönüp sığırlara bakmam lazım."

Leon onun gidişini üzüntüyle izledi. Çocuğun hayat dolu, neşeli arkadaşlığını sevmişti. Sonra bu düşünceyi aklından çıkarıp tepeden inmeye başladı.

Trenin makinisti sürücü mahallinin yan penceresinden sarktı ve ileride, rayların yanında yürümekte olan uzun boylu birini gördü. İlk başta aşıboyası kırmızı *shuka*'sı yüzünden onu Masai sandı. Ancak yanından geçerken makinenin yarattığı rüzgârla pelerini açılınca makinist onun beyaz bir erkek olduğunu gördü ve haki üniformasından kalan parçaları fark etti. Fren lövyesine asıldı, tekerlekler çelik rayların üstünde gıcırdadı ve tren bir buhar bulutu içinde durdu.

Kraliyet Afrika Piyadeleri 1. Alay, 3. Tabur Komutanı Binbaşı Frederick Snell, Teğmen Leon Courtney silahlı askerler eşliğinde tabur karargâhındaki ofisine getirildiğinde evraklarından başını kaldırıp bakmadı.

Snell bu görevde eskiydi. Hiçbir fark gözetmeden Sudan'da Mehdi'ye karşı ve yine Güney Afrika'da kurnaz Boer'lere karşı çarpışmıştı. Emekliliğine az kalmıştı ve o tarihin gelmesinden ölesiye korkuyordu. Ömrünün geri kalanında emekli aylığıyla ancak Brighton veya Bournemouth gibi şehirlerde kirada ve idareli bir hayat sürebilirdi, üstelik karısıyla ikisi kırk yıldır ülkelerinden uzakta yaşıyorlardı. Maggie Snell tropik iklimlerdeki ordu karargâhlarında bir ömür harcamıştı ve bu yaşam tarzı rengini sarartmış, mizacını acılaştırmış, dilini sivriltmişti.

Snell, ufak tefek bir adamdı. Bir zamanlar parlak kızıl olan saçları soluklaşmış ve döküle döküle çilli kafasının üstüne serpiştirilmiş bir avuç beyaz püskül haline gelmişti. Ağzı büyük, dudakları inceydi. Açık mavi pörtlek gözleri lakabını haklı çıkarıyordu: "Kurbağa Freddie."

Dudaklarının arasındaki piposunu oynatıp bir gargara sesi çıkardı. Elle yazılmış evrakları okuduktan sonra kaşlarını çattı. Hâlâ başını kaldırıp bakmıyordu, ama piposunu ağzından alıp ofis duvarına çarptı ve beyaz badanada sarı nikotin damlaları oluştu. Pipoyu yeniden ağzına yerleştirip evrakın ilk sayfasına döndü. Dikkatle bir daha okuduktan sonra düzgün bir şekilde masaya koydu ve sonunda başını kaldırdı.

İnzibatlara komuta eden Başçavuş M'fefe, "Mahkûm! Dikkat!" diye bağırdı. Leon yıpranmış çizmeleriyle topuk çakıp dimdik durdu.

Snell hoşnutsuzlukla Leon'u süzdü. Üç gün önce tabur karargâhının kapısında belirdiğinde tutuklanmıştı. O zamandan beri Binbaşı Snell'in emriyle nezaret barakasında tutuluyordu. Tıraş olmasına veya üniformasını değiştirmesine izin verilmemişti. Uzamış sakalı koyu ve gürdü. Gömleğinden arta kalanlar pislik içindeydi. Kol ağızları yırtılmış, kol ve bacaklarının açıkta kalan yerleri dikenli çalılar yüzünden çizik içindeydi. Fakat o anki koşullarına rağmen Snell'i zavallı buluyordu. Yırtık pırtık giysileri içinde bile, Leon Courtney'in uzun ve güçlü yapısından saf bir özgüven havası yayılıyordu. Herhangi bir şeyi veya birini çok zor beğenen Snell'in karısı bir keresinde genç Courtney'in oldukça çekici ve yakışıklı biri olduğunu belirtmişti. Kocasına, "Buralarda birkaç kalbi yerinden oynatmıştır, söyleyeyim," demişti.

Şimdi Snell acı acı, bir süre hiçbir kalbi yerinden oynatamayacak, diye düşünüyordu. Bunu göreceğim. Sonra nihayet konuştu: "Eh, Courtney, bu kez kendini aştın." Önündeki kâğıtlara vurdu. "Yazdığın raporu hayretle okudum."

Leon, "Efendim!" diye cevap verdi.

"İnanılır gibi değil." Snell başını salladı. "Anlattığın olaylar senin için bile çıtayı yükseltmiyor." İçini çekti, ama onaylamaz tavrında memnundu. Sonunda bu ukala velet haddini aşmıştı. O anın tadını çıkarmak istiyordu. Bunun için neredeyse bir yıl beklemişti. "Bu sıra dışı hikâyeyi okuyunca amcanın ne düşüneceğini merak ediyorum."

Leon'un amcası Albay Penrod Ballantyne alay komutanıydı. Snell'den çok daha genç olmasına rağmen rütbece onu geçeli çok olmuştu. Snell muhtemelen kendisi emekliliğe zorlanmadan önce Ballantyne'ın generalliğe terfi ettirileceğini ve Avrupa'nın güzel yerlerinden birinde bir tümene komuta edeceğini biliyordu. Tabii onun ardından da bir şövalye unvanı gelecekti.

General Sir Penrod Kahrolası Ballantyne, diye düşündü. Adamdan da, karşısında dikilen yeğeninden de nefret ediyordu. Bütün hayatı, Ballantyne gibi adamların hiçbir zorluk çekmeden tepesine oturması yüzünden mahvolmuştu. Kara kara, eh, ihtiyar köpek konusunda fazla bir şey yapamam, diye düşündü, ama bu encik tümüyle başka bir meseleydi.

Piposunun sapıyla kafasını kaşıdı. "Söylesene Courtney, karargâha döndüğünden beri seni neden nezarette tuttuğumu anlıyor musun?"

"Efendim!" Leon başının üstündeki duvara bakıyordu.

"Bu durumda cevabın 'Hayır efendim' olmalıydı. Raporunda anlattığın olayların üstünden geçmek ve beni düşündüren kısımları göstermek istiyorum. Herhangi bir itirazın var mı?"

"Efendim! Hayır efendim!"

"Teşekkürler Teğmen. On Altı Temmuz'da sana, yanına yedi adam alıp derhal Niombi'deki bölge yönetim merkezine gitmen ve Nandi isyancılarının olası saldırılarına karşı merkezde nöbet tutman emredilmişti. Doğru, değil mi?"

"Efendim! Evet efendim!"

"Emredildiği gibi on altısında buradan ayrıldın, ama sen ve müfrezen, Mashi hattına kadar olan yolu trenle gittiğiniz halde oraya ancak on iki gün sonra varabildiniz. Oysa oradan Niombi'ye iki yüz kilometreden az yolunuz kalmıştı. Bu durumda demek ki günde on iki kilometreden az yol aldınız. Kabul ediyor musun?"

"Efendim, sebebini raporumda izah etmiştim." Leon hâlâ hazır olda duruyor ve Snell'in başının üstündeki nikotin lekeli duvara bakıyordu.

"Ah, evet! Yolda Nandi savaşçılarından büyük bir grubun izlerini gördünüz ve o az gelişmiş bilgeliğinle Niombi'ye gitme emrini hiçe sayıp isyancıları takip etmeye ve savaşmaya karar verdin. Umarım açıklamanı doğru anlamışımdır."

"Evet efendim."

"Lütfen açıklar mısın teğmen, o izlerin sorunlu bölgeden kaçan göçmenlere veya ava çıkmış başka kabile mensuplarına değil de Nandi savaşçılarına ait olduğunu nasıl anladın?"

"Efendim, çavuşumdan onların Nandi isyancılarına ait olduğu görüşünü aldım."

"Onun değerlendirmesini kabul mü ettin?"

"Evet efendim. Çavuş Manyoro uzman bir iz sürücüdür."

"Yani altı günü o esrarengiz asilerin peşinde harcadınız?"

"Efendim, doğruca Nakuru'daki misyon istasyonuna gidiyorlardı. Oradaki yerleşim yerine saldırıp yerle bir etmek niyetindeymiş gibi görünüyorlardı. Bunu engellemenin görevim olduğunu düşündüm."

"Senin görevin emirlere itaat etmek. Anlaşılan o ki bunu asla beceremeyeceksin."

"Efendim, Nandi'ler takip ettiğimizi anladılar, daha küçük gruplara ayrılıp çalıların içine dağıldılar. Ben de geri dönüp Niombi'ye doğru ilerledim."

"Sana emredildiği gibi?"

"Evet efendim."

"Tabii ki Çavuş Manyoro anlattıklarını doğrulayacak durumda değil. Elimde sadece senin ifaden var."

"Efendim!"

"Devam edersek..." Snell durup rapora baktı. "Takibi bıraktın ve en sonunda Niombi'ye ulaştın."

"Efendim!"

"*Boma*'ya geldiğinde sen ortalıkta dolanırken bölge komiseriyle ailesinin katledilmiş olduğunu gördün. Bu keşfinin hemen ardından da müfrezeni umursamazlıkla bir Nandi pususuna yolladın. Sen de kuyruğunu kıstırıp kaçtın, adamlarını kendi başlarına bıraktın."

"Öyle olmadı efendim!" Leon öfkesini bastıramamıştı.

"Ve bu patlama da itaatsizliktir teğmen." Snell bu sözleri güzel bir şarabın tadına bakarmışçasına ağzında evirip çevirerek söylemişti.

"Özür dilerim efendim. Aslında amacım o değildi."

"Seni temin ederim ki öyle anlaşılıyordu Courtney. Demek benim Niombi'de olanlarla ilgili yorumumu kabul etmiyorsun? Peki senin anlattığın şekilde olduğunu doğrulayacak tanığın var mı?"

"Çavuş Manyoro efendim."

"Tabii, Niombi'den ayrılırken çavuşu nasıl sırtına aldığını, isyancı ordusundan kaçırıp, Masai Bölgesi'nin güneyine taşıdığını unutmuşum." Snell kibarca dudak büktü. "Onu Nairobi'nin aksi istikametine götürüp, annesinin yanına bırakışın da ayrı bir konu. Anneciğine!" Snell kıkırdadı. "Ne kadar dokunaklı!" Piposunu yakıp içine üfledi. "Katliamdan günler sonra Niombi'deki *boma*'ya ulaşan kurtarma birliği, adamlarının cesetlerini öyle bir halde bulmuş ki, kimliklerini kesin olarak saptamanın imkânı yokmuş. Özellikle de kafası kesilmeyip akbabalarla sırtlanlar tarafından parçalananların. Bence sen, çavuşunu da o cesetlerin arasında bıraktın, iddia ettiğin gibi annesinin yanına götürmedin. Savaş alanından kaçtıktan sonra, kendinde Nairobi'ye gelip bu saçma sapan hikâyeyi anlatacak gücü bulana kadar bir ormanda gizlendiğine inanıyorum."

"Hayır efendim." Leon öfkeden titriyordu ve iki yanında tuttuğu yumruklarını sıkmaktan eklem yerleri bembeyaz olmuştu.

"Tabura katıldığından beri askeri disiplin ve otoriteye uyum göstermedin. Polo oynamak ve büyük avlara katılmak gibi anlamsız aktivitelere genç bir subayın görevlerinden daha çok heves ettin. Anlaşılan o görevleri kendine layık görmüyorsun. Sadece bu da değil, sosyal çevrenin kurallarını da hiçe saydın. Kendine şehvet düşkünü bir çapkın rolü benimseyip koloninin aklı başında insanlarını kızdırdın."

"Binbaşım, bu suçlamaları neye dayandırdığınızı anlamıyorum."

"Dayandırmak ha? Pekâlâ, dayandırayım bakalım. Muhtemelen Masai Bölgesi'nde geçirdiğin uzun dönemde koloni valisinin genç bir dulu senin yıkımından korumak için İngiltere'ye geri gönderdiğinden haberin olmamıştır. Bütün Nairobi toplumu davranışlarını eleştiriyor. Sen bayım, baş belası bir serserisin, hiçbir şeye ve hiç kimseye saygın yok."

"Geri mi gönderildi?" Leon bu suçlama karşısında yanık tenine rağmen kül gibi olmuştu. "Verity'i ülkeye geri mi yolladılar?"

"Ah, demek zavallı kadının kim olduğunu biliyorsun? Evet, Bayan O'Hearne, İngiltere'ye döndü. Bir hafta önce yola çıktı." Snell, sözleri istediği etkiyi yaratsın diye duraksadı. Bu konuyu bizzat valinin dikkatine sunmuş olmaktan büyük haz duyuyordu. Verity O'Hearne'yi daima şeytan gibi çekici bulmuştu. Kocasının ölümünden sonra, onu yapayalnız günlerinde korumak ve rahat ettirmek hayallerini süslemişti. Şehir kulübündeki çimenlerde karısı ve kadınlar birliğinden başka kadınlarla oturup çay içerken, Snell de uzaktan ona hasretle bakardı. Öyle genç, öyle güzel ve neşeliydi ki. Ve yanında oturan Maggie Snell de öyle yaşlı, öyle çirkin ve suratsızdı ki. Astı olan subaylardan biriyle ilişkisi olduğu fısıltılarını duyunca yıkılmıştı. Sonra da öfkeden deliye dönmüştü. Verity O'Hearne'nin iffeti ve ünü tehlikedeydi, onu korumak kendisine düşerdi. Valiye gitmişti.

"Eh, Courtney, sana başka kanıt sunacak değilim. Her şey divanıharpte kararlaştırılacak. Dosyan 2. Tabur'dan Yüzbaşı Roberts'a iletildi. O da savcılık görevini üstlenmeyi kabul etti." Edd Roberts, Snell'in en sevdiği adamlarından biriydi. "Hakkındaki suçlamalar kaçmak, korkaklık etmek, görevi ihmal etmek ve amirinin emirlerine itaat etmemek. Aynı taburdan Teğmen Sampson da savunmanı üstlendi. İkinizin arası iyi diye biliyorum, o yüzden de tercihime itiraz edeceğini sanmıyorum. Mahkemeyi toplayacak üç kişiyi bulmak zor oldu. Doğal olarak ben kürsüde olamam, çünkü duruşmada kanıtları ibraz etmem gerekiyor ve subayların çoğu isyanlar yüzünde arazide. Neyse ki geçen hafta Mombasa'ya bir birliği Hindistan'dan Southampton'a nakleden bir P&O transatlantiği geldi. Bir albayla iki yüzbaşının Mombasa'dan trenle Nairobi'ye ulaştırılmasını sağladım, yargıç heyetini onlar oluşturacak. Bu akşam saat altıda burada olmaları lazım. Yola devam etmek için cuma günü Mombasa'ya dönmek zorundalar, o yüzden duruşmanın yarın sabah başlaması gerekiyor. Seninle konuşup savunmanı hazırlaması için Teğmen Sampson'u hemen bölüğüne yollayacağım. Acınacak haldesin Courtney. Oturduğum yerden kokunu alabiliyorum. Git de üstünü başını temizle ve yarın sabah duruşma başlamadan mahkemede hazır ol. O zamana kadar bölük hapsindesin."

"Albay Ballantyne ile görüşme talep ediyorum efendim. Savunmamı hazırlamak için de daha geniş bir zamana ihtiyacım var."

"Ne yazık ki Albay Ballantyne şu anda Nairobi'de değil. 1. Tabur'la birlikte Nandi kabile topraklarında, Niombi katliamına misilleme yapmak ve son isyancıları da bastırmak üzere gittiler. Birkaç haftadan önce Nairobi'ye dönmesi mümkün görünmüyor. Döndüğünde eminim ki talebini dikkate alacaktır." Soğuk bir tavırla gülümsedi. "Hepsi bu kadar. Mahkûm, çık!"

Başçavuş M'fefe, "Mahkûm dikkat!" diye böğürdü. "Sağa dön! İleri marş! Sol, sağ, sol..." Leon kendini parlak güneşte tören alanında bulmuştu, uygun adım subay barakalarına doğru gidiyordu. Her şey o kadar hızlı gelişiyordu ki düşüncelerini toparlamakta güçlük çekiyordu.

Leon'un konutu, çamurla sıvanmış, tek odalı ve saz damlı yuvarlak bir yapıydı. Bir dizi benzer kulübenin ortasındaydı. Bütün kulübelerde bekâr subaylar kalmaktaydı. Kulübenin kapısına gelince Başçavuş M'fefe çakı gibi bir selam verdi ve alçak sesle Kiswahili dilinde, "Olanlar için üzgünüm teğmen," dedi. "Korkak olmadığınızı biliyorum." M'fefe yirmi beş yıllık hizmetinde hiç kendi subaylarından birini tutuklayıp göz altına almak zorunda kalmamıştı. Utanıyor ve kendini hakarete uğramış hissediyordu.

Leon'un onunla kriket veya polo maçlarındaki başarılarına tezahürat yapması ve her zaman parlak bir Afrika gülüşüyle selam vermesi dışında bir bilgisi yoktu. Astsubaylar arasındaki ününden de ancak şöyle böyle haberdar olduğu için başçavuşun sözleri dokunmuştu.

M'fefe utancını örtmek için çabucak sözlerine devam etti. "Siz göreve gittikten sonra nizamiye kapısına bir hanım geldi ve sizin için bir kutu bıraktı Bwana. Mutlaka elinize geçmesini istediğini söyledi. Yatağınızın yanına koydum kutuyu."

"Teşekkürler başçavuş." Leon da aynı derecede utanıyordu. Dönüp, içinde pek eşya olmayan kulübeye girdi. Üstünde cibinlik asılı demir bir karyolayla tek bir raf ve eski sandıklardan yapılmış bir gardırop vardı. İçerisi tertemiz ve topluydu. Duvarlar yeni badana edilmişti ve yerler pırıl pırıl cilalıydı. Azıcık şahsi eşyası da yatağının üstündeki rafa geometrik bir uyumla dizilmişti. Yokluğu esnasında emir eri İsmail her zamanki gibi titiz davranmıştı. Odaya ait olmayan tek eşya, karşı duvara dayanmış uzun deri kutuydu.

Leon yatağa oturdu. Ümitsizliğe kapılmak üzereydi. Bir anda başına sürüyle felaket gelmişti. Bilinçsiz bir hareketle M'fefe'nin bıraktığı deri kutuya uzandı ve alıp kucağına koydu. Bazı kusurlarına rağmen pahalı bir deriden yapılmış olduğu anlaşılıyordu. Üstü buharlı gemi etiketleriyle doluydu ve üç tane sağlam pirinç kilidi vardı, anahtarları da sapındaki şeritte asılıydı. Kutuyu açıp kapağını kaldırdı ve şaşkınlıkla içindekilere baktı. Yeşil çuha üstündeki yuvalara yerleştirilmiş olarak ağır bir tüfeğin parçaları, temizlemek için tüfek harbisi, yağ kutusu ve diğer aksesuvarlar duruyordu. Kapağın iç tarafındaki büyük etikette de tüfeğin imalatçısının adı süslü harflerle yazılmıştı.

HOLLAND & HOLLAND
Tüfek, Av Tüfeği, Tabanca
Ve her türlü ağızdan dolma ateşli silah üreticisi.
98 New Bond Caddesi. Batı Londra.

Leon saygıyla tüfeğin parçalarını monte etti; namluları ve tetiği yerine takıp sabitledi. Yağla ovulmuş kabzayı okşadı, cilalı ceviz ağacı parmaklarının altında ipek gibiydi. Tüfeği kaldırıp karşı duvarda baş aşağı duran küçük bir kertenkeleye nişan aldı. Kabza omzuna mükemmel oturmuştu ve namlular tam gözünün hizasındaydı. Gez, göz, arpacık ayarı yapıp kertenkelenin kafasını nişanladı.

"Bang bang, öldün," diyerek karargâha geldiğinden beri ilk defa gülümsedi. Silahı indirip namlulara kazılı yazıları okudu. *H&H Royal .470 Nitro Express*. Sonra, kabzaya gömülmüş altın etiket gözüne ilişti. Üstüne ilk sahibinin adının baş harfleri kazınmıştı: *PO'H*.

"Patrick O'Hearne," diye mırıldandı. Bu muhteşem silah Verity'nin ölen kocasına aitti. İmalatçı etiketinin yanında yeşil çuhaya tutturulmuş bir zarf vardı. Silahı özenle başucundaki yastığın üstüne bıraktı ve zarfı aldı. Başparmağıyla mührünü kazıyıp iki tane katlanmış kâğıt çıkardı. Birincisi 29 Ağustos 1909 tarihli bir makbuzdu:

İlgili Kişilere:
Bugünkü tarihle seri numarası 1863 olan H&H .470 tüfeği Teğmen Leon Courtney'e sattım ve bedelinin tamamı olan yirmi beş gineyi nakit olarak teslim aldım.
İmza: Verity Abigail O'Hearne.

Bu makbuzla Verity, tüfeğin mülkiyetini kimse bu konuda bir suçlamada bulunmasın diye yasal olarak ona devretmişti. Makbuzu katlayıp tekrar zarfa koydu. Sonra öteki kâğıdı açtı. Bunda tarih yoktu ve el yazısı makbuzdakinin aksine karmaşık ve pek özenli değildi. Kadının kalemi iki yere mürekkep akıtmıştı. Bunu yazarken keyifli bir halde olmadığı belliydi.

"Sevgili, sevgili Leon,

Sen bunu okurken ben İrlanda'ya dönüş yolunda olacağım. Gitmek istemediğim halde bana pek şans tanımadılar. Kalbimin derinliklerinde beni gönderen kişinin haklı ve en iyisinin bu olduğunu biliyorum. Gelecek yıl ben otuz yaşında olacağım, sense daha on dokuzundasın ve henüz mesleğinin en başındasın. Günün birinde göğsü madalyalarla dolu bir general olacağını biliyorum, ama o zaman ben yaşlı bir kadın olacağım. Gitmek zorundayım. Bıraktığım bu armağan, sana duyduğum sevginin göstergesidir. Git ve beni unut. Mutluluğu başka bir yerde bul. Bir zamanlar seni kollarımda tuttuğum gibi hatıranı da hep zihnimde tutacağım."

"V" diye imzalanmıştı. Mektubu tekrar okurken gözleri bulanıyor, nefesi daralıyordu.

Son satıra gelmeden kulübesinin kapısına kibarca vuruldu. "Kim o?" diye seslendi.

"Benim *effendi.*"

"Bir dakika İsmail."

Çabucak kolunun tersiyle gözlerini sildi, mektubu yastığının altına gizleyip tüfeği tekrar kutusuna yerleştirdi. Kutuyu da yatağın altına iterek, "Gel Peygamberin Sevgilisi," diye seslendi.

Deniz kıyısında büyümüş dindar bir Swahilili olan İsmail başında çinko bir küvet taşıyarak içeri girdi. "Hoş geldin *effendi*. Kalbime güneş getirdin." Küveti ortaya koyup kulübenin arkasındaki ocaktan kova kova kaynar su taşımaya başladı. Su uygun sıcaklığa gelince Leon'un boynuna bir çarşaf bağlayıp tarakla makası alarak arkasına geçti. Terden ve tozdan yapış yapış olmuş saçlarını kırpmaya başladı. İşini ustaca yapıyordu. Bitirince geri çekilip baktı, tatmin olmuş bir tavırla başını salladı ve gidip tıraş tasıyla fırçayı getirdi. Leon'un uzamış sakalına kremsi bir şey sürdükten sonra kayışla bilenmiş usturasını efendisine uzattı. Leon tıraş olurken o da el aynasını tutuyordu.

Leon, "Nasıl oldu?" diye sordu.

İsmail ciddi bir sesle, "Güzelliğiniz cennetteki hurilerin gözünü kamaştıracak *effendi,*" dedi ve parmağını sokup banyo suyunu kontrol etti. "Hazır."

Leon leş gibi kokan paçavralarını çıkarıp bir köşeye attıktan sonra buharları tüten suya girip bir oh çekti. Küvete zorlukla sığıyordu ve oturunca dizleri çenesine değiyordu. İsmail çamurlu giysilerini alıp, kurumlu bir tavırla kendisinden bir kol boyu uzakta tutarak dışarı götürdü. Kapıyı açık bırakmıştı. Bobby Sampson da kapıya vurmadan içeri daldı.

Mahcup bir tebessümle, "Güzel şeyler insanı daima neşelendirir," dedi. Bobby, Leon'dan sadece bir yaş büyüktü. İriyarı, hantal ve sevimli bir gençti. Birliğin en genç subayları olarak Leon'la ikisi, özünde hayatta kalma içgüdüsü olan bir dostluk geliştirmişlerdi. Bu dostluğu perçinlemek için de, hemen hemen tüm birikimleri olan üç pound on şilini ortaya koyup Hintli bir kahve yetiştiricisinden hurdası çıkmış Vauxhall marka bir araba satın almışlardı. Geceler boyu çalışarak arabayı neredeyse eski parlak günlerine yakın bir şekle sokmuşlardı.

Bobby yatağa uzanıp ellerini başının altında kavuşturdu, bir ayağını ötekinin üzerine attı ve o sırada tam tepesinde baş aşağı durmakta olan kertenkeleyi incelemeye başladı. "E, ihtiyar, başını biraz derde sokmuş gibisin ha? Eminim şimdiye kadar Kurbağa Freddie'nin sana her tür fesatlık ve suç isnat ettirdiğini duymuşsundur. Tesadüfen bende de suçlamaların bir kopyası var." Üniforma ceketinin geniş yan cebinden kırışmış bir kâğıt tomarı çıkardı. Düzelttikten sonra Leon'a doğru salladı. "Çok renkli şeyler var içinde. Yaramazlıklarından etkilendim doğrusu. Sorun şu ki seni savunmakla görevlendirildim. Ne? Ne?"

"Tanrı aşkına Bobby, ne deyip durmayı bırak. Beni delirttiğini biliyorsun."

Bobby pişman olmuş gibi bir ifadeyle, "Pardon ihtiyar. İşin aslı şu ki ne yapmam gerektiği hakkında en küçük bir fikrim yok," dedi.

"Bobby sen salaksın."

"Elimde değil güzelim. Annem beni kafa üstü düşürmüş olmalı, bilmiyor musun? Her neyse, gündemin ana maddesine dönelim. Benden ne istendiğini biliyor musun?"

"Esprilerin ve engin bilginle hâkimlerin gözünü kamaştırman bekleniyor." Leon kendini daha keyifli hissetmeye başlıyordu. Bobby'nin, keskin zekâsını aptal numarası yaparak gizlemesi hoşuna gidiyordu.

Bobby, "Şu anda espri ve engin bilgi bölümünde biraz kısıntı var," diye itiraf etti. "Başka bir şey versek?"

Leon etrafa sabunlu sular saçarak küvette ayağa kalktı. Bobby de İsmail'in yatağa bırakmış olduğu havluyu top yapıp kafasına fırlattı.

Leon kurulanırken, "Başlangıç olarak suçlamaları birlikte okuyalım," önerisinde bulundu.

Bobby'nin yüzü ışıldadı. "Harika fikir. Her zaman bir dâhi olduğundan kuşkulanmışımdır."

Leon haki pantolonunu giydi. "Oturacak yer kalmamış," dedi. "O yağlı kıçını kenara çek."

Bobby doğrulup oturdu, artık ciddileşmişti. Yatakta arkadaşına yer açtı ve Leon da yanına yerleşti. İkisi birlikte suçlamaları gözden geçirdiler.

Kulübedeki ışık yetersiz hale gelince İsmail bir gaz lambası getirip kancasına astı. Lambanın zayıf, sarı ışığında, Bobby gözlerini ovuşturup esneyinceye kadar çalışmaya devam ettiler. "Gece yarısını geçti ve sabah dokuzda ikimizin de mahkemede olması gerekiyor. Bu arada, beraat etme şansın konusunda ne düşündüğümü bilmek ister misin?"

Leon, "Pek istemem," diye cevap verdi.

Bobby, "Bine bir de versen iki peni koymazdım," dedi. "Ancak, o çavuşunu bulursak bu hikâyenin farklı bir sonu olabilir."

"Bunun yarın sabah dokuzdan önce olması pek mümkün değil. Manyoro, Masai Bölgesi'ndeki bir dağın tepesinde, yüzlerce kilometre uzakta."

Subay lokali duruşmaların yapılacağı mahkeme salonuna dönüştürülmüştü. Üç yargıç, platformun üstündeki yüksek kürsüde oturuyordu. Aşağıda biri savunma, biri de savcı için olmak üzere iki kürsü daha vardı. Küçük salonda hava çok sıcaktı. Dış verandada, tavanda başının hizasındaki delikten içeri girip kaybolan ipi düzenli bir şekilde çöküp kalkarak çeken bir punkah-wallah(*) vardı ve ip, salondaki makara sistemiyle yargıçların üstündeki vantilatöre bağlıydı. Vantilatörün pervaneleri monoton bir sesle vızıldıyor, içerideki ağır havayı karıştırarak bir serinleme yanılsaması yaratıyordu.

Savunma kürsüsünde Bobby Sampson'un yanında oturan Leon, yargıçların suratlarını inceledi. Korkaklık, kaçmak, görevi ihmal etmek ve amirinin emirlerine itaatsizlik: Kendisine isnat edilen bütün suçların cezası kurşuna dizilmekti. Tüyleri diken diken oldu. Bu adamların elinde ölüm ve yaşam gücü vardı.

Bobby dudaklarını not defteriyle gizleyerek, "Gözlerinin içine bak ve yüksek sesle konuş," diye fısıldadı. "İhtiyar babacığım bana hep böyle derdi."

Yargıçları hiç de insancıl ve merhametli görünmüyorlardı. Başlarındaki adam Hint Ordusu'nda albaydı ve Mombasa'dan trenle gelmişti. Yolculuk ona pek yaramamış gibiydi. Ekşimiş suratında hazımsızlık çekermiş gibi bir ifade vardı. 11. Bengal Mızrak Birliği'nin (Galler Prensi komutasındaydı.) gösterişli üniformasını giymişti. Göğsünde iki sıra nişan bulunuyordu, binici çizmeleri pırıl pırıldı ve rengârenk ipek sarığının ucu bir omzundan sarkıyordu. Yüzü güneşten ve viskiden kızarmıştı, gözleri leopar gözleri gibi ateşliydi ve bıyığının uçları balmumuyla sivriltilmişti.

Bobby, "Tam bir insan yiyene benziyor," diye fısıldadı. Leon'un bakışlarını izlemişti. "İnan bana, ikna etmemiz gereken kişi o ve işimiz hiç kolay değil."

Başyargıç, "Beyler, başlamaya hazır mıyız?" diye gürledi ve soğuk, hafif kanlı gözlerini savcılık kürsüsündeki Eddy Roberts'e çevirdi.

(*) Elektriğin icadından önce, sıcak ülkelerde kol gücüyle çalışan vantilatörler kullanılmıştır. Bunu çalıştıran hizmetkârlara punkah-wallah denirdi.

"Evet albayım." Robert cevap vermek için saygıyla ayağa kalkmıştı. Kurbağa Freddie'nin gözdesiydi ve bu göreve o yüzden seçilmişti.

Başkan savunma masasına baktı. "Ya siz?" Bobby'nin hızla ayağa fırlaması, özenle dizdiği evrakların yerlere saçılmasına yol açtı. "Ah, olur şey değil," diye kekeleyip kâğıtları toplamak için diz çöktü. "Affınızı rica ederim efendim."

"Hazır mısınız?" Albay Wallace'nin sesi küçük salonda sis düdüğü gibi çınlamıştı.

"Hazırım efendim. Gerçekten." Bobby topladığı kâğıtları göğsüne bastırmış, yerden adama bakıyordu. Yüzü kıpkırmızı olmuştu.

"Bütün hafta burada olmayacağız. Artık başlayalım genç adam."

Kâtip ve yazman olarak orada bulunan görevli, suçlamaları okudu ve ardından Eddy Roberts ayağa kalkıp savcılık adına açılış konuşmasını yaptı. Rahat bir tavırla, tane tane ve ikna edici bir konuşma yapıyordu. Yargıçlar dikkatle onu dinliyorlardı.

Bobby endişeyle, "Kahrolası Eddy oldukça iyi, değil mi?" diye sordu.

Eddy girizgâhı yaptıktan sonra ilk tanığı Binbaşı Snell'i kürsüye çağırdı. Suçlamaları bir de onunla tekrarladı ve doğrulattı. Sonra sanığın Niombi'ye gönderildiği güne kadar olan sicil kayıtlarını ve görev performansını sorguladı. Snell kanıtlarının tek taraflı ve Leon'a karşı önyargılı görünmesine izin vermeyecek kadar kurnazdı. Öte yandan, nitelikli ve tarafsız gibi görünen değerlendirmelerini ağır bir ithama dönüştürmeyi de beceriyordu.

"Bu soruya Teğmen Courtney'in yetenekli bir polo oyuncusu olduğunu belirterek yanıt vereyim. Kendisi ayrıca büyük av partilerine katılmaya çok hevesli olduğunu da göstermiştir. Bu tür aktiviteler, başka bir yerlerde daha faydalı işler yapabilecekken çok fazla vaktini almıştır."

"Diğer davranışları nasıldır? Adının karışmış olduğu herhangi bir sosyal skandal biliyor musunuz?"

Bobby ayağa fırladı. "İtiraz ediyorum sayın başkan!" diye bağırdı. "Bu sorunun cevabı tahminlere ve söylentilere dayanıyor. Müvekkilim görev dışında yaptıkları konusunda mahkeme önünde hesap vermek durumunda değildir."

"Bununla neyi kastettiniz?" Albay Wallace araştıran bakışlarını Eddy Roberts'e yöneltmişti.

"Ben sanığın namus ve ahlak değerlerinin davayla doğrudan ilgisi olduğuna inanıyorum efendim."

"İtiraz reddedildi, tanık soruya yanıt verebilir."

"Sorum şuydu..." Eddy notlarına bakıyormuş gibi yaptı. "...sanığın isminin geçtiği herhangi bir skandal biliyor musunuz?"

Snell de bu soruyu bekliyordu. "Maalesef geçenlerde talihsiz bir olaya karıştı. Sanık, genç bir hanımla, bir dulla ilişkiye girmişti. Davranışı öylesine yüz kızartıcıydı ki bütün alayın onuru tehlikeye düştü ve burada yaşayanları kızdırdı. Koloni Valisi Sir Charles Eliot'un söz konusu hanımı ülkeye geri göndermekten başka çaresi kalmadı."

Üç yargıcın başı da Leon'a dönmüştü, ifadeleri korkutucuydu. Yaşlı kraliçe öleli henüz birkaç yıl olmuştu ve tahtın vârisi olan oğlunun ahlaksız ününe rağmen, eski kuşaklar hâlâ Victoria'nın katı kurallarına bağlıydı.

Bobby not defterine bir şeyler yazıp, okuyabilsin diye Leon'a çevirdi. "Bu konuda çapraz sorgu yapmayacağım, tamam mı?"

Leon sıkıntıyla başını salladı.

Eddy Roberts bu ifadenin yargıçlar üzerinde kalıcı etki bırakması için uzun bir süre bekledikten sonra önündeki kürsüde duran kalın kitabı aldı. "Binbaşı Snell, bu defteri tanıdınız mı?"

"Elbette tanıdım. Tabur emir defteri."

Eddy işaretli bir sayfayı açıp yüksek sesle Leon'un müfrezesini Niombi'deki *boma*'ya götürme emrini okudu. Bitirince, "Binbaşı Snell, bu emirleri sanığa siz mi vermiştiniz?" diye sordu.

"Evet."

Eddy açık duran sayfadan bir alıntı daha yaptı. "...mümkün olan en hızlı şekilde..." Başını kaldırıp Snell'e baktı. "Verdiğiniz kesin emirler böyle miydi?"

"Evet, öyleydi."

"Yani sanığın sekiz günde gitmeyi başardığı görev. Sizce kendisi 'mümkün olan en hızlı şekilde' mi hareket etmişti?"

"Hayır, etmemişti."

"Sanık, gecikme sebebi olarak Niombi'ye giderken yolda isyancılara ait izlere rastladığını ve görevinin onların peşine düşmek olduğunu hissettiğini belirtiyor. Sizce de bu muydu görevi?"

"Kesinlikle hayır! Onun görevi Niombi'ye gitmek ve kendisine emredildiği gibi orada oturanları koruma altına almaktı."

"Sizce sanık takip ettiği izlerin Nandi isyancılarına ait olduğunu kesin olarak bilebilir miydi?"

"Bence bilemezdi. O izlerin insanlar tarafından bırakıldığından bile emin değilim. Teğmen Courtney'in *shikar* -yani avcılık- merakı göz önüne alınacak olursa, onu heyecanlandıran izlerin bir hayvana, mesela bir erkek file ait olması daha mümkün geliyor."

Bobby, "İtiraz ediyorum sayın yargıç!" diye feryat etti. "Bu, tanığın tahmininden ibaret."

Başyargıç müdahale edemeden Eddy hemen atıldı. "Sorumu geri alıyorum efendim." Üç yargıcın aklına soktuğu düşüncelerden hoşnuttu. Snell'le Leon'un raporu üstüne konuşmaya devam etti. "Sanık ifadesinde, çoğu adamının öldüğünü, çavuşunun kötü bir şekilde yaralandığını, şiddetli saldırılara cesurca karşı koyduğunu ve Niombi *boma*'sından ancak asiler orayı ateşe verince ayrıldığını belirtiyor." Elindeki kâğıda vurdu. "Bu noktada yaralı adamını sırtına almış ve binadan çıkan dumanları kalkan gibi kullanarak onu oradan uzaklaştırmış. Bu sizce inanılır bir ifade midir?"

Snell bilmiş bilmiş gülümsedi. "Çavuş Manyoro iriyarı bir adamdı. Boyu rahatlıkla bir sekseni geçiyordu."

"Elimde sağlık raporunun bir kopyası var. Adam çıplak ayakla bir seksen dokuz boyundaymış. Oldukça iri biri yani. Buna katılıyor musunuz?"

"Kesinlikle." Snell başıyla onayladı. "Ve sanık bu adamı isyancılara yakalanmadan elli kilometre taşıdığını iddia ediyor." Başını salladı. "Teğmen Courtney gibi güçlü bir erkeğin bile bunu yapabileceğinden kuşkuluyum."

"O zaman sizce çavuşa ne oldu?"

"Ben sanığın onu da müfrezenin geri kalanıyla birlikte Niombi'de bıraktığına ve tek başına kaçtığına inanıyorum."

"İtiraz ediyorum." Bobby ayağa fırlamıştı. "Tahmin!"

Sarıklı albay, "İtiraz kabul edildi. Mahkeme kâtibi soruyu ve tanığın cevabını kayıtlardan çıkarsın," dedi, ama Leon'a da hoşnutsuz bir bakış fırlattı.

Eddy Roberts notlarına baktı. "Kurtarma birliğinin çavuşun cesedini bulamadığını öğrendik. Bunu nasıl açıklarsınız?"

"Bu noktada sizi düzeltmem lazım Yüzbaşı Roberts. Bize bildirilen, çavuşun cesedini ölenlerin arasında teşhis edememiş oldukları. Bu bambaşka bir mesele. Yanmış binada cesetler bulmuşlar ama hiçbiri tanınacak halde değilmiş. Diğer cesetlerin de ya isyancılar tarafından kafası kesilmiş ya da akbabalar ve sırtlanlar vücutlarını öyle feci parçalamış ki onları teşhis etmek de mümkün olmamış. Çavuş Manyoro da onlardan biri olabilir."

Bobby avuçlarını yüzüne kapayıp inlercesine, "İtiraz ediyorum," dedi. "Varsayım."

"Kabul edildi. Lütfen gerçekler üzerinde konuşun binbaşı." Snell'le gözdesi birbirlerine kaçamak bakışlar attılar.

Eddy işadamı sesiyle devam etti. "Eğer Çavuş Manyoro sanığın yardımıyla Niombi'den kaçmışsa şu an nerede olduğunu tahmin edebilir misiniz?"

"Hayır, edemem."

"Belki de ailesinin *manyatta*'sındadır? Sanığın raporunda belirttiği gibi annesini ziyaret ediyordur?"

Snell, "Bana göre bu pek mümkün değil," dedi. "Çavuşu bir daha göreceğimizden kuşkuluyum."

Yargıçlar subay lokalinin geniş verandasında Gine tavuğu rostosuyla şampanyadan oluşan öğle yemeklerini yemek için ara verdiler ve geri döndüklerine Eddy Roberts, Snell'i sorgulamaya devam etti. Bitirip başyargıca döndüğünde öğleden sonranın yarısı geride kalmıştı. "Başka sorum yok sayın yargıç. Tanıkla işim bitti." Hayatından gayet memnundu ve bunu gizlemek zahmetine de girmiyordu.

Başyargıç cep saatine bakıp, "Çapraz sorgu yapmak istiyor musunuz teğmen?" diye sordu. "En geç yarın akşama kadar bitirmek istiyorum. Cuma akşamı Mombasa'dan kalkacak bir gemimiz var." Kararını çoktan vermiş gibi bir hali vardı.

Bobby, Snell'in özgüvenini sarsmak için elinden geleni yaptı, ama adam bütün sorularını bir çocukla konuşurmuş gibi keyifli ve küçümser bir tonda yanıtladığı için pek başarılı olamadı. Bir iki kere, üç yargıcın sezdirmeden bakıştıklarını fark etti.

Sonunda albay altın saatine bir daha baktı ve, "Beyler, bugünlük bu kadar," diye ilan etti. "Yarın sabah dokuzda tekrar toplanacağız." Ayağa kalkıp diğer yargıçları lokalin arka tarafındaki bara buyur etti.

Leon'la verandaya çıkarken Bobby, "Maalesef pek bir şey yapamadım," diye itiraf etti. "Her şey senin yarınki ifadene kaldı."

İsmail, Leon'un kulübesinin arka kısmındaki derme çatma mutfaktan yemek ve birer şişe bira getirdi. Kulübede iskemle olmadığı için iki erkek çamurla sıvanmış zemine oturup iştahsızca yediler ve ümitsiz bir şekilde ertesi günkü stratejilerini tartıştılar.

Bobby, "Bakalım Nairobi hanımları seni gözbağıyla tuğla bir duvarın önünde dururken de çekici ve yakışıklı bulacaklar mı?" dedi.

Leon, "Git şuradan, felaket tellalı," dedi. "Biraz uyumak istiyorum." Ama uykusu gelmedi ve sabahın ilk saatlerine kadar ter içinde dönüp durdu. Sonunda kalkıp kandili yaktı. Sonra, iç çamaşırlarıyla kapıdan çıktı ve kulübelerin sonundaki ortak helaya gitmeye niyetlendi. Verandasına adımını atar atmaz neredeyse kapının önünde çömelmiş küçük grubun üstüne çıkıyordu. Leon korkuyla geri çekilip kandili yukarı kaldırdı. Yüksek sesle, "Siz de kimsiniz?" diye sordu. Sonra hepsi de aşıboyası kırmızı Masai *shuka*'larına bürünmüş olan adamların beş kişi olduklarını fark etti.

Bir tanesi ayağa kalktı. "Seni görüyorum M'bogo," dedi, kandilin ışığında fildişi küpeleri de neredeyse dişleri gibi pırıl pırıldı.

Leon büyük bir sevinç ve ferahlamayla, "Manyoro!" diye bağırdı. "Ne halt ediyorsun burada?"

"Beni Lusima ana yolladı. Bana ihtiyacın olduğunu söyledi."

"Hangi şeytana uyup bu kadar geç kaldın?" Leon onu kucaklamak istiyordu.

"Bu kardeşlerimin yardımıyla olabildiğince çabuk geldim." Arkasındaki erkekleri göstermişti. "Lonsonyo Dağı'ndan iki günlük yürüyüşle Naro Moru hattına ulaştık. Makinist trenin tepesine oturmamıza izin verdi ve bizi buraya büyük bir hızla getirdi."

"Ana haklıymış. Yardımına çok ihtiyacım var kardeşim."

Manyoro sakin bir tavırla, "Lusima Ana hep haklıdır," dedi. "Başındaki bu büyük bela nedir? Yine çarpışmaya mı gidiyoruz?"

Leon, "Evet," dedi. "Büyük savaş var!" Beş Masai birden sevinçle sırıttı.

İsmail sesleri duymuş, sebebini anlamak için kulübenin arkasındaki barakadan fırlayıp gelmişti. "Bu Masai kâfirleri sorun mu çıkarıyor *effendi?* Uzaklaştırayım mı?" Kabile kıyafetiyle Çavuş Manyoro'yu tanımamıştı.

"Hayır İsmail. Bacaklarının tüm gücüyle Teğmen Bobby'e koş ve hemen gelmesini söyle. Harika bir şey oldu. Dualarımız kabul edildi."

İsmail monoton bir sesle, "Allah büyüktür! Ona inananlar her zaman mükâfatını görür," dedikten sonra ağırbaşlı bir koşu tutturdu.

Bobby Sampson kendine güvenen gür bir sesle, "Çavuş Manyoro'yu tanık kürsüsüne çağırıyorum!" dedi.

Subay lokalinde büyük bir şaşkınlık yaşandı. Manyoro, kabaca yontulmuş değneğiyle topallayarak içeri girince yargıçlar ani bir ilgiyle başlarını kaldırıp baktılar. Bir numaralı üniformasını giymiş, dolaklarını(*) baldırlarına gayet muntazam bir şekilde sarmıştı, ama ayakları çıplaktı. Kırmızı fesinin önündeki alay rozetiyle kemer tokası metal cilasıyla güzelce ovulmuş, yıldız gibi parlıyordu. Arkasından, engel olmayı başaramadığı sırıtışıyla Başçavuş M'fefe gelmekteydi. İkili yüksek kürsünün önüne gelince yargıçlara gösterişli birer selam çaktılar.

Bobby, "Başçavuş M'fefe bizim gibi az Kiswahili dili bilenlere tercümanlık yapacak," diye açıkladı. Tanık yemin ettikten sonra Bobby çevirmene döndü. "Başçavuş, lütfen tanığa adını ve rütbesini sorun."

Manyoro gururla, "Çavuş Manyoro, Kraliyet Afrika Piyadeleri 1. Alay, 3. Tabur, C Bölüğü," diye ilan etti.

Binbaşı Snell'in yüzü dehşetle çarpılmıştı. O ana kadar Manyoro'yu tanımamıştı. Leon birkaç kere, binbaşının subay lokalinin barında üçüncü veya dördüncü viskisini yudumlarken, "Bu kahrolası zencilerin hepsi aynı gibi geliyor bana," dediğini duymuştu. Bu tür aşağılayıcı sözler Snell'in o dayanılmaz kibirli tutumuna çok uygundu. Başka hiçbir subay, komutasındaki insanlar için böylesi tanımlar kullanmazdı.

Leon keyifle, şimdi bu kahrolası zenciye iyi bak, diye düşündü. Onun yüzünü kolay kolay unutamayacaksın.

Bobby mahkeme başkanına, "Sayın yargıç," diye hitap etti. "Tanığım ifadesini oturarak verebilir mi? Sağ bacağından bir Nandi okuyla vurulmuş. Gördüğünüz gibi henüz tam olarak iyileşmiş değil."

Bütün gözler Manyoro'nun o sabah alay cerrahı tarafından değiştirilmiş olan sargılarına döndü. Gazlı bezin üstüne taze kan sızmıştı.

(*) Bacağın iki bileğinden dize kadar olan bölümüne dolanarak sarılan ensiz, uzun, yünlü kumaş ya da deri parçası.

Başyargıç, "Elbette," dedi. "Birisi ona iskemle getirsin."

Herkes beklentiyle öne eğilmişti. Binbaşı Snell'le Eddy Roberts sinirli sinirli fısıldaşıyorlardı. Eddy sürekli başını sallıyordu.

Bobby yanında oturan Leon'u gösterip, "Çavuş, bölük subayın bu adam mı?" diye sordu.

"Bwana teğmen, benim subayımdır."

"Müfrezen ve sen Niombi *boma*'sına onunla mı gitmiştiniz?"

"Öyle yaptık Bwana Teğmen."

Bobby akıcı bir Kiswahili diliyle, "Çavuş Manyoro, bana Bwana Teğmen demen gerekmiyor," diye itiraz etti.

Manyoro da, *"Ndio,* Bwana Teğmen," diye kabul etti.

Bobby, yargıçlar anlasın diye İngilizceye döndü. "Yürüyüşünüz esnasında şüpheli izlere rastladınız mı?"

"Evet. Gelai Lumbwa yönünden Rift Vadisi duvarına gelen yirmi altı tane Nandi savaşçısının izini bulduk."

"Yirmi altı mı? Emin misin?"

"Tabii ki eminim Bwana Teğmen." Manyoro sorunun anlamsızlığına gücenmiş gibiydi.

"Savaşçı olduklarından nasıl bu kadar emin olabiliyorsun?"

"Yanlarında kadın veya çocuk yoktu."

"Masai değil de Nandi olduklarını nereden anladın?"

"Onların ayakları bizimkilerden küçüktür ve farklı bir şekilde yürürler."

"Nasıl farklı?"

"Kısa adımlarla, onlar cücedir. Gerçek bir savaşçının yaptığı gibi önce topuklarına basıp sonra parmaklarıyla itmezler. Hamile babunlar gibi bütün tabanlarıyla yere basarlar."

"Yani onun bir Nandi savaş grubu olduğundan eminsin?"

"Sadece bir aptal veya küçük bir çocuk bundan şüphe edebilir."

"Nereye gidiyorlardı?"

"Nakuru'daki misyon istasyonuna."

"Misyona saldırmaya gittikleri senin fikrin miydi?"

Manyoro kibirli bir tavırla, "Oraya rahiplerle bira içmeye gittiklerini sanmıyorum," dedi ve başçavuş sözlerini çevirince başyargıç gülmemek için kendini zor tuttu. Öteki yargıçlar gülümseyerek başlarını salladılar.

Eddy artık somurtuyordu.

"Bunu teğmenine söyledin mi? Bu konuyu kendisiyle tartıştın mı?"

"Tabii ki."

"Bu savaşçıları takip etme emrini teğmenin mi verdi?"

Manyoro başını salladı. "Çok yaklaştığımız için peşlerinde olduğumuzu anlayana kadar iki gün boyunca takip ettik."

"Bu sonuca nasıl vardılar?"

Manyoro sabırla, "Çalılık düzlükler yüzünden Nandi'lerin bile kafalarında göz bulunur," diye açıkladı.

"O zaman teğmenin takibi bırakıp Niombi'ye gitmenizi emretti. Düşmanla neden çarpışmak istemediğini biliyor musun?"

"Yirmi altı Nandi yirmi altı farklı yöne dağıldı. Teğmenim aptal değildir. Çok koşarsak ve şansımız da yaver giderse ancak bir tanesini yakalayabileceğimizi biliyordu. Onları korkuttuğumuzu ve bu yüzden artık Nakuru'ya gitmeyeceklerini de. Bwana misyonu saldırıdan kurtarmıştı ve bu yüzden daha fazla vakit harcamadı."

"Ama hemen hemen dört gün kaybettiniz?"

"*Ndio,* Bwana Teğmen."

"Niombi'ye varınca ne buldunuz?"

"Başka bir Nandi savaş grubu *boma*'yı yerle bir etmişti. Bölge komiserini, karısını ve çocuğunu öldürmüşlerdi. Çocuğu mızraklamış, adamla karısını da ağızlarına işeyerek boğmuşlardı."

Bobby, Manyoro'ya Nandi pususunu ve sonraki ümitsiz çarpışmayı anlattırırken yargıçlar dikkatle öne eğilmişlerdi. Manyoro bir duygu belirtisi göstermeden müfrezenin katledilişini ve Leon'la ikisinin *boma*'ya girip mücadele edişini anlattı.

"Çarpışmada teğmenin erkek gibi davrandı mı?"

"Bir savaşçı gibi çarpıştı."

"Hiç düşman öldürdüğünü gördün mü?"

"Sekiz Nandi'yi öldürdüğünü gördüm. Ama daha fazla da olabilir. Ben de meşguldüm."

"Sonra yaralandın. Bize bunu anlat."

"Cephanemiz bitmek üzereydi. Tören meydanında yatan ölü *askari*'lerden almak için dışarı çıktık."

"Teğmen Courtney de seninle mi geldi?"

"O önden gitti."

"Sonra ne oldu?"

"Nandi köpeklerinden biri bana ok attı, şurama isabet etti." Manyoro haki şortunu sıyırıp sargılı bacağını gösterdi.

"O yarayla koşabiliyor muydun?"

"Hayır."

"Nasıl kaçtın o zaman?"

"Vurulduğumu görünce Bwana Teğmen dönüp beni almaya geldi. Beni *boma*'ya taşıdı."

"Sen iriyarı bir adamsın. Gerçekten taşıdı mı seni?"

"İriyim, çünkü Masai'yim. Fakat Bwana Courtney de güçlüdür. Masai dilinde adı Bizon'dur."

"Sonra ne oldu?"

Manyoro, Nandi'ler binayı yakana kadar nasıl dayandıklarını, sonra nasıl çıkmak zorunda kaldıklarını, muz plantasyonuna kaçmak için yanan çatıdan çıkan dumanda nasıl gizlendiklerini ayrıntılarıyla anlattı.

"Sonra ne yaptınız?"

"Plantasyonun ötesindeki açıklığa gelince Bwana'ma tabancasıyla beni orada bırakıp yalnız gitmesini söyledim."

"Sakatlandığın için ve Nandi'lerin seni yakalayıp komiserle karısına yaptıklarını yapmasını istemediğin için kendini öldürmeyi mi düşünmüştün?"

"Nandi'lerin eliyle ölmektense kendimi öldürürüm ama birkaç çakalı da yanıma almadan gitmem."

"Subayın seni bırakmayı kabul etmedi mi?"

"Tren yoluna kadar sırtında taşımak istedi. Bunun için Nandi Bölgesi'nde dört gün yürümek gerektiğini söyledim, bölgenin savaş gruplarıyla kaynadığını da biliyorduk. Annemin *manyatta*'sının sadece elli kilometre ötede olduğunu ve Nandi alçaklarının takip edemeyeceği kadar içerilerde olduğunu anlattım. Beni de yanında götürmeye kararlıysa o yoldan gitmek zorunda olduğumuzu belirttim."

"Söylediğin gibi mi yaptı?"

"Öyle yaptı."

"Elli kilometre? Elli kilometre boyunca seni sırtında mı taşıdı?"

"Belki biraz daha fazladır. O güçlü bir adam."

"İkiniz annenin köyüne varınca neden seni bırakıp hemen Nairobi'ye dönmedi?"

"Niombi'den gelirken ayakları parçalanmıştı. Üstüne basamıyordu. Annem çok güçlü bir şifacıdır. Ayaklarını kendi ilaçlarıyla tedavi etti. Bwana Courtney yürüyecek hale gelir gelmez *manyatta*'dan ayrıldı."

Bobby durup yargıçlara baktı. Sonra, "Çavuş Manyoro, Teğmen Courtney hakkındaki duyguların nedir?" diye sordu.

Manyoro vakarla, "Bwana ve ben, savaşçı kanından gelen kardeşleriz," dedi.

"Teşekkür ederim çavuş. Başka sorum yok."

Uzun süre salonda huşu içinde bir sessizlik oldu. Sonra Albay Wallace yerinden kalktı. "Yüzbaşı Roberts, bu tanığı sorguya çekecek misiniz?" Eddy çabucak Binbaşı Snell'e göz attıktan sonra gönülsüzce, "Hayır efendim, tanığa sorum yok," dedi.

Albay Wallace, "Başka tanık var mı? Müvekkilinizi ifade vermeye çağıracak mısınız Teğmen Sampson?" diye sordu. Saatini çıkarıp göstere göstere baktı.

"Mahkemenin hoşgörüsüne sığınarak Teğmen Courtney'i tanık kürsüsüne çağıracağım. Ancak, sorgumu bitirmek üzereyim ve mahkemenin fazla vaktini almayacağım."

"Bunu duyduğuma memnun oldum. Çağırabilirsiniz."

Leon yerini alınca Bobby ona bir tomar kâğıt uzatıp, "Teğmen Courtney, amirinize verdiğiniz resmi Niombi raporu bu mu?" diye sordu.

Leon kâğıtlara çabucak göz gezdirdi. "Evet, bu benim raporum."

"Üstünden geçmek istediğiniz, eklemek istediğiniz herhangi bir şey var mı?"

"Hayır yok."

"Yeminli olarak bu raporda geçen her şeyin doğru ve gerçek olduğunu onaylıyor musunuz?"

"Evet onaylıyorum."

Bobby belgeleri ondan alıp yargıçların önüne bıraktı. "Bu raporun kanıt olarak kayda geçmesini istiyorum."

Albay Wallace hırçın bir tavırla, "Zaten geçmişti," dedi. "Hepimiz okuduk. Sorularınızı sorun ve bu işi bitirelim teğmen."

"Başka sorum yok, sayın yargıç. Savunma çekiliyor."

"Güzel." Albay keyiflenmiş ve şaşırmıştı. Bobby'nin bu kadar hızlı olmasını beklemiyordu. Kaşlarını çatarak Eddy Roberts'e baktı. "Çapraz sorgu yapacak mısınız?"

"Hayır efendim. Sanığa sorum yok."

"Mükemmel." Wallace ilk defa gülümsemişti. "Tanık oturabilir, savcılık da kapanış konuşmasını yapabilir."

Eddy ayağa kalktı, yitirdiği belli olan özgüvenini kazanmaya çalışıyordu. "Mahkeme dikkatini, sanığın yeminli olarak da her bir ayrıntısının doğruluğunu onayladığı yazılı raporuna ve Çavuş Manyoro'nun işbirlikçi ifadesine vermelidir. Her ikisi de sanığın kendisine yazılı olarak verilen emre itaat etmeyip, Nakuru misyonuna saldırabileceğini düşündüğü Nandi savaşçılarının peşine düştüğünü ortaya koymaktadır. Sanık, düşman karşısında amirinin yazılı emrine itaatsizlik ettiğini itiraf etmiştir. Bu hususta hiçbir şüphe yoktur."

Eddy kendini toparlamak için durakladı. Buz gibi suyla dolu bir havuza dalacakmışçasına derin bir nefes aldı. "Çavuş Manyoro'nun sanığın davranışlarıyla ilgili kölelere yakışır ifadesi, sanıkla aralarındaki 'savaşçı kanı kardeşliği' dediği o gülünç ve duygusal tutuma dayanmaktadır." Albay Wallace duydukları karşısında kaşlarını çattı ve diğer yargıçlar koltuklarında huzursuzca kıpırdadılar.

Eddy'nin beklediği tepki bu değildi ve çabucak devam etti. "Tanığın önceden savunma tarafından bilgilendirildiğini ve tümüyle sanıktan yana ifade vermiş olduğunu arz ederim. Papağan gibi kendisine öğretilenleri tekrarlamıştır."

"Yüzbaşı Roberts, yani müfreze komutanının korkaklığını örtmek için tanığın kendi bacağına ok attığını mı söylemek istiyorsunuz?"

Eddy yerine otururken bütün salon kahkahalara boğulmuştu.

Kâtiplik yapan yaver, "Sessizlik! Lütfen beyler, lütfen!" diye araya girdi.

Wallace, "Kapanış konuşmanız tamam mı yüzbaşı? Bitirdiniz mi?" diye sordu.

"Bitirdim, sayın yargıç."

"Teğmen Sampson, savcılığın kapanış konuşmasına itirazınız olacak mı?"

Bobby ayağa fırladı. "Sayın yargıç, sadece tüm kapanış konuşmasının içeriğini reddetmekle kalmıyor, savcılık makamının Çavuş Manyoro'nun onuruna leke süren sözlerini de hakaret kabul ediyoruz. Mahkemenin, tanıkta İngiliz Ordusu'nun temelini oluşturan güvenilirlik, dürüstlük, sadakat, göreve adanmışlık ve subaylarına karşı saygı özelliklerinin bulunduğunu kabul edeceğine güvenimiz tamdır." Üç yargıcın her birine tek tek baktı. "Beyler, savunma sözünü bitirmiştir."

"Mahkeme karar vermek üzere çekilecek. Hükmü bildirmek üzere öğle vakti tekrar toplanacağız." Wallace ayağa kalktı ve diğer iki yargıca gayet iyi duyulabilen bir fısıltıyla, "Evet beyler, gemiye yetişme şansımız olacak galiba," dedi.

Salondan çıkarken Leon, Bobby'e, "İngiliz Ordusu'nun temelini oluşturan," diye fısıldadı. "Ustaca söylenmiş sözlerdi."

"Öyle değil mi zaten?"

"Bira ısmarlayayım mı?"

"Hayır demem."

Bir saat sonra Albay Wallace kürsüde oturmuş notlarını karıştırıyordu. Sonra gırtlağını temizleyip söze başladı. "Verilen kararı bildirmeden önce bu mahkemenin Çavuş Manyoro'nun davranışlarından ve ifadesinden etkilendiğini belirtmek istiyorum. Kendisinin tümüyle güvenilir, dürüst, sadık ve değerli bir asker olduğunu düşünüyoruz." Bobby kendi tanımının aynen Wallace tarafından tekrarlandığını duyunca sevinmişti. "Bu ifade Çavuş Manyoro'nun sicil kaydına da geçirilecektir."

Wallace koltuğunda dönüp Leon'a baktı. "Mahkemenin kararı aşağıdaki gibidir. Korkaklık, kaçma, görevi ihmal suçlamalarında sanığı suçsuz bulduk." Savunma tarafından rahatlama mırıltıları yükseldi. Bobby masanın altından Leon'un dizine dokundu. "Mahkeme, sanığın her fırsatta düşmanla çarpışma içgüdüsünü anlıyor ve sempatiyle bakıyor olsa da İngiliz Ordusu'nun gelenekleri uyarınca, en hızlı biçimde Niombi'ye intikal etmek yerine isyancıların peşine düşmesinin, amirlerine kayıtsız şartsız itaati öngören Askerlik Hukuku'nu çiğnemek olduğunu düşünüyoruz. O yüzden amirinin yazılı emirlerine itaatsizlikten suçlu bulmaktan başka seçeneğimiz bulunmuyor."

Bobby ile Leon dehşet içinde yargıca bakarken Snell kollarını göğsüne kavuşturdu. Koca ağzında sevimsiz bir tebessümle arkasına yaslandı.

"Şimdi cezaya geliyorum. Sanık ayağa kalksın." Leon ayağa kalktı ve gözlerini Wallace'nin başının üstündeki duvara dikip hazır ola geçti. "Suçlu hükmü sanığın siciline işlenecektir. Bu mahkeme sona erene kadar gözaltı durumu devam edecek, daha sonra rütbesinin tüm sorumluluk ve yetkileriyle görevine dönecektir. Tanrı kralı korusun.

"Duruşma bitmiştir." Wallace ayağa kalkıp aşağıdaki adamlara başıyla selam verdikten sonra diğer yargıçları da alıp bara gitti. "Tren kalkana kadar birer yolluk içecek vaktimiz var. Ben viski içeceğim. Siz beyler?"

Leon'la Bobby tekrar subay lokaline dönüşen salonun kapısına giderken Snell'in hâlâ oturmakta olduğu kürsünün önüne geldiler. Adam ayağa kalktı, hazır ola geçerek selam vermek zorunda kalsınlar diye şapkasını başına taktı. Soluk mavi gözleri iyice pörtlemiş, dudakları yüzüne kurbağadan ziyade zehirli karakurbağasına benzer bir ifade vermişti. "Yarın sabah yeni emirler vereceğim Courtney. Tam sekizde ofisimde ol. Bu arada işine bakabilirsin," diye hırladı.

Güneşli tören meydanına çıkarlarken Bobby, "Kurbağa'yı ömür boyu dost edinmişsin gibi geliyor bana," diye mırıldandı. "Şimdiden sonra oldukça ilginç bir hayatın olacak. Tahminime göre, yeni bir emirle Natron Gölü'ne veya Tanrı'nın unuttuğu başka bir yere devriyeye gideceksin. Bir ay kadar yüzünü pek göremeyeceğiz, ama en azından ülkeyi biraz daha tanımış olursun."

Askari'leri, kutlama yapmak için Leon'un etrafına toplanmışlardı. "*Jambo* Bwana. Aramıza hoş geldin."

Bobby, "En azından birkaç dostun kalmış," diye teselli etti. "Sen vahşi doğayla haşır neşir olurken külüstürü ben kullanabilir miyim?"

Birkaç ay sonra iki atlı yan yana Athi Nehri kıyısında ilerliyordu. Seyisler de yedek atları çekerek biraz geriden onları takip ediyorlardı. Biniciler geniş kenarlı yumuşak şapkalar giymişlerdi ve mızraklarını arkada taşıyorlardı. Önlerindeki geniş, yeşil Athi düzlükleri ufka kadar uzanmaktaydı. Yer yer zebra, devekuşu, impala ve öküz başlı Güney Afrika antilobu, yani gnu sürüleri görünüyordu. Sadece yüz adım ötelerinden geçen bir çift zürafa, kocaman kara gözleriyle atlılara şöyle bir göz attılar.

Leon en sevdiği amcasına, "Efendim, daha fazla dayanamayacağım," dedi. "Başka bir alaya tayin edilmek için başvuracağım."

Kraliyet Afrika Piyadeleri 1. Alay Komutanı Albay Penrod Ballantyne, "Seni alacaklarından kuşkuluyum oğlum. Sicilinde koca bir kara leke var," dedi. "Hindistan'a ne dersin? Daha önce Güney Afrika'da birlikte olduğum arkadaşlara senin için bir iki laf edebilirim." Penrod yeğenini deniyordu.

Leon, "Teşekkür ederim efendim, ama Afrika'dan ayrılmayı hiç düşünmedim," diye cevap verdi. "İnsan Nil suyuyla memeden kesilince bağlarından kurtulamıyor."

Penrod başını salladı. Beklediği cevap buydu. Üst cebinden gümüş bir kutu alıp içinden bir tane Player's Altın Yaprak çıkardı. Dudaklarının arasına yerleştirerek bir tane de Leon'a ikram etti.

"Teşekkür ederim efendim, sevmiyorum." Leon, amcası kapatmadan önce kutunun içine kazılmış yazıyı okuyabilmişti. "İki Pens'e, onu seven karısından 50. Doğum Günü Anısı, Saffron." Saffron Yenge'nin ilginç bir espri anlayışı vardı. Penrod'un asıl lakabı Penny idi, ama onca yıllık evlilikten sonra karısı bu değeri ikiye katlamaya karar vermişti.

"Efendim, kimse beni istemezse sanırım görevimden istifa etmekten başka çarem kalmayacak. Zaten üç yılımı Binbaşı Snell'in emirleri yüzünden vahşi yerlerde dolanarak, hiçbir yere ulaşamadan harcadım. Bu durumu daha fazla kaldıramayacağım."

Penrod konuyu düşündü, ama uygun bir cevap vermesine fırsat kalmadan nehir kıyısındaki bir hareket gözüne takıldı. Kıyıdaki çalıların arasında tırıs giden bir Afrika yabandomuzu vardı. Kıvrık beyaz dişleri neredeyse siyah yumrularla kaplı suratının tamamını kaplıyordu. Püsküllü kuyruğu cetvel gibi dümdüz yukarı kalkmıştı. Penrod, "Tamam gidiyoruz!" diye bağırdı. "Haydi çabuk!" Kısrağının böğrünü topuklayınca hayvan ok gibi fırladı.

Leon da uzun domuz mızrağını tutarak polo atının boynuna yapışmış amcasının peşinden gidiyordu. "Tanrım, sahiden kocaman. Şu dişlere bakın! Kaçırmayalım amca!"

Penrod'un kısrağı avın hemen ardından uçarcasına gidiyordu, ama Leon'un hadım edilmiş doru atı da uçuşan kuyruğunun yarım boy gerisinden geliyordu. Domuz, nal seslerini duyunca durup arkasına baktı. Yaklaşan atlara hayretle bakıp hızla döndü ve keskin toynaklarıyla tozu dumana katarak kaçmaya başladı. Ama kısraktan kurtulamamıştı.

Penrod eğerde doğruldu ve mızrağıyla domuzun çıkık kürek kemiklerinin ortasındaki tüysüz gri deriye nişan aldı.

"Vur onu İki Pens!" Leon, duyduğu heyecandan sadece yengesinin kullandığı isimle seslenmişti. Penrod duyduğunu belli eden bir şey yapmadı. Pozisyonunu aldı, mızrağın sivri ucu tam hedefe yönelmişti. Fakat son anda yabandomuzu yön değiştirdi ve kısrağın ön bacaklarının altına doğru koştu. Zıplayan polo topunu ustaca takip etmek üzere eğitilmiş olduğu halde kısrak bu manevrayı karşılayamadı ve avın üstünden geçti. Mızrak yabandomuzuna zarar vermeden postunu sıyırıp geçmişti. Penrod sert bir hareketle atın başını çevirdi. Hayvan şaha kalkıp gemini ısırdı, av heyecanından gözleri irileşmişti.

Penrod, "Haydi sevgilim! Hamle zamanı," diyerek kısrağı yüreklendirdi ve köreltilmiş mahmuzlarıyla böğrünü okşadı. Hayvan tekrar koşmaya hazırdı ama Leon yolunu kesmişti ve midillisi kayışla bağlanmış gibi domuzun arka ayaklarına yapışmıştı. At ve binicisi çırpınan, kaçmak için umutsuzca dönüp duran yabandomuzundan ayrılmıyordu. Onlar birlikte daireler çizerken Penrod da gülerek tavsiyelerde bulunuyordu.

"Bırakmayın bayım. Dişlere dikkat edin, neredeyse geçirecek!" Yabandomuzu Leon'un görüş alanının dışına çıktı ve az kalsın tekrar çalıların arasında kayboluyordu, ama üzengilerinin üstünde kalkmış olan Leon mızrağını ustaca sol eline geçirip domuzun kürek kemiklerinin ortasına sapladı. Hayvan belli ki kalbine darbe almıştı. Leon, hadım midillisi ölmekte olan domuzun üstünden geçerken mızrağın sapını bıraktı ve bileğini bükmesine gerek kalmadan mızrağın ucu serbest kaldı. Parlak çelik ve atmış santimlik sapı yabandomuzunun kanıyla parlıyordu. Hayvan bir kere haykırdı ve ön bacakları altına büküldü. Önce uzun burnunun üstüne düştü, sonra yana devrildi, arka bacaklarıyla havayı tırmaladı ve öldü.

"Oo! Gerçekten bravo bayım! Mükemmel bir avdı!" Penrod yeğeninin yanında atının dizginlerini çekti. İkisi de soluk soluğa gülüyorlardı. "Sen bir dakika önce bana seslenirken ne demiştin?"

"Özür dilerim amca. Heyecandan ağzımdan kaçtı."

"Bir daha duymayayım saygısız ufaklık. Kurbağa'nın sana kızmasına şaşmamak lazım. İçten içe onu anlıyor ve sempati duyuyorum."

"Bu iş beni susattı. Bir fincan çaya ne dersiniz efendim?" Leon konuyu değiştirivermişti.

İsmail öldürdükleri hayvanı görür görmez yük arabasını gölgeye çekmiş ve ateşi yakmıştı bile.

Penrod, "Çay bunu telafi etmek için hafif kalır. İki Pens'miş! Ne tür bir kuşak geliyor arkamızdan?" diye homurdandı.

Onlar atlarından indiklerinde çay demlenmekteydi. Penrod gölgedeki kamp koltuklarından birine yerleşirken, "Üç kaşık şeker, iki tane de senin zencefil çubuklarından İsmail," dedi.

"Saygıdeğer ve değerli leydi eşiniz bundan hoşlanmayacak *effendi.*"

"Saygıdeğer ve değerli eşim Kahire'de. Bize katılmayacak," diye hatırlatan Penrod, İsmail'in önüne koyduğu bisküvi tabağına uzandı. Bisküviyi zevkle çiğneyip, üstüne çay içti ve bıyığını düzeltti. "E, Hindistan'a da gitmek istemiyorsun madem, istifa ettikten sonra ne yapmak niyetindesin?"

"Benim için sadece Afrika var." Leon; kendi kupasından çay içip, düşünceli bir tavırla, "Belki fil avcılığında kendimi deneyebilirim," dedi.

"Fil avcılığı mı?" Penrod inanamamıştı. "Meslek olarak mı? Yani Selous'la Bell'in bir zamanlar yaptıkları gibi mi?"

"Eh, onların maceralarını okuduğumdan beri beni büyülüyor bu iş."

"Romantik saçmalıklar! Otuz yıl geç kaldın. O ihtiyar çocuklar bütün Afrika'yı parselledi. Canları nereye isterse oraya gittiler, ne isterlerse onu yaptılar. Artık modern çağdayız. Her şey değişti. Şimdi her tarafa giden yollar ve demiryolları var. Afrika'daki ülkelerin hiçbirinde, sahibine o harika hayvanların binlercesini katletme hakkı sağlayan sertifikalar verilmiyor artık. Bütün bunlar bitti ve bitmesi de iyi bir şey. Zaten zor ve acı bir hayattı. Üstelik tüm tehlikelerinin yanında bir de yalnızlık çekiyordum. Düşünsene, yıllarca yabani bölgelerde dilini bilen birine rastlamadan dolanıp duruyordun. Bu fikri aklından çıkar."

Leon hayal kırıklığına uğramıştı. Penrod bir sigara daha çıkarıp yakarken, o, gözlerini fincanına dikmişti. Sonunda, "Eh, o zaman ne yapacağımı bilmiyorum demektir," diye itiraf etti.

"Başını kaldır oğlum." Penrod'un sesi şimdi daha kibardı. "Avcı mı olmak istiyorsun? Eh, bu işten adam gibi para kazanan birkaç kişi var. Safari rehberliği için denizaşırı ülkelere pazarlıyorlar kendilerini. Avrupa'da, Amerika'da bir iki file ateş etmek için servet ödemeye hazır zenginler, kraliyet mensupları, aristokratlar, milyonerler var. Bugünlerde Afrika'daki büyük av partileri sosyetede moda oldu."

"Beyaz avcılar mı? Yani Tarlton ve Cunninghame gibi mi?" Leon'un yüzü aydınlanmıştı. "Ne müthiş bir hayat olmalı." Sonra yine çöktü. "Ama nasıl başlarım? Hiç param yok, babamdan da yardım isteyemem. Zaten güler bana. Başka birini de tanımıyorum. O dükler, prensesler, zengin işadamları ne diye ta Avrupa'dan kalkıp benimle avlanmaya gelsinler ki?"

"Seni, tanıdığım bir adamla görüştürebilirim. Sana yardım etmek isteyebilir."

"Ne zaman gidebiliriz?"

"Yarın. Kamp, Nairobi'ye atla kısa bir mesafede."

"Binbaşı Snell beni Turkana Gölü'ne göreve gönderiyor. Orada yapılacak kale için uygun yer bulmaya."

"Turkana mı?" Penrod kahkahayı bastı. "Orada niye kaleye ihtiyacımız olsun ki?"

"Bu da onun eğlence anlayışı. İstediği raporları sunduğum zaman kenarlarına alaycı yorumlar yazıp geri gönderiyor."

"Onunla konuşurum, özel bir iş için kısa bir süre izin vermesini isterim."

"Teşekkür ederim efendim. Çok teşekkür ederim."

Atlarının üstünde karargâh kapısından çıkıp Nairobi'nin ana caddesi boyunca ilerlediler. Sabahın erken saatleri olmasına rağmen geniş ve henüz düzleştirilmemiş olan yol kalabalıktı, neredeyse altına hücum şehirlerindekine benzer bir telaş vardı. Koloni Valisi Sir Charles, ucuz bir fiyata dönümler dolusu toprak vaat ederek insanları teşvik etmiş ve onlar da eski kıtadan kalkıp buralara gelmişlerdi. Yol, el değmemiş bölgelerdeki topraklarına giden perişan ailelerin azıcık eşyalarını tepeleme yığdıkları at arabalarıyla kilitlenmiş gibiydi. Hintli, Goalı ve Musevi tüccarlar da peşlerindeydi. Kerpiç dükkânları yolun iki tarafına diziliydi, vitrinlerindeki elle yazılmış tabelalarında şampanyadan dinamite, kürekten av tüfeği şarjörüne kadar her şeyi sunuyorlardı.

Penrod'la Leon, öküz arabalarının, katır sürülerinin arasından geçtiler ve Penrod, Norfolk Otel'in önünde ufak tefek bir adamı selamlamak için dizginlerini çekti. Adam, başında kolonyel şapkasıyla bir çift Burchell zebrası tarafından çekilen faytona yer cücesi gibi tünemişti. Penrod, "Günaydın lordum," diyerek selam verdi.

Küçük adam burnunun ucundaki çelik çerçeveli gözlüğü düzeltti. "Ah, albay. Sizi görmek ne hoş. Nereye gidiyorsunuz?"

"Percy Phillips'i görmeye."

"Sevgili Percy." Başını salladı. "Çok iyi dostumdur. Memleketten geldiğim ilk yıl onunla avlanmıştım. Kuzeydeki hudut bölgesinden Sudan'ın içlerine kadar altı ay yürümüştük. Beni iki tane devasa file götürmüştü. İyi adamdır. Büyük hayvan avı hakkında ne biliyorsam ondan öğrendim."

"Harika bir iş çıkarmıştınız. .577'lik tüfeğinizle gösterdiğiniz hünerler neredeyse onunkiler gibi efsane oldu."

"Çok naziksiniz, ama iltifatınızı mübalağalı buluyorum." Parlak delici bakışlarını Leon'a çevirdi. "Bu genç beyefendi kim?"

"Yeğenim Teğmen Leon Courtney'i takdim edebilir miyim? Leon, bu beyefendi de Lort Delamere."

"Sizinle tanışmaktan onur duydum lordum."

"Kim olduğunuzu biliyorum." Lort hazretlerinin gözleri keyifle ışıldıyordu.

Belli ki yerel toplumun diğer üyeleri gibi fazilet düşkünü rolü yapmayacaktı. Leon adamın bir sonraki cümlesinde Verity O'Hearne'yle ilgili bir espri olabileceğini düşünüp hemen araya girdi. "Ben de araba atlarınızın ününü duymuştum lordum."

"Kendi ellerimle yakalayıp yetiştiririm." Delamere ona son bir delici bakış fırlattıktan sonra başını çevirdi. Genç Verity'nin ona bu kadar tutulması ve kümesteki bütün kart horozların kıskançlık nöbetleri geçirmesi anlaşılır bir şey, diye düşündü. Bu genç, en tutucu bakireleri bile baştan çıkarırdı.

Lort, fayton kırbacıyla koloni şapkasının kenarına dokundu. "Size iyi günler dilerim albay. Percy'e selamlarımı iletin." Zebraları kamçılayıp yola koyuldu.

Penrod, "Lort Delamere bir zamanlar büyük bir *shikari*'ydi, ama artık ateşli bir korumacı oldu," dedi. "Rift Vadisi'nin batı yakasındaki Soysambu'da hektarlarca arazisi var. İngiltere'deki aile mülklerini ipotek ettirip son kuruşuna kadar orayı bir av mabedine dönüştürüyor. En iyi avcılar hep böyledir zaten. Öldürmekten bıkınca eski avlarının en adanmış koruyucuları olurlar." Kentten çıkıp Ngong Tepeleri boyunca ilerlediler ve ormanın içine yayılmış bir kamp alanına ulaştılar. Çadırlar, sazdan kulübeler ve yuvarlak evler ağaçların altına rastgele dağılmıştı.

"Burası Percy'nin Tandala Kampı." *Tandala,* Swahili dilinde iri Afrika ceylanlarına verilen addı. "Müşterilerini sahilden trenle getiriyor ve buradan sonra da yaya olarak, at sırtında veya öküz arabasıyla ulaşım sağlıyor." Tepeden inmeye başladılar ama ana kampa varmadan önce avlanan hayvanların kurutulduğu ve muhafaza edildiği post kulübelerini geçtiler. Burada, ağaçların üst dalları akbabalar ve etçil leyleklerle doluydu. Kurutulan postların ve kafaların acı ve yoğun bir kokusu vardı.

Atlarının dizginlerini çekip iki ihtiyar Ndrobo'nun el baltalarıyla erkek bir filin kafatası üzerinde çalışmasını izlediler; adamlardan biri dişlerin köklerini ortaya çıkarmak için kemikleri yontuyordu. Onlar tüm bu işlemleri izlerken diğer adam dişlerin tekini kemiksi kanalından kurtardı. Sonra ikisi birden dişi götürdüler, ağırlık yüzünden sıska bacakları bükülüyordu. Devasa fildişini bir kancaya asılmış olan çadır bezinden tartıya yerleştirmeye çalıştılar ama başaramadılar. Leon eyerden kayıp yükü ellerinden aldı. Kolayca uzanıp tartıya yerleştirdi. Dişin ağırlığı yüzünden tartının iğnesi deli gibi dönmüştü.

"Yardımına teşekkürler genç dostum."

Leon döndü. Omzunun dibinde uzun boylu bir adam duruyordu. Roma asillerine benzeyen bir yüzü vardı. Kısa, muntazam sakalı gümüş grisiydi ve parlak mavi gözleri sükûnetle bakıyordu. Kim olduğunu bilmemek imkânsızdı. Leon, Percy Phillips'in Swahili dilindeki adının Bwana Samawati, yani, gök gözlü adam, olduğunu biliyordu.

"Merhaba Percy." Atından inen Penrod da adamın kimliğini doğrulamıştı.

"Penrod, çok iyi görünüyorsun." Tokalaştılar.

"Sen de öyle Percy. Son görüşmemizden bu yana hiç değişmemişsin."

"Herhalde bir şey isteyeceksin. Bu yeğenin mi?" Percy yanıtı beklemedi. "Fildişi hakkında ne düşünüyorsun genç adam?"

"Muhteşem efendim. Hiç böyle bir şey görmemiştim."

"Altmış bir kilo." Percy Phillips tartıdaki rakamı okuyup gülümsedi. "Son yıllarda bulduğum en güzel fildişi. Artık böylelerinden pek kalmadı."

Hoşnutlukla başını salladı. "Onu vuran mızmız İtalyan'a çok fazla. Küstah herif! Beş yüz pound ücreti çok buldu. Safari bitince ödemek istemedi. Kendisiyle bayağı sert bir konuşma yapmak zorunda kaldım." Sağ yumruğunun lekeli eklemlerine üfler gibi yaptıktan sonra Penrod'a döndü. "Aşçıma senin için bir tepsi zencefilli çörek pişirttim. Çok sevdiğini hatırlıyorum." Penrod'un kolunu tutup hafifçe sıkarak kampın ortasındaki büyük çadıra doğru götürdü.

Leon da yanlarına gelince, "Bacağınızı nasıl yaraladınız efendim?" diye sordu.

Percy güldü. "Koca bir erkek fil çiğnedi, ama bu otuz yıl önce ben daha acemiyken olmuştu. Hiç unutmadığım bir ders aldım o olaydan."

Percy ile Penrod, ortak tanıdıkları hakkında bilgi alışverişi yapmak ve birbirlerine kolonideki son haberleri aktarmak üzere kocaman çadırın kanatları altındaki katlanır koltuklara yerleştiler. Bu arada Leon da merakla etrafına bakınıyordu. Gelişigüzel yerleşimine rağmen belli ki kamp kullanışlı ve rahattı. Yerler tertemiz süpürülmüştü. Kulübeler son derece bakımlıydı. Ana kampın yakınında, kampa bakan tepenin yamacında kurulu beyaz badanalı ve saz damlı bungalov Percy'nin evi olmalıydı. Kamp düzenine uymayan tek şey Leon'un dikkatini çekmişti.

Bobby'le ikisinin aldığı yıla ait bir Vauxhall otomobil kulübelerden birinin arkasına park edilmişti. Perişan haldeydi; ön tekerleklerinden biri yoktu, ön cam çatlamış ve kirden dışarısı görünmez olmuştu, motor kapağı araya sıkıştırılan kütük sayesinde açık duruyordu ve motor yakındaki bir ağacın altında duran darmadağınık iş masasına taşınmıştı. Birisi tamire kalkışmış ve ilgisini yitirip öylece bırakmışa benziyordu. Motor parçaları etrafa saçılmış, bir kısmı da şoför koltuğuna dizilmişti. Şasiyi tavuklar tünek olarak kullanıyordu ve pislikleri yüzünden neredeyse arabanın boyası görünmez hale gelmişti.

"Amcan avcı olmak istediğini söyledi. Doğru mu?"

Leon kendisine hitap ettiğini anlayınca Percy Phillips'e döndü. "Evet efendim." Percy gümüş sakalını ovuşturarak düşünceli bir tavırla Leon'u süzdü. Leon bakışlarını kaçırmadı ve bu da Percy'nin hoşuna gitti. Kibar ve saygılı ama kendinden de emin, diye düşündü. "Hiç fil vurdun mu?"

"Hayır efendim."

"Aslan?"

"Hayır efendim."

"Gergedan? Bizon? Leopar?"

"Maalesef hayır efendim."

"E, ne vurdun o zaman?"

"Sadece birkaç tane Tommie ile Grant, ama öğrenebilirim. O yüzden size geldim."

"En azından dürüstsün. Hiç tehlikeli bir ava katılmadıysan elinden ne gelir ki? Sana iş teklif etmem için iyi bir sebep söyle bana."

"Biniciliğim iyidir efendim."

"Atlardan mı yoksa insanoğlunun dişilerinden mi söz ediyorsun?"

Leon kıpkırmızı kesildi. Cevap vermek için ağzını açtı ama tekrar kapadı.

"Evet genç adam, dedikodular çabuk yayılır. Şimdi beni dinle. Müşterilerimden birçoğu safariye ailelerini de getirir. Karılarını, kızlarını. İlk fırsatta onları baştan çıkarmaya çalışmayacağını nereden bileceğim?"

Leon, "Duyduklarınız neyse doğru değil efendim," diye itiraz etti. "Ben, duyduğunuz gibi biri değilim."

Percy, "Burada düğmelerini ilikli tutacaksın," diye homurdandı. "Binicilikten başka ne yapabilirsin?"

Leon araba enkazını gösterip, "Onu tamir edebilirim," dedi.

Percy hemen kulak kabartmıştı.

Leon, "Bende de aynı modelden var," diye devam etti. "Aldığımda aynı durumdaydı. Her tarafını toparladım ve şimdi İsviçre saati gibi tıkır tıkır çalışıyor."

"Sahi mi Tanrı aşkına? Lanet motorlar benim için tam bir muamma. Pekâlâ, demek ki biniciliğin var ve araç tamir edebiliyorsun. Başlangıç olarak iyi. Başka? Atıcılığın var mı?"

"Evet efendim."

Penrod, "Leon bu yılın başında, alaydaki tüfekle atış yarışmasında Valilik Kupası'nı kazandı," diye doğruladı. "Atıcılığı iyidir, buna ben kefilim."

Percy, "Ama kâğıttan hedeflere, canlı hayvanlara değil. Onlar ıskalarsan seni ısırmaz, üstüne atlamazlar," diye belirtti. "Avcı olmak istiyorsan tüfeğin olmalı. O beylik Enfield'lerden bahsetmiyorum, kızgın bir bizonun karşısında o bezelye atan tüfeklerin esamesi bile okunmaz. Gerçek bir av tüfeğin var mı?"

"Evet efendim."

"Nedir?"

"Holland & Holland Royal .470 Nitro Express."

Percy'nin mavi gözleri irileşti. "Çok güzel," diye itiraf etti. "Gerçek bir tüfek. Henüz ondan iyisi yapılmadı. Ama bir de iz sürücü bulman lazım. İyi bir iz sürücü bulabilir misin?"

"Evet efendim." Manyoro'yu düşünüyordu ama sonra aklına Loikot geldi. "Aslında iki tane var."

Percy gözünü çadırın üstündeki dallarda uçuşan altın sarısı ve yeşil renkli ötücü kuşa dikti. Sonra bir karara varmış gibi göründü. "Şanslısın. Benim de yakında yardıma ihtiyacım olacak. Önümüzdeki yılın başında büyük bir safariye rehberlik edeceğim. Müşteri çok önemli biri."

Penrod masum bir pozla, "Acaba müşterin Amerika Birleşik Devletleri Başkanı Theodore Roosevelt olabilir mi?" diye sordu.

Percy irkilmişti. "Bütün kutsal kişiler adına Penrod, bunu nasıl keşfettin?" diye sordu. "Kimsenin bilmemesi gerekiyordu."

Penrod, "Amerikan Dışişleri Bakanlığı, Londra'da Britanya Ordusu Başkomutanı Lort Kitchener'e bir telgraf gönderdi. Başkan seni tutmadan önce hakkında bilgi almak istiyorlardı. Savaş sırasında Güney Afrika'da Kitchener'in komutasında görev yaptığım için o da bana telgraf çekti," diye itiraf etti.

Percy bir kahkaha patlattı. "Sen sinsi bir herifsin Ballantyne. Ben de burada Teddy Roosevelt'in ziyareti bir devlet sırrı sanıyordum. Demek hakkımda iyi şeyler söyledin. Sana daha da borçlandım şimdi." Leon'a döndü. "Bak, senin için ne yapacağım. Kendini kanıtlama fırsatı vereceğim sana. Önce şu çöp yığınını toparlayıp çalışır hale getirmeni istiyorum." Başıyla paramparça arabayı gösterdi. "İftihar edilecek bir iş çıkarmanı istiyorum. Anladın mı?"

"Evet efendim."

"O işi bitirince şu meşhur .470 tüfeğinle, ondan daha meşhur iki iz sürücünü alıp ormana gider, bir fil vurursun. Hiç avlanmamış bir avcıyı işe alamam. Fili avladıktan sonra dişlerini kanıt olarak getirmeni istiyorum."

"Evet efendim." Leon sırıtıyordu.

"Av lisansı alacak paran var mı? On pounda mal olur sana."

"Hayır efendim."

Percy, "Ben veririm," diye önerdi. "Ama fildişi de benim olur."

"Efendim siz parayı verin, dişlerden biri de sizin olsun. Ben de öbürünü alırım."

Percy güldü. Çocuk iyi dövüşüyordu. Pısırık değildi. Ondan hoşlanmaya başlamıştı. "Uygundur evlat."

"Beni işe alırsanız ne kadar ücret vereceksiniz efendim?"

"Ücret mi? Amcana bir iyilik yapıyorum. Senin bana para vermen lazım."

Leon, "Günde beş şiline ne dersiniz?" diye sordu.

Percy, "Bir şilin nasıl?" diye karşılık verdi.

"İki?

"Sıkı pazarlıkçısın." Percy tuzağa düşmüş birinin ifadesiyle başını salladı ama elini uzatmıştı.

Leon uzatılan eli hararetle sıktı. "Pişman olmayacaksınız efendim, söz veriyorum."

"Hayatımı değiştirdiniz. Bugün benim için yaptıklarınızın karşılığını asla ödeyemem." Ngong Tepelerinden Nairobi'ye doğru giderken Leon sevinç içindeydi.

"O konuda fazla endişelenmene gerek yok. Sakın bunu seni çok seven amcan olduğum için yaptığımı düşünme."

"Sizi yanlış anlamışım efendim."

"Bak, yaptıklarımın karşılığını bana şöyle ödeyeceksin: Birincisi, alaydan istifa etmeni kabul etmiyorum, bu yüzden seni yedeğe aldıracağım. İkincisi, doğrudan benim emrimde, askeri istihbaratta çalışacaksın."

Leon'un içinde bulunduğu dehşet yüzünden okunuyordu. Bir saniye önce artık özgür bir erkek olduğunu sanıyordu. Şimdiyse ordunun boğucu kurallarına yeniden dönmüş gibiydi.

"Efendim?" diye ihtiyatla yanıt verdi.

"Önümüzde tehlikeli dönemler var. Alman Kayzeri Willhelm, son on yılda askeri gücünü en az iki misli artırdı. Eğitimi ve güdüleri yüzünden devlet adamı ya da diplomat olmaktan ziyade, bir askerdir. Bütün ömrünü savaş eğitimi alarak geçirdi. Tüm danışmanları asker. Büyük bir imparatorluk kurmak için inanılmaz bir hırsa sahip. Afrika'da muazzam koloniler kurdu ama bunlar ona yetmiyor. Sana söylüyorum, onunla başımız derde girecek. Düşün, Alman Doğu Afrika'sı tam güney sınırımızda. Darüsselam onların limanı. Çok kısa zamanda bir savaş gemisini oraya getirtebilirler. Şimdiden Arusha'da üstlenmiş tam kapasiteli bir *askari* alayları var, başında da Alman muvazzaf subayları bulunuyor. Alay Komutanı von Lettow Vorbeck sert, cin gibi bir eski asker. On günlük yürüyüşle Nairobi'de olabilir. Bu konuda Londra'yı, savunma bakanlığını uyardım, ama onların aklı başka yerlerde. İmparatorluğun önemsiz bir bölgesinde orduyu takviye etmek için para harcamak istemiyorlar."

Tüm bunlar beni çok şaşırttı efendim. Duruma hiç bu yönden bakmamıştım. Güneydeki Almanlar bize karşı hep dostça davrandılar. Nairobi'deki göçmenlerimizle ticari ilişkileri gayet iyi. Ortak dertleri var."

"Evet, aralarında iyi insanlar da var ve von Lettow Vorbeck'ten hoşlanırım. Ama o da emirlerini Berlin'den ve kayzerden alıyor."

Leon, "Kayzer Kraliçe Victoria'nın torunu. Şimdiki kralımız onun amcası. Ayrıca kayzer, Kraliyet Donanması'nın şerefli bir amirali. Onunla savaşa gireceğimize inanamıyorum," diye itiraz etti.

"Eski bir savaş atının içgüdülerine güven." Penrod bilmişçe gülümsüyordu. "Neyse, ne olursa olsun hazırlıksız yakalanmayacağım. Gözümü sevgili güney komşumuzdan ayırmak niyetinde değilim."

"Peki ben işin neresinde olacağım?"

"Bu aşamada Alman Güney Afrika'sıyla güney sınırımız ardına kadar açık. İki yöne gidip gelmek serbest. Masai'lerle diğer kabileler en küçük bir sıkıntı çekmeden sürülerini kadastrocularımızın çizdiği sınırların kuzeyine de, güneyine de götürebiliyorlar. Düzenli olarak Alman Güney Afrika'sına gidip gelen kabile fertlerinden bir muhbir ağı oluşturmanı istiyorum. Senin rolün gizli olacak. Ne yaptığını Percy Phillips'in bile bilmesi gerekmez. Arkasına gizleneceğin kimlik inandırıcı. Bir avcı olarak sınırın iki yanında özgürce hareket etmek için mükemmel bir mazeretin var. Doğrudan bana rapor vereceksin. Sınır boyundaki gözüm kulağım olmanı istiyorum."

Leon, "Soru soran olursa muhbirlerin büyük hayvan izleyicisi olduğunu söyleyebilirim. Sürülerin, özellikle de erkek fillerin hareketlerini takip ediyorlar derim, ki ben de her an nerede olduklarını bilip müşterilerimizi doğruca onların yanına götürebileyim," önerisinde bulundu. Şimdi bu oyun, heyecanlı ve eğlenceli olmaya başlamış gibiydi.

Penrod başıyla onayladı. "Bu; Percy'i de, soru soracak başka kişileri de tatmin eder. Sadece işin içinde benim olduğumdan kimseye söz etme, yoksa birkaç kadeh atmak için kulübe ilk gelişinde herkes öğrenir. Percy pek çenesini tutan biri değildir."

Birkaç hafta sonra Leon hemen hemen her boş saatini Percy'nin otomobilinin altında, dirseklerine kadar siyah makine yağına bulanmış olarak geçiriyordu. İşin büyüklüğünü ve Percy'nin önceki tamir çabaları sırasında verdiği hasarın boyutunu fazla hafife almıştı. Nairobi'de çok az yedek parça bulunuyordu ve Leon, Bobby'le ikisinin sahip olduğu arabayı yağmalama planları yapmak zorunda kalmıştı. Bobby inatla bu fikre karşı çıkıyordu ama sonunda otomobil üstündeki hissesini toplam on beş gineye, ayda bir gine taksitle satmaya razı oldu. Leon hemen ön tekerleği, karbüratörü ve diğer parçaları söküp Tandala Kampı'na taşıdı.

Bir sabah uyanıp da Çavuş Manyoro'yu çadırının önünde bağdaş kurmuş olarak bulduğunda motor üstünde çalışmaya başlamasının üstünden on gün geçmişti. Manyoro haki üniformasıyla fesini giymemişti, aşı boyası pelerinine bürünmüştü ve elinde aslan mızrağı vardı. "Ben geldim," diye ilan etti.

"Geldiğini görüyorum." Leon sevincini saklayamıyordu. "Ama neden karargâhta değilsin? Kaçtıysan kurşuna dizerler seni."

"Belgem var." Manyoro *shuka*'sının altından buruşmuş bir zarf çıkardı. Leon zarfı açıp belgeyi çabucak okudu. Manyoro sağlık sebebiyle KAR'dan şerefiyle emekli edilmişti. Bacağındaki yara iyileştiği halde askerlik yapmasını engelleyecek bir aksama yaratmıştı.

Leon, "Neden bana geldin?" diye sordu. "Neden *manyatta*'na dönmedin?"

Manroyo, "Ben senin adamınım," demekle yetindi.

"Sana maaş ödeyemem."

Manyoro, "İstemiyorum ki," diye cevap verdi. "Ne yapmamı istiyorsun?"

"Önce şu *enchini*'yi tamir etmemiz lazım." Bir an zavallı araca baktılar. Manyoro ilk arabanın tamirine de yardım ettiği için başına gelecekleri biliyordu. Leon, "Sonra da gidip bir fil öldüreceğiz," diye ekledi.

Manyoro'nun görüşü, "Öldürmek tamir etmekten daha kolay," oldu.

Yaklaşık üç hafta sonra Leon tevekkül içinde direksiyonun başına geçti, Manyoro da arabanın önünde pozisyon alıp beklemeye başladı. Son üç gündür sürekli tekrarladığı işlemlerin sonunda başarılı olacağına dair tüm inancını yitirmişti. Birinci gün Percy Phillips ile aşçı ve yaşlı post yüzücüler de dahil bütün kamp personeli, nazik bir izleyici topluluğu oluşturmuştu. Sonunda herkes ilgisini kaybedip birer birer oradan uzaklaşmıştı. Geride sadece bütün hareketleri büyük bir dikkatle izleyen post yüzücüler kalmıştı.

"Ateşleme kolu!" Leon içinde bütün motor tanrılarına dualar etti.

İki yaşlı post yüzücü de arkasından papağan gibi terarladılar. "Ateşleme kolu." Pek düzgün telaffuz ettikleri söylenemezdi.

Leon direksiyonun sol tarafındaki ateşleme kolunu dik duruma getirdi. "Gazı aç."

Post yüzücülerin tekrarlamayı en çok sevdikleri sözlerdi bunlar. Ellerinden geldiğince aynı sesleri çıkarmaya çalışarak, "Gazı aç!" diye bağrıştılar.

"El frenini çek!" Leon el frenini çekti.

"Zengin karışım!" Kumanda düğmesini gösterge tam karşıyı gösterene kadar çevirdi.

"Boğuldu." Arabadan atlayıp ön tarafa koştu ve jikle halkasını çekip tekrar şoför koltuğuna döndü.

"Manyoro, karbüratörü devreye sok!" Manyoro eğilip krank kolunu iki kere çevirdi. Leon, "Bu kadar yeter!" diye uyardı. "Yine boğuldu!" Tekrar inip öne koştu, jikle halkasını çekti ve hızla koltuğuna döndü.

"İki tur daha döndür!" Manyoro yine eğilip krank kolunu yakaladı.

"Karbüratör devrede! Çalıştır!" Leon kumanda panelindeki düğmeyi "akü" seviyesine çevirdi ve gökyüzüne baktı. "Manyoro, bir daha!" Manyoro sağ avucuna tükürüp krank kolunu yakaladı ve bir daha çevirdi.

Top patlamasına benzer bir ses duyuldu ve egzoz borusundan mavi bir duman püskürdü. Krank kolu yerinden fırlayıp Manyoro'yu yere devirdi. Bu arada iki post yüzücü panikle kaçıştılar. Böyle bir şeye hazırlıklı değildiler. Korkuyla böğürerek çalıların arasına dalmışlardı. Percy de kampın içindeki ilk tepede bulunan evinden bir nara koparmış ve pijamasının düğmelerini ilikleyerek dışarı fırlamıştı. Saçı sakalı birbirine karışmış, gözleri mahmurdu. Bir an şaşkın şaşkın direksiyonun başında muzaffer bir edayla ışıldayan Leon'a baktı. Motor çeşitli homurtular çıkarırken araba şöyle bir sarsıldı, sonra düzgün ve gürültülü bir şekilde çalışmaya başladı.

Percy güldü. "Dur pantolonumu giyeyim de beni kulübe götür. İçebileceğin kadar bira ısmarlayacağım sana. Sonra da gidip filini bulabilirsin. Onu avlamadan bu kampa dönmeni istemiyorum."

Leon gayet iyi tanıdığı Lonsonyo Dağı'nın eteklerindeydi. Gevşek kenarlı şapkasını geriye itip ağır tüfeğini bir omzundan ötekine aktardı. Başını kaldırıp dağın tepesine baktı. Keskin gözleri tam tepedeki yalnız figürü seçebiliyordu. Şaşkınlıkla, "Bizi bekliyor," diye bağırdı. "Geldiğimizi nereden anladı?"

Manyoro, "Lusima Ana her şeyi bilir," diye hatırlattı ve o da başını kaldırıp zirveye baktı. Mataraları, çadır bezinden sırt çantasını, Leon'un hafif .303 Lee-Enfield tüfeğini ve dört tane de fişeklik taşıyordu. Arkasından Leon gidiyor, en arkadan da uzun beyaz *kanza*'sı rüzgârda bacaklarına dolanan İsmail yürüyordu. Başının üstünde koca bir çıkın vardı. Tandala Kampı'ndan ayrılmadan önce Leon çıkını tartmıştı. Tam otuz bir kilo geliyordu ve içinde İsmail'in tencereden tavaya, biberden tuza, hatta kendi özel karışımı olan baharatlara kadar her türlü mutfak malzemesi bulunuyordu. Naro Moru hattında demiryolundan ayrıldıklarından beri Leon'un günlük olarak sağladığı Tommie butları ve İsmail'in aşçılık becerileri sayesinde harika yemekler yemişlerdi.

Dağın tepesine vardıklarında Lusima, çiçek açmış devasa bir yabani yasemin ağacının altında onları beklemekteydi. Bir kraliçe gibi, uzun ve heykelimsi duruşuyla ayağa kalkıp selam verdi. "Sizi görüyorum oğullarım ve gözlerim seviniyor."

Manyoro önünde diz çökerken, "Ana, silahlarımızı kutsaman ve avımızda yol göstermen için geldik," dedi.

Ertesi sabah tüm köy halkı silahların kutsanmasını izlemek için sığır ağılındaki büyük incir ağacının çevresinde halka olmuştu. Leon'la Manyoro da onlarla birlikte çömelmişlerdi. İsmail böyle bir pagan törenine katılmayı reddetmiş ve en yakın kulübenin arkasındaki ateşin başında gösterişli bir tavırla kap kacağını tıngırdatmaya koyulmuştu. Leon'un iki tüfeği kurutulmuş aslan postunun üstünde yan yana yatıyordu. Yanlarında taze öküz kanıyla süt dolu sukabakları ve fırınlanmış kil çanaklarda tuz, enfiye ve cam boncuklar duruyordu. Sonunda kulübesinin alçak kapısında Lusima göründü. Toplanan köy halkı el çırparak kadının ilahilerini söylemeye başladılar.

"O bizi memelerinin sütüyle besleyen koca, kara inektir. Her şeyi gören bekçidir. Her şeyi bilen bilgedir. Kabilenin anasıdır." Lusima tüm tören sembollerine bürünmüş durumdaydı. Alnından, üzerine mistik hayvan figürleri oyulmuş fildişinden bir süs sarkıyordu. *Shuka*'sı parlak bir boncuk perdesiyle ve tropik deniz kabuklarıyla bezeliydi. Kat kat dolanmış boncuk kolyeleri göğsüne kadar iniyordu. Yağlanıp kırmızı aşıboyasıyla ovulmuş teni güneşte parlıyordu. Elinde zürafa kuyruğundan yapılmış bir asa vardı. Tüfeklerin ve kurbanlıkların etrafında dönerken heybetli adımlar atıyordu.

Üstlerine bir tutam enfiye serperken, "Bu silahları taşıyan savaşçıdan hiçbir av kaçmasın," dedi. "Açtıkları yaralardan bolca kan aksın." Ucu püsküllü asasını sukabaklarına batırıp tüfeklerin üzerine kan ve süt serpti. Sonra Leon'un yanına gidip aynı karışımı başına ve omuzlarına serpiştirdi. "Ona avını takip edecek güç ve kararlılık ver. Avcı gözleri, avını uzaktan görecek kadar parlak olsun. Gücüne hiçbir yaratık karşı koyamasın. *Bunduki*'sinin, tüfeğinin sesini duyan en güçlü filler devrilsin."

İzleyiciler elleriyle tempo tutarak kadının dualarını tekrarladılar: "Avcılar arasında kral olsun. Avcının gücü ona geçsin."

Sonra dar bir çemberde giderek daha hızlı dönmeye başladı, ter ve aşıboyası çıplak göğüslerinin ortasından oluk oluk akana kadar da durmadı. Kendini Leon'un önündeki aslan postuna attığında gözleri geriye kaymış, dudaklarının köşelerinde beyaz köpükler oluşmuştu. Tüm bedeni titreyip spazmlar geçiriyor, bacakları havayı tekmeliyordu. Dişlerini gıcırdattı ve acılı bir inilti koyuverdi.

Manyoro, "Ruh bedenine girdi," diye fısıldadı. "Şimdi onun sesiyle konuşmaya hazır. Sorunu sor."

"Lusima, Büyük Ruh'un gözdesi, oğulların fillerin içinde bir şef arıyor. Onu nerede buluruz? Bize o büyük erkek file giden yolu göster."

Lusima'nın başı iki yana sallanmaya başladı ve solukları daha da hızlandı. Sonunda kenetlenmiş dişlerinin arasından boğuk ve doğal olmayan bir sesle, "Rüzgârı izleyin ve tatlı şarkıcının sesine kulak verin. O size yolu gösterecek." Derin bir soluk verdikten sonra doğrulup oturdu. Gözleri berraklaştı, yeniden odaklandı ve ilk kez görüyormuş gibi Leon'a baktı.

"Hepsi bu mu?"

"Başkası yok."

Leon, "Anlamıyorum," diye ısrar etti. "Tatlı şarkıcı kim?"

Kadın, "Sana bütün mesajım bu," dedi. "Eğer tanrılar avını kollarsa zamanla anlamını bulursun."

Leon dağa geldiğinden beri Loikot saygılı bir mesafeden onu takip ediyordu. Şimdi de Leon kamp ateşinin başında köyün yaşlılarından bir düzine adamla otururken, Loikot da arkasındaki gölgelere sinmiş, başını oradan oraya çevirerek dikkatle konuşmaları dinliyordu.

"Masai Bölgesi'nde ve bütün Rift Vadisi boyunca insanlarla hayvanların tüm hareketlerini bilmek istiyorum, hatta büyük Kilimanjaro ve Meru dağlarının ardında olanları bile. Bu bilginin toparlanıp mümkün olduğunca hızla bana ulaştırılması gerekiyor."

Köyün ihtiyarları isteği dinledikten sonra kendi aralarında el kol hareketleriyle tartışmaya başladılar, her kafadan ayrı bir ses çıkıyordu. Leon, Maa diline hâlâ yeterince hâkim olmadığı için ateşli sözleri ve itirazları takip edemiyordu. Manyoro konuşulanları tercüme etti. "İhtiyarlar, Masai ülkesinde çok insan var. Her birinin yaptıklarını mı bilmek istiyor diye soruyorlar."

"Sizinkilerin, yani Masai'lerin yaptıklarını bilmeme gerek yok. Ben sadece yabancıları, beyaz insanları ve özellikle de Bula Matari'yi bilmek istiyorum." Almanlardan söz ediyordu. "Kaya kıranlar" anlamına gelen bu söz, ilk gelen Almanların jeolog olmasından ve mineral kayalarının yüzeyini çekiçleriyle yontmalarından kaynaklanıyordu. "Bula Matari'nin ve *askari*'lerinin hareketlerini. Nerede duvar yaptıklarını, nereye çukur kazıp *bunduki mkuba*, yani büyük silahlarını gömdüklerini bilmek istiyorum."

Tartışma gece geç vakte kadar sonuçsuz devam etti. Nihayet kendini grubun sözcüsü sayan dişsiz bir ihtiyar, "Her şey üstünde düşüneceğiz," sözleriyle konseyi bitirdi. Kalkıp kulübelerine yollandılar.

Adamlar gidince Leon'un arkasındaki karanlıktan bir ses duyuldu. "Konuştuktan sonra biraz daha konuşacaklar. Onlardan duyacağın tek şey kendi konuşmaları olacak. Ağaç tepelerindeki rüzgârın sesini dinlemek bundan iyidir."

Manyoro, "Yaşlılarına karşı büyük saygısızlık bu Loikot," diye çocuğu azarladı.

"Ben bir *morani*'yim ve saygı duyacağım kişiyi dikkatle seçerim."

Leon çocuğun sözlerine güldü. "Karanlıktan çıkıp buraya gelsene sevgili savaşçı dostum, o cesur yüzünü görelim." Loikot ateşin başına yaklaşıp Leon'la Manyoro'nun ortasına oturdu.

"Loikot, demiryolunun kenarında yürürken bana büyük bir filin izlerini göstermiştin."

Loikot, "Hatırlıyorum," diye cevap verdi.

"O zamandan beri hiç gördün mü onu?"

"Dolunay zamanı kardeşlerimle kamp kurduğumuz yerin yakınındaki ağaçların arasında gördüm."

"Neredeydi kamp?"

"Sığırları, tanrıların duman tüten dağının yakınlarında otlatıyorduk, buradan tam üç günlük yürüme mesafesinde."

Manyoro, "O zamandan beri çok yağmur yağdı," dedi. "İzler silinip gitmiştir. Üstelik, dolunaydan bu zamana çok vakit geçti. Artık erkek fil Manyara Gölü'ne kadar güneye inmiştir."

Leon, "Loikot'un onu son gördüğü yerden değilse nereden başlamalıyız?" diye sordu.

Manyoro, "Lusima'nın dediğini yapmalıyız. Rüzgârı izlemeliyiz," dedi.

Ertesi sabah, dağdaki patikadan inerlerken rüzgâr batıdan esiyordu. Rift Vadisi yamacından gelip Masai savanını yalayan yumuşak ve ılık bir rüzgârdı. Yüksekteki bulutlar beyaz yelkenleri parlayan bir kalyon filosu gibi süzülerek ilerliyordu. Grup, vadinin tabanına ulaşınca dönüp tempolu bir yürüyüşle rüzgârla birlikte ilerlemeye başladı. Manyoro ile Loikot önden gidiyor, toprağa işlemiş pek çok büyük hayvan izi buluyor, arada bir durup, özel ilgi gösterilmesi gerekenleri Leon'a gösteriyor, sonra yola devam ediyorlardı. İsmail de başında ağır yüküyle epey geriden onları izliyordu.

Rüzgârı arkalarına aldıkları için kokuları onlardan önde gidiyor ve otlayan av hayvanları insan kokusu alınca başlarını kaldırıp onlara bakıyordu. Sonra da aralarında yol açıp insanların güvenli bir mesafeden geçmesine izin veriyorlardı.

O sabah üç kere fil izine rastladılar. Hayvanın geçtiği yerlerde kırmış olduğu büyük dalların beyaz uçları görünüyor ve içlerinden özsuyu sızıyordu. Taze pisliklerin başında sinek bulutları inip kalkıyordu. İki iz sürücü bu işaretleri önemsiz bulmuşlardı. Manyoro, "Çok genç iki erkek fil," dedi. "Önemli değil."

Loikot başka bir işaret bulana kadar devam ettiler. "Çok yaşlı bu," diye fikir yürüttü. "O kadar yaşlı ki ayağındaki yumuşak yerler aşınıp düzleşmiş."

Bir saat sonra Manyoro taze izler buldu. "Buradan beş tane emzikli dişi geçmiş. Üçünün yanında sütten kesilmemiş yavrusu var."

Güneş tepeye ulaşmadan hemen önce, önden giden Loikot aniden durdu ve uzaktaki çalı korusunun içindeki devasa gri figürü gösterdi. Bir hareket vardı ve Leon koca kulakların o bildik sesini duydu. Yana dönüp rüzgâr altından çekilirken kalp atışları hızlandı. Cüssesine bakarak çok iri bir erkek olduğunu söyleyebilirlerdi. Alçak bir çalıdan karnını doyuruyordu ve sırtı onlara dönük olduğu için dişleri görünmüyordu. Onlar yavaşça arkasından yanaşırken, rüzgâr yönünü değiştirmemişti. Leon artık hayvanın yıpranmış kuyruğundaki tüyleri sayabiliyor, buruşuk anüsünün etrafından üzüm salkımı gibi sarkan kırmızı kene kolonilerini görebiliyordu. Manyoro, Leon'a hazır olmasını işaret etti. Leon büyük av tüfeğini omzuna aldı ve filin dönüp dişlerini göstermesini beklerken parmağı emniyet mandalında bekledi.

Leon bir file ilk kez bu kadar yaklaşmıştı ve muazzam iriliğinden fazlasıyla etkilenmişti. Neredeyse gökyüzünün yarısını kapatıyor, Leon'un önünde gri bir dağ gibi yükseliyordu. Fil aniden kulaklarını savurarak döndü. On, on iki adım öteden doğruca Leon'a bakıyordu. Küçük, iltihaplı gözlerini gür kirpikler çevrelemiş, yaşlar yanaklarında kara izler bırakmıştı. Birbirlerine o kadar yakınlardı ki Leon bir çift iri, cilalı amber gibi parlayan gözbebeklerinden yansıyan ışığı görebiliyordu. Tüfeği yavaşça omzuna kaldırdı ama Manyoro ateş etmemesi için omzunu sıktı. Erkek filin dişlerinden biri dudak hizasından kırılmış, ötekinin de ucu yıpranıp körelmişti. Leon o dişleri Tandala Kampı'na götürdüğü takdirde Percy Phillips'in kendisini horgöreceğini tahmin etti. Karşısında kendisine bakmakta olan fil saldıracak gibiydi, bu yüzden de ateş etmek zorunda kalabilirdi. Geçen haftalarda Percy geceler boyu onunla kandil ışığında oturmuş ve bu devasa hayvanları tek kurşunla öldürmenin inceliklerini öğretmişti. *Afrika Üstünde*

Muson Bulutları adını verdiği otobiyografisini birlikte incelemişlerdi. Kitabın bütün bir bölümünü atış pozisyonuna ayırmış ve kendi çizdiği gerçekçi Afrika safarisi resimleriyle desteklemişti.

"Fil zapt edilmesi özellikle güç bir hayvandır. Unutma ki beyni küçücük bir hedef oluşturur. Her açıdan tam nereye denk geldiğini kesin olarak bilmek zorundasın. Döner veya başını kaldırırsa nişan alma noktan değişir. Sana doğru gelirse, saldırırsa veya kaçarsa durum yine değişir. Postunun altındaki gri perdenin ötesine bakmak ve devasa kafasıyla bedeninin derinliklerindeki hayati organları görmek zorundasın."

Şimdi Leon dehşet içinde karşısındakinin kitaptaki bir çizim olmadığını algılıyordu. Bu onu ezip jöle haline getirebilecek ve vücudundaki her kemik parçasını tek bir hortum darbesiyle parçalayabilecek bir yaratıktı ve kendisine ulaşması için iki büyük adım yeterdi. Fil saldıracak olursa onu öldürmek zorundaydı. Percy'nin sesi kulaklarında yankılanıyordu: "Başı sana dönükse gözlerinin arasındaki çizgiye nişan al ve hortumundaki ilk kıvrıma gelene kadara aşağı in. Eğer başını kaldırmışsa veya sana çok yakınsa daha da aşağı inmen gerekir. Acemiler için en ölümcül hata, fazla yükseğe ateş edip mermiyi beynin üstünden aşırtmaktır."

Leon gözünü dikmiş hortumun dibine bakıyordu. Amber gözlerin arasındaki kalın gri deride bulunan yanal kıvrımlar çok derindi. Leon, onların ardında ne olduğunu gözünde canlandıramıyordu. Hayvan çok mu yakındı? Acaba ilk kıvrıma değil de ikinci veya üçüncüye mi nişan almalıydı? Emin olamıyordu.

Aniden erkek fil başını öyle bir şiddetle salladı ki kulakları gök gürültüsünü andıran bir sesle omuzlarına çarptı ve vücudunu kaplayan kurumuş çamur tabakasından bir toz bulutu yükseldi. Leon hemen tüfeğine davrandı ama hayvan dönüp badi badi koşarak yüksek çalıların arasında gözden kayboldu.

Leon'un adeta dizlerinin bağı çözülmüş, tüfeği tutan elleri titremeye başlamıştı. Ne kadar yetersiz olduğunu anlamak onu fazlasıyla etkilemişti. Percy'nin onu niye kan dökmeye yolladığını anlıyordu. Bu, kitap okuyarak veya saatlerce ders dinleyerek kazanılacak bir beceri değildi. Bu, silahla sınanmaktı ve başarısızlık ölüm demekti. Manyoro yanına gelip bir matara uzattı. Leon ancak o zaman ağzının ve boğazının kavrulduğunu, susuzluktan dilinin şiştiğini fark etti. İki Masai'nin yüzünü incelediğini fark etmeden, önce kana kana içti. Sonra matarayı indirip tereddütle gülümsedi.

Manyoro, "En cesur adam bile ilk seferinde korkar," dedi. "Ama sen kaçmadın."

Öğle sıcağında durdular ve İsmail'in kendilerine yetişip öğle yemeğini hazırlamasını beklemek üzere yüksek bir akasyanın altına yerleştiler. İsmail daha yedi, sekiz yüz metre gerideydi ve sıcak yüzünden serap gibi görünüyordu. Loikot, Leon'un önüne çömelip kaşlarını çattı, bu da bildirecek önemli bir şeyi olduğunu ve aralarında erkek erkeğe bir konuşma geçeceğini gösteriyordu.

"M'bogo, sana söyleyeceklerimin hepsi gerçek," diye başladı.

"Seni dinliyorum Loikot. Konuş da duyayım." Leon bu karşılıktan sonra yüzüne onu yüreklendirecek hevesli bir ifade takındı.

"İki gece önce o ihtiyarlarla yaptığın konuşmanın bir önemi yok. Bira içmekten beyinleri manyok lapasına dönmüş onların. İz sürmenin ne demek olduğunu unutmuşlar. Karılarının dırdırından başka bir şey duydukları yok. Gördükleri de sadece *manyatta*' larının duvarları. Sığırlarını sayıp göbeklerini şişirmekten başka bir şey yapamazlar."

"İhtiyar adamlar böyledir." Leon, Loikot'un gözünde muhtemelen kendisinin de bunamanın eşiğinde olduğunun gayet iyi farkındaydı.

"Bütün dünyada olup bitenleri bilmek istiyorsan bize sorman lazım."

"Söylesene Loikot, biz derken kimi kastediyorsun?"

"Biz sığır muhafızlarıyız, yani *chungaji*'yiz. İhtiyar adamlar güneşte oturup bira içer ve çok eski marifetlerini anlatırken biz *chungaji*'ler sığırlarla ülkeyi kat ederiz. Her şeyi görür ve duyarız."

"Peki Loikot, günlerce mesafelik yerlerde bulunan öbür *chungaji*'lerin görüp duyduklarını nasıl öğreneceksin?"

"Benim bıçak kardeşlerim var. Çoğumuz aynı yıl sünnet olduk. Ruhsal törenimizi birlikte yaptık."

"Mesela Kilimanjaro'nun ötesindeki *chungaji*'lerin dün ne gördüklerini öğrenme şansın var mı? Şimdi bize on günlük mesafedeler."

Loikot, "Var," diye cevap verdi. "Birbirimizle konuşuruz biz."

Leon inanamamıştı.

Loikot, "Bu akşam güneş batarken kardeşlerimle konuşacağım, sen de duyacaksın," dedi ama Leon daha nasıl diye soramadan düzlükten canhıraş bir feryat duyuldu. Leon'la Manyoro tüfeklerini kapıp ayağa fırladılar. Uzaktan görünen İsmail'e baktılar. Başında taşıdığı çıkını iki eliyle kavramış, son sürat onlara doğru koşuyordu. Hemen arkasından da dev gibi bir devekuşu gelmekteydi. Uzun pembe bacaklarıyla aradaki mesafeyi hızla kapatıyordu. Bu mesafeden bile Leon hayvanın tüm tüylerinin kabarmış olduğunu seçebiliyordu. Vücudundakiler kapkara, kuyruğundaki ve kanat uçlarındaki tüyler parlak beyazdı. Bacaklarıyla gagası çiftleşme isteği yüzünden koyu kırmızıya dönmüştü. Üreme alanını korumak için o beyaz cüppeli saldırganı öldürmeye kararlıydı.

Leon, iki Masai'yi İsmail'i kurtarmaları için yolladı. Kuşu ürkütmek için bağırıyor, kollarını sallıyorlardı ama hayvan onlara aldırmadı ve amansızca İsmail'i kovalamaya devam etti. İyice yaklaşınca uzun boynunu gerdi ve mutfak çıkınına öyle bir gaga attı ki İsmail neye uğradığını şaşırdı. Bir anda yere düşerek toz toprak içinde kaldı. Çıkını patladı ve tavalar tencereler yerlere saçılıp etrafında zıplamaya başladı. Devekuşu üstüne atılmış, iki ayağıyla birden pençe atıyordu. İsmail'in kolunu bacağını gagalamak için başını eğdi, parçaladığı yerlerden kan fışkırdıkça İsmail haykırıyordu.

Yaban tavşanı gibi atik olan Loikot diğerlerini geride bırakmış, yaklaştıkça devekuşuna ürkütücü bir sesle bağırmaya başlamıştı. Kuş İsmail'in yere secde etmiş vücudundan atladı ve kinle Loikot'a doğru koşmaya başladı. Güdük kanatlarını açmış, yükseğe sıçrayıp başını kinle aşağı eğerek, öfkeli çığlıklar eşliğinde ölüm dansı yapıyordu.

Loikot durup pelerinini kanat gibi açtı. Sonra mükemmel bir şekilde devekuşunun dansını taklit etmeye başladı. O da aynı şekilde sıçrıyor, aynı baş hareketlerini tekrarlıyordu. Bu hareketleriyle hayvanı kışkırtmaya çalışıyordu. Şimdi çocukla kuş birbirlerinin etrafında dönüyorlardı.

Devekuşu kendi üreme alanında tacize uğramıştı ve öfkesi kaçıp kurtulma içgüdüsünü bile bastırıyordu. Başını uzun boynunun izin verdiği ölçüde ileri uzatarak taarruza geçti. Loikot'un suratına doğru bir hamle yaptı ama çocuk bununla nasıl başa çıkacağını gayet iyi biliyordu. Leon, kendisinin de pek çok kez bunu yapmak zorunda kaldığını fark etti. Çocuk da korkusuzca bu devasa kuşa doğru atılmış ve iki elini tam ensesine dolamıştı. Sonra iki ayağıyla birden zıplayıp tüm ağırlığıyla hayvanın boynuna asıldı ve onu yere doğru büktü. Devekuşu kıskaca girmiş, dengesini bulmaya çalışıyordu. Başını kaldıramıyordu. Ayakta kalabilmek için çırpınmaktaydı. Leon koşup tüfeğini kaptı. İyi nişan alabilmek için kavganın etrafında dönmeye başladı.

İsmail, "Hayır *effendi!* Hayır! Ateş etme," diye bağırdı. "Büyük şeytanın oğlunu bana bırak." Ellerinin ve dizlerinin üstünde etrafındaki çanak çömlekten kurtulup ayağa kalkmak için çabalıyordu. Sonunda sağ elinde parlak bir hançerle ayağa kalktı ve boğuşan ikiliye doğru koştu.

Loikot'a, "Başını arkaya döndür!" diye bağırdı. Şimdi hayvanın gırtlağı meydandaydı ve İsmail usta bir kasap gibi keskin hançeriyle bir hamlede boynunu kesivermişti.

İsmail, "Bırak gitsin," diye emredince Loikot kuşu bıraktı. Hayvanın keskin pençe darbelerinden kurtulmak için kenara çekildiler. Devekuşu zıplayıp uzaklaştı ama gırtlağından kan fışkırıyordu. Yönünü kaybedip bir daire çizdi. Uzun, pullu pembe bacakları gücünü yitirmiş ve boynu solan bir çiçek gibi bükülmüştü. Çöktü ve tekrar kalkmak için dermansızca çırpındı, fakat boynundan oluk oluk fışkıran kan güneşten kavrulmuş toprağı ıslatıyordu.

"Allah büyüktür!" İsmail hâlâ hayat belirtileri gösteren kuşun başında sevinç gösterileri yapıyordu. "Allah'tan başka Tanrı yoktur!" Kuşun karnını düzgün bir şekilde yarıp karaciğerini çıkardı. "Bu yaratık benim bıçağımla can verdi ve onu Allah'a kurban ediyorum. Onun kanını akıttım. Eti helaldir." Ciğeri havaya kaldırdı. "Tüm yaratıkların en güzel etine bakın. Canlı bir kuştan alınmış devekuşu ciğeri."

Devedikenli akasya dallarıyla yakılan ateşte hayvanın karaciğeri ile karın etlerini kebap yapıp yediler. Sonra tıka basa doymuş bir halde gölgede bir saat kadar uyudular. Uyandıklarında, öğle vakti kesilmiş olan rüzgâr yeniden başlamıştı ve geniş bozkıra doğru esiyordu. Tüfeklerini ve yüklerini omuzlayıp güneş ufukta bir karış tepede kalana kadar rüzgârla yürüdüler.

Loikot, Leon'a tam önlerinde batan güneşin kızıl ışıklarıyla belirginleşen volkanik kayayı gösterip, "Şunun tepesine çıkmamız lazım," dedi. Sonra kendisi önden koşup zirveye tırmandı ve aşağıdaki vadiye baktı. Uzakta mavi gölgelere bürünmüş üç zirveli bir dağ güney ufkuna doğru yükseliyordu. "Loolmassin, tanrıların dağı." Leon yanına gelince Loikot en batıdaki zirveyi gösterdi. Sonra doğuya dönüp daha büyük iki zirveyi işaret etti. "Meru ve Kilimanjaro, bulutların yuvası. Bu dağlar Bula Matari'nin benim bölgem dediği yerde ama zamanın başından beri benim halkıma aittir oralar." Zirveler sınırın uzak ucundan iki yüz kilometre kadar içeride, Alman Doğu Afrika'sının derinliklerindeydi.

Leon huşu içinde ses çıkarmadan Kilimanjaro'nun yuvarlak zirvesindeki karlara vuran güneşi izledi, sonra dönüp Loolmassin'in volkanik kraterinden yükselen uzun dumana baktı. Dünyada bundan daha muhteşem bir manzara olabilir mi, diye merak etti.

Loikot, "Şimdi *chungaji* kardeşlerimle konuşacağım. Duy beni!" diye haber verdi. Ciğerlerini şişirip avuçlarını ağzının yanına getirdi ve Leon'u irkilten, iniş çıkışlı tiz bir ses çıkardı. Ses o kadar yüksek ve o kadar kulak tırmalayıcıydı ki Leon elinde olmadan kulaklarını kapadı. Loikot üç kez bu şekilde seslendikten sonra Leon'un yanına oturdu ve *shuka*'sını omzuna sardı. "Nehrin ötesinde bir *manyatta* var." Nehir yatağını belirleyen koyu ağaç hattını gösteriyordu.

Leon kaç kilometre uzakta olabileceğini hesapladı. "Bu uzaklıktan duyarlar mı seni?"

Loikot, "Göreceksin," dedi. "Rüzgâr dindi, hava açık ve soğuk. Özel sesimle daha uzaklara bile seslenebilirim." Beklediler. Aşağıda küçük bir Afrika ceylanı sürüsü dikenli çalılara doğru gidiyordu. Püsküllü gerdanı ve burgu gibi iri boynuzları olan erkeğin önünden üç tane zarif, gri dişi gidiyordu. Sessizce çalılığa girip gözden kaybolan hayvanlar adeta duman gibi uçucuydu.

Leon, "Hâlâ seni duyduklarını düşünüyor musun?" diye sordu.

Çocuk hemen cevap vermeye tenezzül etmeyip Masai'lerin dişlerini beyazlatmak için kullandığı tinga çalısı kökünü çiğnemeyi sürdürdü. Sonra ağzındaki bulamacı tükürüp Leon'a parlak bir gülümsemeyle cevap verdi. "Beni duydular," dedi. "Ama şimdi cevap vermek için yüksek bir yere tırmanıyorlar." Tekrar sessizliğe gömüldüler.

Tepenin dibinde İsmail küçük bir ateş yakmış, isten kararmış küçük çaydanlığında çay demliyordu. Leon susadığını fark ederek onu izledi.

Loikot, "Dinle!" deyip pelerininin arkasına attığı gibi ayağa fırladı.

Leon o zaman duydu, ses nehir yönünden geliyordu. Loikot'un çağrısının hafif bir yankısı gibiydi. Çocuk, sesi duymak için başını kaldırdı, sonra avuçlarını ağzına götürüp ovaya doğru yine o inişli çıkışlı, yüksek tınılı sesi çıkardı. Cevabı dinledi ve bu karşılıklı sesleniş neredeyse hava kararana kadar sürüp gitti.

Sonunda, "Bitti, konuştuk," dedi ve İsmail'in gece için kamp kurduğu yere doğru inmeye başladı. İsmail ateşin başına yerleşen Leon'a koca bir emaye fincanla çay getirdi. Devekuşu eti ve sıkıştırılmış mısır lapası çöreğinden oluşan yemeklerini yerken Loikot, Leon'a nehrin ötesindeki *chungaji*'lerle yaptığı uzun sohbette öğrendiği dedikoduları anlattı.

"İki gece önce bir aslan, sürülerinden güzel boynuzlu siyah bir erkeği öldürmüş. Bu sabah *morani*'ler mızraklarıyla aslanın peşine düşüp etrafını sarmışlar. Hayvan saldırmak için Singidi'yi kurban seçmiş ve üstüne saldırmış. O da aslanı tek hamlede öldürerek büyük onur kazanmış. Şimdi mızrağını Masai ülkesinde istediği kadının kapısına bırakabilir." Loikot bir an bunu düşündü. Sonra özlemle, "Bir gün ben de böyle yapacağım ve kızlar artık bana gülüp bebek diyemeyecekler," dedi.

Leon, İngilizce olarak, "Küçük azgın rüyalara şükürler olsun," dedikten sonra yine Maa diline döndü. "Başka ne duydun?" Loikot doğum, evlilik, kayıp sığırlar ve benzeri konularda birkaç dakikalık ezberine başlamıştı ki Leon, "Peki şu anda Masai ülkesinde dolaşan beyaz adamlar olup olmadığını sordun mu? *Askari'*leriyle gezen Bula Matari görmüşler mi hiç?" diye sordu.

"Arusha'daki Alman komiseri altı *askari'*yle yola çıkmış. Vadiden Monduli'ye doğru iniyorlarmış. Vadide başka asker yokmuş."

"Başka beyaz adam?"

"Kadınları ve yük arabalarıyla iki Alman avcı, Meto Tepelerinde kamp kurmuş. Pek çok bizon öldürmüşler ve etlerini kurutmuşlar."

Meto Tepeleri en az yüz elli kilometre uzaktaydı ve Leon çocuğun böylesine geniş bir bölgeden haberdar olmasından çok etkilenmişti. Masai'lerin bu kulaktan kulağa haberleşme özelliğiyle ilgili bir sürü eski avcı hikâyesi okumuştu ama hiç bu kadar yakından tanık olmamıştı. Bu ağ bütün Masai ülkesini kapsıyor olmalıydı. Fincanın içine bakarken gülümsedi: Penrod Amca'nın artık sınırda gözü kulağı vardı. "Ya filler? Kardeşlerine buralarda hiç büyük erkek fil görüp görmediklerini de sordun mu?"

"Çok varmış ama genelde dişi ve yavru fillermiş. Bu mevsimde erkekler ya dağlarda olur ya da Ngorongoro ve Empakaai kraterlerinin ötesinde. Ama bunu herkes bilir."

"Yani şimdi vadide hiç erkek fil yok mu?"

"*Chungaji,* Namanga yakınlarında birkaç gün önce bir tane görmüş, çok büyük bir erkekmiş ve o zamandan beri onu bir daha görmemişler. Sığırlara yiyecek ot olmadığı için benim halkımdan kimsenin gitmediği Nyiri Çölü'nde olabileceğini düşünüyorlar."

Manyoro, "Rüzgârı takip etmeliyiz," dedi.

Leon, "Ya da sen bizim için tatlı tatlı şarkı söylemeyi öğrenmelisin," diye önerdi.

Leon şafaktan önce uyandı ve yalnız kalabilmek için diğerlerinin uyuduğu yerden epey uzaktaki büyük ağacın ardına gitti. Pantolonunu indirip çömeldi ve gaz çıkardı. Bu sabah esen tek rüzgâr bu, diye düşündü. Etrafındaki doğa sessiz ve sakindi. Üstündeki dallarda bulunan yapraklar şafağın ilk ışıkları altında tamamen kıpırtısızdı. Kampa dönünce İsmail'in çayı çoktan ateşe koymuş olduğunu ve iki Masai'nin ayaklandığını gördü. Isınmak için ateşin başına çöktü. Sabah ayazı vardı. Manyoro'ya, "Hiç rüzgâr yok," dedi.

"Belki güneş doğunca çıkar."

"Rüzgâr olmasa da gitmeli miyiz?"

"Ne yöne? Bilmiyoruz ki. Buraya kadar annemin rüzgârıyla geldik. Bize tekrar yol göstersin diye beklemek zorundayız."

Leon sabırsızlanıyor, artık gitgide canı sıkılıyordu. Lusima'nın palavrasına yeterince boyun eğmişti. Gözlerinde kötü bir ağrı vardı. Gece soğuk yüzünden uyuyamamış, uyuduğu zaman da Hugh Turvey'le çarmıha gerili karısını gördüğü karabasanlarla boğuşup durmuştu. İsmail bir fincan kahve verdi ama o bile her zamanki sağaltıcı etkiyi göstermedi. Kamp ateşinin ilerisindeki sık ağaçlıkta kızıl göğüslü bir ardıç kuşu şafağı selamlamak için ötmeye başladı ve uzaktan gelen bir aslan kükremesine daha da uzaklardan bir yanıt geldi. Sonra yine sessizlik çöktü.

Leon ikinci kahvesini de bitirdikten sonra kendini biraz daha iyi hissetmeye başlamıştı. Tam Manyoro'ya bir şey söyleyecekken bir kutu çakıl taşının şiddetle sallanışını hatırlatan sesler yüzünden dikkati dağıldı. Hepsi birden başlarını kaldırdılar. O sesi hangi kuşun çıkardığını herkes bilirdi. Bir balkuşu onları yabani kovana davet ediyordu. Bu sesi takip edenler kuşun ganimetini paylaşmayı umut ederdi. İnsanlar balı alır, kovanla larvaları da balkuşuna bırakılırdı. Bu, çağlar boyu hem insanların hem de kuşların adilce sürdürdükleri ortak bir yaşam olmuştu. Kuşun, payını bırakmayanları bir dahaki sefere zehirli bir yılana veya insan yiyen aslana götürdüğü söylenirdi. Ancak açgözlü bir budala kuşu aldatmaya kalkardı.

Leon ayağa kalktı ve açık kahve-sarı karaşımı kuş en üst dallardan meydana çıktı. Dalların arasına dalıp çıkarken kanatları vızıldıyordu.

Manyoro iştahla, "Bal!" dedi. Hiçbir Afrikalı bu davete karşı koyamazdı.

Loikot da, "Bal, tatlı bal!" diye bağırdı.

Leon'un baş ağrısının son kalıntıları da mucizevi bir şekilde geçti ve hemen tüfeğini kaptı. "Çabuk! Gidelim!" Balkuşu, takip edildiğini anlayınca heyecanla cıvıldayarak ok gibi uçmaya başlamıştı.

Bir saat boyunca Leon sabırla kuşu izledi. Ötekilere bir şey dememişti ama aklından bu kuşun Lusima'nın tatlı şarkıcısı olduğu fikrini atamıyordu. Yine de kuşkusu inancından fazlaydı ve hayal kırıklığına uğramamak için kendini telkin etmeye çalışıyordu. Manyoro, kuşu yüreklendirmek için şarkı söylüyor, Loikot ise Leon'un yanında hem şarkıya katılıyor, hem de hoplayıp zıplıyordu:

"Bizi küçük iğnelilerin kovanına götür,
Biz de sana o altın balmumunu verelim.
O küçük larvaların tadını bilmiyor musun?
Uç küçük dost! Hızla uç ve bizi de götür."

Minik kuş ormanda daldan dala konarak, takipçileri yetişene kadar üst dallarda şakıyarak, geldiklerindeyse tekrar havalanarak ilerliyordu. Öğle olmasına az kala kurumuş bir dere yatağına vardılar. Yeraltı sularıyla beslendiğinden nehrin iki kıyısındaki orman daha gür, ağaçlar daha uzundu. Asıl su kaynağına varmadan balkuşu en yüksek ağaçlardan birinin tepesine uçtu ve gelsinler diye bekledi. Oraya vardıklarından Manyoro zevkle haykırıp ağacın gövdesini gösterdi. "İşte orada!"

Leon güneşte altın tozu gibi parlayan arıların kovana üşüştüklerini gördü. Ağacın gövdesi iki ağır dala ayrılıyordu ve aralarındaki çatalda dikine dar bir yarık vardı. Yarıktan sızan ince özsu kabuğun etrafında yarı saydam damlacıklar halinde katılaşmıştı. Eve dönen arılar yarıktan içeri girerken içeriden çıkanlar da kümeler halinde vızıldayarak uzaklaşıyordu. Bu görüntü Leon'un büyük bir hasretle Verity O'Hearne'yi düşünmesine yol açmıştı. Günlerdir ilk kez aklına geliyordu.

Diğerleri bal toplamak için yüklerini yere bıraktılar. Manyoro bir ağaç kabuğunu kare şeklinde kesip boru haline getirdi ve yine ağaç kabuğundan iplerle sardı. Sonra iplerden yaptığı ilmeği bir sapa tutturdu. İsmail küçük bir ateş yakmış, kuru dallarla beslemeye başlamıştı. Loikot, *shuka*'sının eteklerini beline kıstırıp vücudunun altını serbest bıraktıktan sonra ağacın dibine gitti, bir yandan kovanın yüksekliğini tartarken bir yandan da gövdeyi ve kabuğu yoklayarak tırmanacak yer bakıyordu.

İsmail ateşe biraz da yaş odun atıp, beyaz bir duman çıkana kadar üfledi. Manyoro, *panga*'sının geniş ağzıyla köz haline gelen odunları yaptığı boruya koyup Loikot'a götürdü. O da ilmekli sapı kullanarak boruyu sırtına attı ve *panga*'yı *shuka*'sının kıvrımları arasına soktu. Avuçlarına tükürdükten sonra Leon'a sırıttı. "İzle beni M'bogo. Kimse benim gibi tırmanamaz."

Leon, "Babunlarla da kardeş olduğunu öğrenirsem hiç şaşırmam," deyince Loikot gülerek ağaç gövdesine atıldı. Avuç içlerini ve çıplak tabanlarını kullanarak inanılmaz bir ustalıkla tırmanmaya başladı ve bir an bile durmadan yüksekteki çatala erişti. Çatalda ayağa kalktığında başının etrafında kızgın arılar vızıldıyordu. Ağaç kabuğundan boruyu omzundan alıp bir ucundan borazan gibi üfledi. Öbür ucundan çıkan duman yayıldıkça arılar dağılıyordu.

Loikot koluna bacağına batan birkaç iğneyi çıkarmak için durdu. Sonra *panga*'yı kaldırdı ve vızıltılara aldırmadan ağır bıçağı ayaklarının dibindeki çatala savurdu. Birkaç darbede oyuğu genişletmişti. Sonra içine baktı. Uzanıp kovandan kalın bir petek çıkardı. Görsünler diye havaya kaldırdı. "Loikot'un hünerleri sayesinde bugün iyice doyacaksınız dostlarım." Hepsi güldüler.

Leon, "Aferin küçük babun," diye seslendi.

Loikot, birkaç kalın petek daha çıkardı ve üzerlerini balmumuyla kapattı. Sonra dikkatle *shuka*'sının kıvrımları arasına sokuşturdu.

Manyoro, "Hepsini alma," diye uyardı. "Yarısını minik kanatlı dostlarımıza bırakmazsan ölürler." Loikot bunu daha küçücükken öğrenmişti, o yüzden cevap vermedi. Artık o bir *morani*'ydi ve doğanın ilmini kapmıştı. Duman borusuyla *panga*'yı ağacın dibine atıp kendisi de aşağı inmeye başladı, son altı adımda kendini bırakıp kuş gibi yere süzüldü.

Halka halinde oturup petekleri paylaştılar. Yukarıdaki dalların arasında balkuşu varlığını ve kendisine olan borçlarını hatırlatmak üzere sıçrayıp cıvıldıyordu. Manyoro hücrelerin beyaz arı larvasıyla dolu olduğu yerden peteklerin kenarını özenle kırıp, bu parçaları büyük yeşil bir yaprağa yaydı. Başını kaldırıp yukarıdaki kuşa baktı. "Gel küçük kardeş, ödülünü hak ettin." Sonra yaprağı biraz uzağa götürerek çalıların arasındaki boşluğa yerleştirdi. O arkasını döner dönmez kuş kendi şölenine konmak üzere yere inmişti. Artık gelenekler yerine getirildiğine göre erkekler ganimetin tadını çıkarabilirdi. Altın rengi peteklerin etrafında oturup kopardıkları parçaları çiğnemeye başladılar. Hücrelerdeki balı emerken zevkle homurdanıyor, sonra balmumunu tükürüp yapış yapış olan parmaklarını yalıyorlardı.

Leon daha önce akasya çiçeği nektarından yapılmış bu koyu, isli baldan hiç tatmamıştı. İlk kez tattığı bu lezzet diliyle boğazını öyle bir kapladı ki, şaşkınlık içinde soluğunu tuttu ve gözleri yaşardı. Gözlerini sıkıca yumdu. Balın zengin, iç bayıltıcı kokusu beyninin her zerresine dolmuş ve adeta onu ele geçirmişti. Dili kamaşıyordu. Nefes alınca o tadın gırtlağından aşağı indiğini hissetti. Yutkundu ve bir fıçı viskiyi başına dikmişçesine derin bir soluk verdi.

Yarım petek ona yetmiş, balın tadına doymuştu. Topuklarının üstünde geriye kaykılıp bir süre diğerlerini izledi. Sonra ayağa kalktı ve onları açgözlülükleriyle baş başa bıraktı. Onun gidişini fark etmediler bile. Leon tüfeğini de alıp nehir yatağının bulunduğunu tahmin ettiği yöne doğru gitmek üzere çalıların arasına daldı. İçerilere girdikçe bitki örtüsü sıklaşıyordu, son ağaç dallarını da geçtikten sonra kendini kıyıda buldu. Bir buçuk metrelik dik yamacın altında yüz adım genişliğinde ince beyaz kumlu bir kıyı şeridi vardı, yamaç inip çıkan hayvanların ayak izleriyle doluydu.

Karşı kıyıda kocaman bir yabani incir ağacının kökleri ortaya çıkmıştı. Çiftleşen yılanlar gibi kıvrıla büküle birbirlerine dolanmışlardı ve nehir yatağına uzanan dallar küçük sarı incir demetleriyle doluydu. Leon'un aniden ortaya çıkışıyla, meyveleri didiklemekte olan bir yeşil güvercin sürüsü ürküp havalandı. Su yolu boyunca ok gibi uçarlarken kanat sesleri sessizliği bölüyordu.

İncir ağacının geniş dallarının altında beyaz kumsal ayak izleriyle doluydu. Onların çevresine de Leon'un dikkatini çeken fil dışkısı piramitleri yayılmıştı. Tüfeğini kol boyu mesafesinde önünde tutarak kıyıya atladı. Yumuşak kum iniş hızını kesti ve bileklerine kadar içine gömüldü ama çabucak dengesini bulup karşı kıyıya geçti. İzlerin yanına varınca filin su için kumu kazmış olduğunu gördü. Daha nemli bir katman bulana kadar ön ayaklarıyla kuru kumu deşiyorlardı. Sonra da hortumlarıyla yeraltı su katmanına ulaşıyorlardı. Deliklerin yanındaki yumuşak taban izleri açıkça görülüyordu. Hortumla emdikleri suyu kocaman kafataslarındaki süngersi boşluklara aktararak başlarını dolduruyor, sonra hortumun ucunu gırtlaklarının gerisine kadar uzatıp suyu karınlarına indiriyorlardı.

Sekiz tane açık delik vardı. Leon susamış hayvanların bıraktığı izleri tek tek inceledi. Üç büyük ustadan -Percy Phillips, Manyoro, Loikot- ders almış olduğu için izleri doğru biçimde okuyacak beceriyi kazanmıştı. İlk dört delikte bırakılan ayak izleri hayvanların dişi olduğunu gösteriyordu.

Beşinci deliğe gelince sadece bir dizi iz gördü. O kadar büyüklerdi ki hemen durmak zorunda kaldı. Heyecanla derin bir nefes alıp ileri atıldı ve ön ayakların bıraktığı izlerin yanına çöktü. İzler o kadar derindi ki hayvanın burada durup saatlerce su içmiş olduğu anlaşılıyordu.

Leon ayak izlerine inanmaz gözlerle bakıyordu. Bu kocaman izleri bırakan hayvan devasa bir erkek fil olmalıydı, tabanları artık düzleşmişti.

İzin bir tarafında ıslak, yumuşak kum tanecikleri vardı. Bu da filin buradan az önce ayrıldığını gösteriyordu, çünkü bozulan toprak henüz eski haline dönmemişti. Belki de hayvan Loikot'un arı kovanını genişletmek için çıkardığı seslerden ürkmüştü.

Leon ayak izinin büyüklüğünü ölçmek için tüfeğinin çift namlusunu uzattı ve hafif bir ıslık çaldı. Ayak izinin çapı altmış santimlik namlulardan sadece beş santim kısa kalmıştı. Percy Phillips'in öğretmiş olduğu formülü uygulayınca bu erkek filin ayak ucundan omuz hizasına kadar olan yüksekliği üç buçuk metre çıkıyordu, yani devlerin arasında bir devdi.

Leon ayağa fırlayıp koşarak karşı kıyıya geçti. Yamacı tırmanıp, ağaçların arasından koşarak üç yoldaşının hâlâ son petekleri çiğnediği yere ulaştı. "Lusima Ana'yla onun tatlı şarkıcısı bize yolu göstermişler," dedi. "Nehir yatağında dev gibi bir erkek filin ayak izlerini buldum." İz sürücüler derhal eşyalarını kapıp peşinden koştular ama İsmail çıkınını başına yerleştirip peşlerine düşmeden önce petekten kalan balı da kaplarından birine aktardı.

İzi görür görmez Loikot heyecanla, "M'bogo, bu ilk seyahatimizde sana gösterdiğim erkek," diye bağırdı ve dans etmeye koyuldu. "Tanıdım onu. Bu bütün fillerin ulu şefi."

Manyoro başını salladı. "O kadar yaşlı ki ölmek üzere olabilir. Kesinlikle dişleri de yıpranmış ve kırılmıştır."

Loikot, "Hayır! Hayır!" diye şiddetle itiraz etti. "Dişlerini kendi gözlerimle gördüm. Senin kadar uzunlar Manyoro, ayrıca kafandan bile kalınlar!" Kollarıyla bir çember yapmıştı.

Manyoro güldü. "Zavallı küçük Loikot, seni karasinekler ısırıp kafanı kurtçuklarla doldurmuş. Anama söyleyeyim de bağırsaklarını boşaltıp gözlerini açacak bir ilaç hazırlasın."

Loikot kendini tuttu ve Manyoro'ya baktı. "Belki fil değil de sen ihtiyarlayıp bunamışsındır. Seni Lonsonyo Dağı'nda bırakmalıydık, sıska dostlarınla oturup bira içerdin."

Leon, "Siz karşılıklı iltifatlar ederken fil bizden uzaklaşıyor," diye araya girdi. "İzi sürelim ve bu tartışmayı ayak izlerine değil bizzat dişlere bakarken bitirelim."

Nehir yatağında ve açık bozkırda izleri takip edince erkek filin kovandan bal alırken çıkardıkları seslerden ürküp kaçtığı anlaşıldı.

"Dört nala gidiyor." Manyoro izlerin arasındaki mesafeyi göstermişti. Uzun adımlarla insanlar kadar hızlı koşuyordu. Onun bu hızla hiç dinlenmeden şafaktan gün batımına kadar koşabileceğini hepsi biliyordu.

Manyoro birinci saatin sonunda, "Doğuya gidiyor," dedi. "Bence Nyiri Çölü'ne gitmek istiyor, orada insan yoktur, suyun nereden çıkacağını bir tek o bilir. Eğer bu hızla devam ederse yarın sabah güneş doğarken dağı aşmış ve çölün derinliklerine ulaşmış olacak."

Loikot, "Onu dinleme M'bogo," diye araya girdi. "İhtiyarlar böyle karamsar olur. En hoş kokulu çiçekleri koklasalar bile pislik kokusu alırlar." Bir saat daha gittikten sonra mataralarından su içmek üzere durdular.

Manyoro, "Fil seçtiği yoldan hiç sapmamış," diye gözlemini belirtti. "Hiç durmamış, hatta hiç yavaşlamamış. Daha şimdiden bizden çok ileride."

"Bu ihtiyar, çiçeklerden hâlâ gübre kokusu almakla kalmıyor, en tatlı genç bakirenin bacak arasındaki çiçekte bile pislik kokusu alıyor." Loikot, Leon'a arsızca sırıttı. "Ona hiç aldırma M'bogo. Beni takip et, gün batmadan önce sana gözünü gönlünü şenlendirecek fildişleri göstereyim."

Fakat iz hiç dalgalanmadan dümdüz ilerliyordu. Bir saat sonra Loikot bile çaptan düşmeye başlamıştı. Bir gölgede azıcık su içmek ve uzanmak için durduklarında herkes suskun ve keyifsizdi. Kuru dere yatağından ayrıldıklarından beri kendilerini fazlasıyla zorladıkları halde erkek filin epeyce gerisinde kaldıklarının farkındaydılar. Leon matarasının kapağını kapatarak ayağa kalktı. Tek laf etmeden öbürleri de kalktıp yola devam ettiler.

Öğleden sonranın ortasını bulduklarında bir mola daha verdiler. Manyoro, "Annem yanımızda olsaydı fili yolundan saptırıp yemek molası verdirecek bir büyü yapardı ama maalesef yanımızda değil," dedi.

Loikot umutla, "Belki bizi izliyordur, çünkü o büyük bir büyücü," dedi. "Belki seslenirsem beni duyabilir." Ayağa fırlayıp uzun, ince bacaklarının üstünde hoplayıp zıplayarak kutsal danslarını yapmaya başladı. "Duy beni Büyük Kara Dişi, duy sana sesleni̇şimi." Leon güldü, Manyoro bile sırıttı ve eliyle tempo tutmaya başladı.

"Duy onu Ana! Küçük babunumuzu duy!"

"Duy beni Kabilenin Anası! Filin izlerini sen gösterdin, şimdi de kaçıp gitmesine engel ol. Koca ayaklarını yavaşlat. Karnını açlıkla doldur. Yemek yemek için durmasını sağla."

Leon, "Bugünlük bu kadar büyü yeter," diye kesti. "Hadi kalk Manyoro. Devam edelim."

İz sürüp gidiyordu. Fil o kadar hızlı hareket ediyordu ki toprağın gevşek olduğu yerlerde her yer toza bulanmış oluyordu. Leon başını kaldırıp güneşe bakınca kalbi adeta duracak gibi oldu. Bir saat sonra güneş batacak, karanlık, izleri örtüp takibi ertesi sabah şafak vaktine bırakmaya zorlayacaktı. O zamana kadar da hayvan yetmiş kilometre öne geçmiş olacaktı.

Başı hâlâ yukarıda olduğu için aniden durmuş olan Manyoro'ya çarptı. O anda her iki Masai de toprağı inceliyordu. Başlarını kaldırıp Leon'a baktılar ve elle işaret ederek ses çıkarmamasını istediler. Her ikisinin de sırıtırken gözleri parlıyordu. Yeniden canlanmışlardı ve üstlerinde herhangi bir yorgunluk belirtisi kalmamıştı. Manyoro anlamlı ve zarif bir hareketle yön değiştiren izi gösterdi.

Leon bu küçük mucize karşısında nefesini tuttu. Erkek fil yavaşlamış, adım araları kısalmış ve vadi duvarına doğru kararlılıkla ilerlediği yoldan çıkmıştı. Manyoro beş yüz metre ilerideki *ngong* ağaçlarını gösteriyordu. Korunun ortasındaki ağaçlar etraflarını çevreleyen ağaçlardan daha yüksek ve yeşildi. Manyoro, Leon'a yaklaşıp kulağına fısıldadı. "Bu mevsimde ağaçlar meyve verir. Olgun meyvelerin kokusunu alınca dayanamamış. Ağaçlıkta bulacağız onu." Bir avuç toprak alıp parmaklarının arasından kaymasını seyretti. "Hâlâ rüzgâr yok. Doğruca üstüne gidebiliriz." Dönüp İsmail'e baktı ve olduğu yerde kalmasını işaret etti. İsmail çıkınını ayaklarının dibine indirdi ve kendi de minnetle yere çöktü.

İki Masai önde, bir ağaçlıktan ötekine giderek, arada durup ormanı gözleyerek ilerlemeyi sürdürdüler. Artık en yakın *ngong* ağacına ulaşmışlardı. Yerler ağacın meyvesiyle doluydu ama yüksek dallarda hâlâ yarı olgun meyveler görünüyordu. Erkek fil bu ağacın altında uzun süre durmuş, sert meyveleri hortumunun ucundaki parmaklarla koparıp ağzına atmıştı. Sonrada yoluna devam etmişti. Dev izlerini bir sonraki ağaca kadar takip ettiler, orada da durmuş sonra yeniden yürümüştü. Bu kez sığ bir çöküntüyü hedef almıştı, oradaki ağaçların sadece tepesi görünüyordu. Aşağı bakacakları bir yere gelene kadar yaklaştılar.

Aynı anda üçü birden erkek filin devasa gri gövdesini görmüşlerdi. Hayvan üç yüz adım ötede, en büyük ağaçlardan birinin gölgesinde, onlara yarı çapraz durumdaydı. Rahat adımlarla ilerlerken kulakları gevşekçe salınıyor, hortumu, görünen tek dişinin yanından rastgele sarkıyordu. Öteki diş hayvanın iri gövdesinin arkasında kalıyordu ama Leon görünürdeki dişin uzunluğuna ve kalınlığına inanamamıştı. Diş gözüne Yunan tapınaklarındaki sütunlar gibi görünüyordu.

Manyoro'ya, "Rüzgâr?" diye fısıldadı. "Rüzgâr ne durumda?" Manyoro bir avuç toprak daha aldı ve parmaklarının arasından saldı. Sonra elini bacağına sürerek sözler kadar anlamlı bir işaret yaptı. "Rüzgâr yok. Hiç."

Leon tüfeğinin namlularını açtı ve iri pirinç mermileri birer birer çıkardı. Kusurlu olup olmadıklarını kontrol ettikten sonra gömleğine sürerek parlatıp tekrar yerlerine yerleştirdi. Namluları kapattı, dolu silahın kabzasını sağ koltukaltına yerleştirdi. Sonra Manyoro'ya başıyla işaret verdi ve kendisi önde ilerlemeye başladılar. Leon önce ağaca doğru, sonra da filin üstüne doğru yürüdü.

Ağaç, filin başını gizliyordu ama vücudu meydandaydı, onlara yakın dişin kıvrımı ötekinin yanından görünüyordu. Başına dalların arasından sızan güneş vurunca fildişi bir lamba gibi ışıldadı. Daha da yaklaşınca Leon hayvanın karnından gelen gök gürültüsüne benzer sesleri duymaya başlamıştı. Her adımını aşırı dikkatle atarak biraz daha ilerledi. Artık ağır tüfeği hazır vaziyette göğsünde çapraz tutuyordu.

Holland temelde kısa menzilli bir silahtı. Leon, Tandala Kampı'ndan ayrılmadan önce birkaç atış yapmış ve ikiz namluların hedefi aynı anda tam otuz metreden vurduğunu saptamıştı. Daha uzun mesafelerde mermiler önceden tahmin edilemeyecek bir şekilde dağılıyordu. İsabetli bir atış yapabilmek için hayvana bundan daha yakın olması gerektiğinin farkındaydı. Ağaca erişip onu siper alarak ateş etmek istiyordu. Artık o kadar yakınındaydı ki filin buruşuk gri derisinde uçuşan etçil kuşları görebiliyordu. İnce yapılı sarı kuşlardan beş altı tanesi kuyruklarıyla denge sağlayarak kırmızı gagalarını hayvanın derisindeki çatlaklara sokup kene ve benzeri kan emici böcekleri arıyorlardı. Bir tanesi kulağına girince erkek fil rahatsız olup kulağını salladı. Diğer kuşlar karnında ve kasıklarında baş aşağı durmuş gri derinin sarkan katmanlarını gagalayıp duruyorlardı. Sonra aniden, Leon'un yaklaştığını fark ettiler ve filin sırtına çıkıp omurgası boyunca dizilerek parlak gözleriyle davetsiz misafiri seyretmeye koyuldular.

Manyoro olacaklar hakkında Leon'u uyarmak istedi ama konuşmaya cesaret edemedi. Leon ise kendini avına o kadar kaptırmıştı ki arkasındaki ümitsiz el işaretlerini görmedi. Filin sırtındaki tüm kuşlar hep birden alarm çığlıkları atarak havalandığında Leon, *ngong* ağacından hâlâ on iki adım ötedeydi. Kuşlar fili temizlemekle kalmıyor aynı zamanda nöbetçilik ediyorlardı.

Fil rahat oturma pozisyonunu bir anda bozup ayağa kalktı ve beş altı adımda maksimum hızına ulaştı. Tehlikenin nerede olduğunu bilmese de kuşlara güveniyor ve dosdoğru ileri gidiyordu. Leon'a göre otuz derecelik bir açı yapmaktaydı. Leon bir an için bu devasa yaratığın hızı ve ataklığı karşısında bocaladı. Sonra koşarak peşine düştü, amacı fil tamamen gözden kaybolmadan yakalamaktı. Kısa sürede arayı kapatıp kritik otuz metre menziline yaklaştı. Gözlerini filin başına dikmişti. Koca kulakları oraya buraya savrulduğu için hayvanın dikine kulak deliğini görebiliyordu. Fakat kafası şiddetle oynuyor ve her adımda iki yana sallanıyordu. Bir yandan etçil kuşlar tiz cıvıltılarla ötüşüyor, bir yandan da Leon'un arkasındaki iki Masai deliler gibi haykırıyordu. Her tarafta bir telaş ve karmaşa vardı, fil ise hızla uzaklaşıyordu. Birkaç adım sonra görüş menzilinden çıkmış olacaktı.

Leon aniden durdu. Bütün konsantrasyonu dönen ve savrulan kafanın ortasındaki uzun kulak deliğine odaklanmıştı. Tüfeği omzuna dayadı, namluların üstünden baktı, derin konsantrasyonu yüzünden namluları bile zar zor görüyordu. Sanki rüyadaymış gibi zaman ve mekân kavramı yok olmuştu. Bakışları elmas matkabı gibi keskindi. Sadece hareketli gri derinin ve savrulan kulakların ötesini görüyordu. Beyni görüyordu. Olağanüstü bir duyguydu, Percy Phillips buna "avcı bakışı" diyordu. Avcı bakışıyla deriyi ve kemiği görebilir, beynin pozisyonunu tam olarak algılayabilirdi. Bir futbol topu büyüklüğündeki beyin, kulak deliği hizasının hemen altındaydı.

Tüfek büyük bir gürültüyle patlarken ve ortalık aydınlık olduğu halde Leon namludan parlayan alevi gördü. İrkildi. Tetiğe dokunduğunun farkında değildi. Omzunu tepen iki buçuk tonluk enerjiyi bile pek hissetmemişti. Bakışları hâlâ sabitti. Merminin tam olması gerektiği gibi, kulak deliğinin beş santim altına saplandığını görüyordu. Filin ona yakın gözünün kapandığını görüyor, merminin baltanın ağaca vuruşu gibi tok bir sesle kemiğe çarptığını duyuyordu. Bu yeni avcı bakışı yeteneği sayesinde merminin kemiği ve dokuları geçip beyne doğru ilerleyişini hayal edebiliyordu.

Koca hayvan başını geri atınca uzun dişler bir anlığına gökyüzünü gösterdi. Sonra ön bacakları içe büküldü ve bütün ağırlığıyla dizüstü çöktü. Yere çarpmasıyla birlikte bir toz bulutu yükseldi ve Leon ayaklarının altındaki toprağın titrediğini hissetti. Erkek fil bükülü ön bacaklarının üstünde bir seyisin üstüne tırmanmasını beklermiş gibi duruyordu. Başı, kavisli kısımlarından yere değmekte olan dişlerinden destek alıyordu, boş bakan gözleri sonuna kadar açılmıştı. Kuyruğu son kez titredi, sonra her şey durdu. Leon'un kulaklarında tüfeğin sesi yankılanıyordu ama ortalık derin bir sessizlik içindeydi.

"Seni ölü fil öldürür." Beyninde Percy'nin uyarısı tekrarlandı. "Her zaman bir tedbir atışı yap." Leon tüfeğini tekrar doğrulttu ve hayvanın koltukaltı kirişine nişan aldı. Tüfek bir daha patladı. İkinci mermi kalbine doğru yol alırken hayvan son kez seğirdi.

Leon ağır ağır yaklaşıp parmak ucuyla amber rengi gözü yokladı. Hareket yoktu. Dizleri büküldü ve bacakları makarna gibi yumuşadı. Yere yığılıp sırtını file yasladı ve gözlerini kapattı. Hiçbir şey hissetmiyordu. İçi boşalmıştı. Ne zafer duygusu, ne sevinç, ne de böyle muhteşem bir yaratığı öldürdüğü için pişmanlık ve keder. Şimdi sadece, sanki az önce güzel bir kadınla sevişmiş gibi o ıstıraplı boşluk vardı.

Leon, Manyoro'yla Loikot'u Masai Bölgesi sınırları dışındaki birtakım uzak köylere göndermişti. Görevleri fildişlerini tren yoluna taşıyacak hamallar bulmaktı. Masai'lerden değil başka kabilelerden bakmaları gerekiyordu, çünkü *morani*'ler böyle bayağı işlere tenezzül etmezdi. Leon'la İsmail sonraki beş gün boyunca karnı gazla şişen ve çürüyen cesetten yeterince uzak bir yerde kamp kurdular. Kemik kanallarındaki köklerin gevşemesi için bekledikleri fildişlerini koruyorlardı.

Geceleri leş yiyen hayvanlar üşüştüğü için durum biraz gerginlik yaratıyordu. Çakallar uluyor, sırtlanlar çığlıklar atıp kendi aralarında boğuşuyorlardı. Üçüncü gece aslanlar geldi ve bu genel kakafoniye kendi otoriter kükremelerini eklediler. İsmail karanlık saatlerde *ngong* ağaçlarından birinin üst dallarına tüneyip Kiswahili dilinde Kuran'dan ayetler okuyor, Allah'tan kendilerini şeytanlardan korumalarını niyaz ediyordu.

Altıncı gün Manyoro'yla Loikot peşlerinde güçlü kuvvetli Luo hamallarıyla döndüler, Manyoro adamları on şiline tutmuştu.

"Her biri günde on şiline mi?" Leon bu bonkörlük karşısında dehşete düşmüştü. On şilin neredeyse bu dünyadaki tüm servetiydi.

"Yok Bwana, hepsi."

"Altısı mı günde on şiline?" Bu haber Leon'u yatıştırmıştı.

"Hayır Bwana. Bu altı adamın fildişlerini demiryoluna kadar taşımasının toplam bedeli. Kaç gün süreceği önemli değil."

"Manyoro, annen seninle gurur duymalı." Leon nihayet rahatlamıştı. "Ben kesinlikle duyuyorum." Hamalları leşten kalanların bulunduğu yere götürdü. Leş yiyiciler geride sadece büyük kemiklerle postu bırakmışlardı. Kafa hâlâ iki dişin kıvrımları üstünde dimdik duruyordu. Leon dişlerden birine uzun bir ağaç lifi doladı ve Lou hamallar halata asılırken bir iş şarkısı tutturdular. Kafatasına gömülü olan kök fazla direnmeden kanalından çıktı. O ana kadar gerçek uzunluğu pek anlaşılmıyordu, ama şimdi gerçek boyutları göz önüne serilmişti. Taze koparılmış yapraklardan oluşan döşeğin üstüne iki dişi yan yana uzattıkları zaman Leon uzunluklarına ve güzel simetrilerine hayran oldu. Ölçmek için yine tüfeğinin namlularını kullandı. Daha uzun olan dişin boyu üç buçuk metreden fazlaydı, diğeri ise hemen hemen üç metre yirmi santimdi.

Manyoro'nun gözetiminde Luo'lar iki uzun akasya dalı kestiler ve dişleri ayrı ayrı bu sırıklara bağladılar. Her sırığı iki ucundan birer kişi kaldırdı ve demiryoluna doğru yola koyuldular, diğerleri de yorulanın yerine geçmek üzere arkadan geliyordu.

Leon'un artık askeri biniş kartı olmadığından, demiryolunun en keskin virajı yaptığı yerde, yani Rift Vadisi tabanından tepeye tırmandığı noktada durup Victoria Gölü'nden gelecek gece trenini beklediler. Tren bu noktada çift lokomotifine rağmen yürüme hızına düşüyordu. Karanlığın örtüsünde bir süre yük vagonlarından birinin yanında koşup çelik merdiveni yakalayarak yukarı tırmandılar. Lou hamallar dişleri ve İsmail'in çıkınını uzattılar. Leon heybesinden on şilini adamların liderine attı ve Lou'lar, onlar vagonun ardında karanlıkta kaybolana kadar sevinçle tezahürat yapıp el salladılar. Lokomotifler oflaya poflaya yamacı tırmanıyordu. Tünedikleri vagon gölden gelen kurutulmuş balık sepetleriyle doluydu, ama tren normal hızına ulaşınca koku rüzgârla dağılmıştı.

Tren yavaşlayarak Nairobi İstasyonu'na girerken hava hâlâ karanlıktı. Küçük grup dişleri ve eşyalarını attıktan sonra kendileri de trenden atlayıp yollarına devam ettiler.

Fildişlerinin altında iki büklüm Tandala Kampı'na girdiklerinde Percy Phillips kahvaltısını ediyordu.

Ağzındaki kahveyi püskürtüp koltuğundan fırlarken, "Tanrı ruhumu korusun!" diye bağırdı. "Bunlar sizin değil herhalde, değil mi?"

"Biri bizim," dedi Leon ifadesiz bir yüzle. "Maalesef öteki de sizin efendim."

Percy, "Tartıya alalım bakalım," diye emretti. "Görelim bize ne getirmişsiniz."

Bütün kamp çalışanları peşlerinden post yüzme kulübesine geldiler ve Leon küçük fildişini tartıya yerleştirirken başlarına toplandılar.

Percy tarafsız bir şekilde, "Atmış dört kilo," dedi. "Şimdi de öbürüne bakalım."

Leon diğer fildişini sapana koyunca Percy gözlerini kırpıştırdı. "Atmış dokuz kilo." Sesi biraz çatallanmıştı. Bu, Tandala Kampı'na getirilen en büyük fildişiydi. Yine de genç adama bunu söylemek için iyi bir neden bulamıyordu. Sakalını kaşırken, burnu kalksın istemem de ondan, diye düşündü. Sonra Manyoro'ya, "İki dişi de arabaya bağlayın," dedi. Nihayet Leon'a baktı, gözleri parlıyordu. "Pekâlâ genç dostum, beni kulübe götürebilirsin. Sana bir içki ısmarlayayım."

Araç bozuk yolda hoplaya zıplaya ilerlerken Percy sözleri duyulsun diye sesini yükseltmek zorunda kaldı. "Hadi bakalım! Anlat şunu. Başından başla. Hiçbir şeyi atlama. Onu devirmek kaç mermine mal oldu?"

Leon, "Başı orası değil efendim," diye hatırlattı.

"Biz o kısmı başlama noktası sayalım. Oradan geriye giderek anlatabilirsin. Kaç el ateş ettin?"

"Beyne tek el. Sonra tavsiyenizi hatırladım ve hayvan devrildikten sonra bir tane de garanti atışı yaptım."

Percy beğeniyle başını salladı. "Şimdi gerisini anlat." Percy dinlerken Leon'un avı hikâye edişinden etkilenmişti. Olayı yüz kere yaşamış olduğu halde anlatılanlar ona bile büyüleyici gelmişti. Beyaz bir avcının en önemli görevlerinden biri de müşterilerini eğlendirmekti. Müşteriler üç beş hayvan vurmaktan fazlasını isterlerdi: Unutulmaz bir macerada yer almak, korunmalı kent yaşamlarının dışına çıkmak ve güvenebilecekleri, hayranlık duyabilecekleri birinin önderliğinde ilkel çağlara dönmek için dünyanın parasını ödüyorlardı. Percy ormanda rahatça yaşayabilen ve vahşi doğa hakkında çok şey bilen bir sürü insan tanıyordu ama onlarda çekicilik ve empati yoktu. Suratsız ve sessizdiler. Doğanın eşsiz güzelliklerini çok iyi bildikleri halde başkalarına anlatmayı beceremezlerdi. Tekrar onları isteyecek bir müşterileri olmazdı. Avrupa saraylarında veya Londra'nın, New York'un, Berlin'in özel kulüplerinde isimleri dilden dile gezmezdi.

Bu çocuk o kategoriye girmiyordu. İstekli ve hevesliydi. Mütevazı, sevimli ve konuşkandı. Tane tane konuşuyordu. Kıvrak bir mizah duygusu vardı. Yakışıklıydı. Kısacası insanların hoşlanacağı biriydi. Percy içinden gülümsedi. Hatta ben bile hoşlanıyorum, diye düşündü.

Kulübe varınca Percy arabayı doğruca ön kapıya çekmesini istedi. Leon'u, çoğu İngiltere'deki ailelerinden gelen parayla yaşayan bir düzine müdavimin çoktan yerine yerleşmiş olduğu uzun bara götürdü. Sonra onlara hitap ederek, "Beyler," dedi. "Sizi yeni çırağımla tanıştırmak istiyorum. Sonra da hepinizi dışarı çıkarıp bir çift fildişi göstereceğim. Yani hakikatli bir fildişi ama."

Hep birlikte dışarı çıkınca haberin kentte çoktan duyulduğunu anladılar, hatta küçük bir grup arabanın başına toplanmıştı bile. Percy hepsini bara davet etti.

Hugh Delamere yıllar önce bir aslan tarafından çiğnenen bacağı üstünde sekerek bara girdiğinde, eğlence iyiden iyiye gürültülü bir hal almıştı. Bu, lort hazretlerinin pek sevdiği bir ortamdı. Özel okullarda okuyan birçok İngiliz gibi, Delamere de mobilyaların kırılıp dökülmesi ve diğer zararlı çevre etkileriyle sonuçlanan bu tür şamatalara bayılırdı. Bu akşam yanında Penrod Ballantyne de vardı. Leon'u avcılıkta kendini kanıtladığı için kutladılar ve Delamere, barın altında koruduğu özel stokundan koca bir kadeh Talisker viskisi ikram etti. Sonra da amca yeğeni, High Cockalorum oynamaya, yani geniş salonda yere değmeden yarışmaya davet etti. Bir aşamada barın arkasındaki raflar lort hazretlerinin ağırlığını kaldıramayıp çökünce şişeler yerlere saçıldı. Gece yarısından hemen önce kulüp üyelerinden biri gürültüden şikâyete gelince lort hazretleri gecenin geri kalanında adamı şarap mahzenine kilitledi.

Birkaç saat sonra Percy bilardo salonuna taşındı ve yeşil çuha kaplı masaya yatırıldı. Leon ise arabanın ön koltuğuna kadar gidip orada sızmıştı.

Leon, dayanılmaz bir baş ağrısıyla uyandı.

"Günaydın *effendi.*" İsmail elinde dumanı tüten sade kahveyle aracın yanında duruyordu. "Size yasemin kokulu bir gün dilerim." Leon içtiği kahve sayesinde Manyoro'yu bulabildi. Otomobili birlikte çalıştırmayı başardılar ve ana caddeden Büyük Victoria Ticaret Şirketi'nin merkezine gittiler. Yakın bir zamanda, tabeladaki ismin altındaki yazı bizzat ekselansları valinin emriyle boyayla kapatılmıştı. Ama yine de tek kat boyanın altından okunabiliyordu: *"Majesteleri İngiltere Kralı' nın onayıyla, güzel, nadir ve değerli eşya toptancısı."* Sansürsüz kısımda da, *"Altın, elmas, fildişi ve her tür ilginç, doğal ürünler satılır. Mal sahibi Bay Goolam Vilabjhi Esq"* yazıyordu.

Leon daha küçük olan fildişiyle içeri girince mağaza sahibi telaşla seğirtti. "Oh, sevgili, Teğmen Courtney, ben ve mütevazı dükkânım için bu ne büyük şeref."

Leon fildişini tezgâha bırakırken, "Günaydın Bay Vilabjhi. Bir düzeltme yapayım, artık teğmen değilim," dedi.

"Ama hâlâ Afrika'nın en büyük polo oyuncususunuz ve duyduğum kadarıyla şimdi de büyük bir *shikari* olmuşsunuz. Üstelik, bunun kanıtını da getirdiğinizi görüyorum." İçeri seslenip Bayan Vilabjhi'den kahve ve tatlı getirmesini istedikten sonra, Leon'u tıka basa dolu rafların arasından minik ofisine buyur etti. Bütün duvarı kaplayan kütüphanesinde yirmi iki ciltlik *Oxford İngilizce Sözlük* ve *Britannica Ansiklopedisi'*nin tam takımı, Burke'nin *Asalet ve Soylular'*ı ile İngiliz krallarını, tebalarını ve dilini anlatan çeşitli tarih kitapları duruyordu.

"Sayın bayım lütfen oturun." Bayan Vilabjhi de kahve tepsisiyle koşturup gelmişti. Kocasından daha dolgun ve en az onun kadar kibardı. Fincanlara koyu, yapışkan kara sıvıyı koyduktan sonra kocası onu başından savıp Leon'a döndü. "Şimdi söyleyin sahip, ne arzu ederdiniz?"

"O fildişini size satmak istiyorum."

Bay Vilabjhi bu konuyu o kadar uzun bir süre düşündü ki Leon huzursuz oldu. Nihayet, "Açıkçası saygıdeğer sahip, o fildişini sizden almayacağım," dedi.

Leon irkilmişti. "Neden?" diye sordu. "Siz fildişi alıp satmıyor musunuz?"

"Hiç anlatmış mıydım sahip, ben bir zamanlar at seyisi ya da Hindistan'da dediğimiz şekliyle *syce'*ydim, mihracenin Cooch Behar'daki ahırlarında çalışıyordum. Asillere layık polo oyununun ve onu oynayanların da en büyük hayranıydım."

Leon, "O yüzden mi benim fildişimi almıyorsunuz?" dedi.

Bay Vilabjhi güldü. "Hoş bir jestti sahip. Hayır! Çünkü ben o dişi alırsam piyano tuşu yapılsın veya enfes bilardo topları oyulsun diye İngiltere'ye yollayacağım. Sonra benden nefret edeceksiniz. Günün birinde ihtiyarlayıp bu avı hatırladığınızda kendi kendinize 'O meşhur haydut ve rezil dolandırıcı Goolam Vilabjhi Esquire'ye on bin kere lanet olsun!' diyeceksiniz."

"Öte yandan, eğer bunu almazsanız o lanetleri şimdi yağdıracağım. Bay Vilabjhi, paraya ihtiyacım var, hem de fena halde."

"Ah! Para okyanus dalgası gibidir. Gelir ve gider. Ama böyle bir fildişini hayatınız boyunca bir daha göremezsiniz."

"Şu anda o dalga benim için ufuk kadar uzakta."

"O zaman sahip, bir numara veya Cooch Behar'da dediğimiz gibi, çeşitli isteklerimizi karşılayacak bir taktik bulmalıyız." Bir an derin düşüncelere dalmış gibi yaptı, sonra bir parmağıyla şakağına dokundu. "Evreka! Buldum. Fildişini güvence olarak bana bırakacaksınız, ben de size ihtiyacınız olan parayı vereceğim. Bana yılda yüzde yirmi faiz vereceksiniz. Sonra bir gün, Afrika'nın en ünlü ve tanınan *shikari*'si olduğunuzda tekrar bana gelecek ve, 'Sevgili ve güvenilir dostum Bay Goolam Vilabjhi Esquire, borcumu ödemeye geldim,' diyeceksiniz. Ben de o güzelim fildişinizi iade edeceğim ve ölene kadar dost kalacağız!"

"Sevgili ve güvenilir dostum Bay Goolam Vilabjhi Esquire, size on bin kere şükredeceğim." Leon güldü. "Bana ne kadar borç verebilirsiniz?"

"Duyduğuma göre bu fildişi atmış dört kilo geliyormuş."

"Tanrım. Bunu nasıl bildiniz?"

"Nairobi'de yaşayan herkes bunu çoktan öğrendi." Bay Vilabjhi başını yana eğdi. "Kilosu bir buçuk şilinden size doksan altı altın pound ödeyebilirim." Leon gözlerini kırpıştırdı. Hayatında ilk kez bu kadar paraya bir arada sahip olacaktı.

Leon, Bay Vilabjhi'nin mağazasından çıkmadan ilk harcamasını yaptı. Tezgâhın ardındaki raflardan birinde kırmızı ve sarı mukavva kutularda Kynoch'un, yani Britanya'daki mermi üreten en büyük şirketin aslan başlı amblemini görmüştü. Kutulara yakından bakınca üzerlerinde, "H&H .470 Royal Nitro Express 500 adet." yazdığını görüp sevindi. Verity O'Hearne'nin armağan olarak bıraktığı on mermiden sadece üç tane kalmıştı. Beşini tüfeği tanımak için kullanmış, ikisini de erkek filde harcamıştı.

Korkarak, "Bu mermiler kaça Bay Vilabjhi?" diye sordu ve nefesini tutup cevabı bekledi.

"Sizin için, sadece sizin için çok çok özel bir fiyat yapacağım sahip." Kali, Ganesha ve diğer Hint tanrılarından ilham bekler gibi gözlerini tavana dikti. Sonra, "Sizin için mermi başına beş şilin sahip," dedi.

Her birinde beş tane bulunan on paket vardı. Leon çabucak aklından bir hesap yaptı ve sonuç karşısında dehşete düştü. On iki sterlin on şilin! Arka cebindeki kabarıklığa dokundu. Buna gücüm yetmez, diye düşündü. Öte yandan hangi profesyonel avcı kuşağında üç mermiyle ava çıkardı ki? İstemeye istemeye cebinden az önce oraya koymuş olduğu bez keseyi çıkardı.

Tamam şans dalgası gelmişti ama tam da Bay Vilabjhi'nin uyardığı gibi hemen çekilmeye de başlamıştı.

Manyoro ile İsmail hâlâ mağazanın önünde bekliyorlardı. Leon onlara da söz verdiği ücretleri ödedi. Manyoro'ya, "Onca parayla ne yapacaksın?" diye sordu.

"Üç tane inek alacağım, başka ne olacak ki Bwana?" Manyoro böyle aptalca bir soru karşısında başını sallıyordu. Bir Masai için sığır tek gerçek zenginlikti.

"Ya sen İsmail?"

"Ben Mombasa'daki karılarıma yollayacağım *effendi*." İsmail'in altı tane, yani dininin uygun bulduğu en üst sayıda eşi vardı ve çekirge sürüleri gibi doymak bilmiyorlardı.

Leon, İsmail ve Manyoro'yla KAR Karargâhı'na gitti. Bobby Sampson'u subay lokalinde bir fıçı biranın içinde yüzerken buldu. Arkadaşını görünce Bobby'nin yüzü aydınlandı. Leon, ona da Vauxhall için borçlandığı on beş gineyi ödeyince sevinçten havalara uçtu.

Leon karargâhtan kentin hemen dışındaki hayvan pazarına gitti. "Manyoro, fil meselesindeki yardımlarından ötürü Lusima Ana'ya bir inek göndermek istiyorum."

Manyoro da, "Böyle bir hediye uygun olur Bwana," diye onayladı.

"Sığırı kimse senden iyi seçemez Manyoro."

"Bu doğru Bwana."

"Kendine sığır alırken bir tane de Lusima Ana'ya seç ve sıkı bir pazarlık yap." Manyoro pazardaki en iyi hayvanı seçtiği için bu alışveriş de Leon'a on beş pounda mal oldu.

Manyoro, Lonsonyo Dağı'na gitmek üzere yola çıkmadan önce Leon ona gümüş şilinlerle dolu bir kese verdi. "Bu da Loikot için. Eğer arkadaşlarıyla konuşup bize haber getirmeye devam ederse bunlardan daha pek çok alacak. Söyle parasını biriktirsin, böylece o da güzel bir inek alabilir. Şimdi git Manyoro ve çabucak dön. Bwana Samawati'nin bize vereceği daha çok iş var."

Manyoro sığırlarını önüne katıp Rift Vadisi'nin dibine inen bozuk yolda yürümeye koyuldu. İlk dönemece varınca dönüp baktı ve Leon'a, "Bekle beni kardeşim, on gün sonra döneceğim," diye seslendi.

Leon, Percy Phillips'i almak üzere arabayı kulübe sürdü. Adamı güneşli çimenliğe bakan geniş verandadaki koltuklardan birine gömülü halde buldu. Sersemlemiş görünüyordu. Gözleri kan çanağına dönmüştü, sakalı karışmış, yüzü gece boyunca çıkarmadığı haki ceketi gibi buruşmuştu. Leon'a, "Hangi cehennemdeydin?" diye homurdandıktan sonra cevabını beklemeden basamaklardan inip arabanın çalışır vaziyette beklediği yere gitti. Üzerinde İsmail'in oturduğu fildişini görünce yüzü biraz aydınlanır gibi oldu. "Eh, Tanrı'ya şükür bu hâlâ duruyor. Ötekine ne oldu?"

"Vilabjhi kâfirine sattık *effendi.*" İsmail, patronlarına bu şekilde hitap etmeye alışmıştı.

Percy, "O dolandırıcıya! Eminim sizi kazıklamıştır," deyip ön koltuğa yerleşti. Yolun Tandala Kampı'na girişteki en kötü kısmını hoplaya zıplaya aşana kadar da bir daha konuşmadı.

"Dün gece amcan Penrod'la birkaç kelime konuşma fırsatımız oldu. Amerikan Dışişleri Bakanlığı'ndan bir telgraf almış. Eski Birleşik Devletler Başkanı ve bütün maiyeti iki ay sonra büyük bir safariye çıkmak üzere Mombasa'da olacakmış. Buharlı, lüks Alman gemisi *Admiral*'le geliyorlar. Hazırlık yapmalıyız."

Büyük çadırın önüne park ettiklerinde Percy bağırarak çay istedi. İki fincan demli çay, keyfini ve mizah duygusunu yerine getirmişti. Leon'a, "Kalemini, defterini al," diye emretti.

"Bende ikisi de yok."

"Gelecekte en temel gereçlerin onlar olacak. Tüfeğinle kinin şişenden bile daha öncelikli. Kütüphanemde yedekleri var. Şimdilik onları kullan bir daha kente indiğinde yerine koyarsın." Hizmetkârlardan birini kütüphaneye yolladı ve az sonra Leon'un kalemi ilk sayfada hazır bekliyordu.

"Şimdi, safaride bulunacakların geniş bir listesini yapalım. Başkan'dan başka oğlu -kendisi senin yaşlarında bir adammış- konukları Sir Alfred Pease, Lort Cranworth ve Frederick Selous olacak."

Leon heyecanla, "Selous!" diye bağırdı. "O bir Afrika efsanesi. Kitaplarını daha bebekken okumuştum. Şimdi çok yaşlı olsa gerek."

Percy, "Hiç de değil," diye atıldı. "Altmış beş bile olmamıştır daha."

Leon, altmış beşin yaşlıdan bile öte olduğunu söyleyecekti ki Percy'nin öfkeli bakışlarını fark etti. Anladı ki Percy Phillips'in nezdinde yaş hassas bir konuydu ve hemen girmek üzere olduğu mayın tarlasından çıktı. "Ah, o zaman gençmiş daha," dedi çabucak.

Percy başını sallayıp devam etti. "Başkan benim dışımda beş avcı daha getiriyor. Benim yakından tanıdıklarım Judd, Cunninghame ve Tarlton, hepsi de iyi adamlardır. Muhtemelen çıraklarını da getirirler diye düşünüyorum. Penrod'dan anladığım kadarıyla, safariyi kısmen finanse eden Smithsonian Enstitüsü Müzesi'nden de yirmiden fazla doğa bilimci ve hayvan doldurma uzmanı geliyor. Penrod'a gazetecilerle diğer basın mensuplarını sordum ama Başkan onların bulunmasını yasaklamış. İki dönem başkanlık yaptıktan sonra artık mahremiyetine çok önem veriyormuş."

"Yani gazeteci olmayacak mı?" Leon defterinden başını kaldırıp baktı.

"Sen onu merak etme. Hiç kimse o kakalakları uzak tutamaz. Amerikan Associated Press Ajansı bir musibet grup gönderiyor, ama dibimizden hiç ayrılmayacak ayrı bir safari grubu oluşturacaklar ve her fırsatta New York'a haber uçuracaklar. Hepsi frengi olur inşallah."

"Yani bizim safaride otuzdan fazla konuk olacak. Bu da dağ gibi bir bavul, donanım ve erzak yığını demektir."

Percy alayla, "Gerçekten de öyle," dedi. "New York'tan gelen ilk tahmin, toplam doksan altı ton ağırlıkla yolculuk yapacakları şeklinde. Geri kalan her şey buradan temin edilecek. Bu da avlanan hayvanları korumak için beş ton tuz ve atlar için yem demek. Amerika'dan gelecek eşyalar yolculardan önce yola çıkacak, böylece kıyıdan buraya getirip hamalların taşıyacağı şekilde otuzar kiloluk parçalara ayırma imkânı bulacağız."

Leon merakla, "Kaç tane at gerekecek?" diye sordu.

Percy, "Avın çoğunu at sırtında geçirmek niyetindeler. Başkan en az otuz tane at istiyor," diye cevap verdi. "Bu senin uzmanlık alanına girdiği için at meselesinden sen sorumlu olacaksın. Hayvanlarla ilgilenecek güvenilir bir seyis ekibi kurman lazım." Durdu. "Ve tabii ki, iki araba da senin sorumluluğunda olacak. Başkan herhangi bir yerde kamp kurmak istediğinde taze erzak temini için kullanmak istiyorum."

"İki araba mı? Sizin sadece bir arabanız var."

"Safari için senin arabana da el koyuyorum. İkisini de çalışır bir halde tutsan iyi olur." Percy, Leon'un arabası için kira ödemekten veya araçların gidiş dönüşü için gerekli onarım masraflarından söz etmemişti.

"Lort Delamere de Norfolk Otel'deki baş aşçısını gönderecek. Dört beş tane sos şefi olacak. Senin şu İsmail'i de kampta görevlendireceğim. Ha, bu arada Cunninghame bin kadar yerli hamal ayarlayacak, valizlerle safari eşyalarını taşısınlar diye. Dün gece senin Kiswahili dilini iyi bildiğini ve bu işte seve seve ona yardım edeceğini söyledim."

Leon masum bir tavırla, "Kendisine asıl av sırasında da seve seve yardım edeceğimden söz ettiniz mi?" diye sordu.

Percy sarkık gri kaşlarından birini kaldırdı. "Soruyor musun? Son muazzam olayından sonra Başkan'ın seni rehber olarak kullanmaktan onur duyacağına eminim. Ancak, seni eğlendirecek çok daha önemli işlerin olacak genç dostum." Bu hitap şekli Leon'u rahatsız etmeye başlamıştı ama Percy'nin de sırf bu yüzden o kadar sık kullandığına karar verdi.

"Kesinlikle haklısınız efendim. Bunu düşünmemiştim." Ve Percy'e en sevimli tebessümüyle baktı.

Percy de gülümsememek için kendini zor tuttu. Bu çocuğun hiç sızlanmadan her işi üstlenmesi giderek daha çok hoşuna gidiyordu. Yumuşadı. "Doyurulacak binden fazla karın olacak. Koloninin av yasaları gereği bizonlar zararlı kabul ediliyor. Avlanmaları konusunda bir sınır yok. Görevlerinden biri de safarinin etini temin etmek. İstediğin kadar avlanabileceksin. Söz veriyorum."

İki ay altı gün sonra, Alman transatlantiği SS *Admiral,* sahil kenti Mombasa'ya liman işlevi gören derin Kilindini Lagünü'ne girdi. Geminin halat donanımı renkli flamalarla süslüydü. Ana direğine Amerikan bayrağı Old Glory çekilmişti ve arkada da Kayzer Almanya'sının kara kartalları dalgalanıyordu. Ön güvertede de kuşak halinde yıldızlı Amerikan bayrağı ile, "Tanrı Kralı Korusun" yazısı vardı. Sahilde izleyicilerle birlikte tepeden tırnağa üniformalar içinde, başlarında tüylü şapkaları, kalçalarında merasim kılıçlarıyla başta bölge valisi ile Majestelerinin İngiliz Doğu Afrika'sı kuvvetleri komutanı olmak üzere çeşitli üst düzey bürokratlar bekliyordu.

Açıkta, bir mavna ordusu ile sandallar yolcuları kıyıya getirmek üzere hazır bekliyordu. Eski Başkan Albay Teddy Roosevelt ile oğlu, bekleyen teknelere binen ilk kişiler oldular. Seçkin konuklar sandallarda yerlerine oturur, kürekçiler kıyıya doğru küreklere asılırken lagünün üstüne inmekte olan kara bulutlarla beraber gök gürledi, bulutları yaran bir şimşek çaktı ve şiddetli bir sağanak başladı. O arada Roosevelt kıyıya ulaşmış, yarı çıplak güçlü bir hamalın sırtında sığlıktan karaya taşınıyordu. Safari ceketi sırılsıklam olmuştu ve kahkahalarla gülmekteydi. Tam hayal ettiği gibi bir macera olacaktı bu.

Vali bir eliyle şapkasındaki devekuşu tüylerini tutarak Roosevelt'i karşılamaya koşuyor, öteki eliyle de kılıcının bacaklarına dolanmasını engellemeye çalışıyordu. Özel trenini Başkan'la maiyetine tahsis etmişti. Herkes karaya çıkar çıkmaz bulutlar dağıldı ve lagünün çırpıntılı suları parlak güneşle ışıldamaya başladı. Büyük kalabalık hep bir ağızdan "For He's A Jolly Good Fellow"u söylüyordu. Teddy Roosevelt öndeki vagonun balkonunda tüm neşe ve sevinciyle dimdik duruyor, makinist düdüğü çalıp, tren Nairobi'ye doğru tırmanmaya başlarken halkı selamlıyordu.

İç kısımlara doğru yüz yetmiş kilometrelik bir yolculuktan sonra tren, Tsavo ile Athi nehirlerinin arasındaki muazzam düzlüklerin en güney ucunda bulunan Voi hattında durdu. Lokomotifin önündeki mahmuza manzara terası olarak ahşap bir bank yerleştirilmişti. Başkan'la Frederick Selous oraya tırmanıp banka yerleşmişlerdi. Selous, Afrikalı avcılar arasında en çok saygı görendi, aynı zamanda seyahat ve macera üstüne birçok kitap da yazmıştı. Hayatını bu büyük kıtanın hayvanlarını incelemeye ve sevmeye adamıştı. Gücü ve kararlılığıyla tanınan Selous için, "Herkes bıraksa bile o, yolun sonuna kadar gider," denirdi. Dinç vücudu, çelik grisi sakalı, sağlam ve keskin gözleri, sakin duruşuyla adeta bir aziz gibiydi. Selous'la Roosevelt, görünüşleri çok farklı olsa da, vahşi doğa sevgisi yönünden bir akraba kadar yakındılar.

Tren homurdanarak Tsavo düzlüklerini geçerken ufukta grup grup antilop sürüleri görünüyordu ve iki büyük adam kafa kafaya vermiş etraflarında uzanan güzelliklerden söz ediyorlardı. Karanlık çökünce valinin özel vagonunda istirahata çekildiler. Ertesi sabah erken vakitte tren Nairobi İstasyonu'na girdiğinde bütün Nairobi halkı eski Başkan'ı uzaktan da olsa görebilmek için platforma birikmişti.

Sonraki günlerde Başkan'ı eğlendirmek için davetler, balolar ve polo atları yarışı dahil çeşitli spor müsabakaları düzenlendi. Roosevelt sosyal zorunluluklarını safarinin başlamasından bir hafta önce bitirdi. Yine trene binip ıssız Kapiti bozkırlarına kadar gittiler. Trenden indiklerinde tüm safari ekibi ordu gibi karşılamaya çıkmıştı.

Ertesi sabah yola koyulma vakti geldiğinde Başkan atının üstünde, bir yanında oğlu, öbür yanında Selous'la kafilenin başında ilerliyordu. Arkalarında üniformalı bir *askari* tarafından taşınmakta olan Amerikan bayrağı Old Glory dalgalanıyordu. Onun gerisinde de *Dixie*'ye benzer bir şeyler çalan KAR yürüyüş bandosu vardı. Bin kişiyi geçen grubun geri kalanı bozkırda üç buçuk kilometrelik bir alana yayılmıştı.

Leon Courtney bu kalabalığın içinde değildi. Son altı haftadır planlanan safari rotasındaki su kenarlarına erzak depolamakla meşguldü.

Percy Phillips istemeye istemeye de olsa Leon'a bir asistan tahsis etmişti. Leon, ilk başta adamın adını duyduğunda dehşete düşmüştü. "Hennie du Rand mı?" diye itiraz etti. "Onu tanırım. Güney Afrikalı bir Afrika Boer'idir. Adam savaşta bize karşı dövüştü. O uğursuz Koos de la Rey komandolarıyla birlikteydi. Hennie du Rand'ın kaç tane İngiliz vurduğunu ancak Tanrı bilir."

Percy, "Boer Savaşı biteli çok oldu," diye hatırlattı. "Hennie sert bir tip olabilir ama iyi kalplidir. Çoğu Boer gibi o da tam bir avcıdır ve tanıdığım herkesten daha çok fil ve bizon avlamıştır. Aynı zamanda motorlardan da çok iyi anlar. Tamir işlerinde sana yardım eder ve birini de o kullanır. Safari ekibine taze et sağlamak için bizon avlamakta sana yardım edecek biri lazım, bu işte de ondan iyisini bulamazsın. Eğer dinlersen adamdan çok şey öğrenebilirsin. Fakat en büyük özelliği çalışkan ve günde birkaç şiline razı olması."

Leon, "Ama..." dedi.

"Aması filan yok. Hennie asistanın olacak ve sen de buna bir an önce alışsan iyi edersin genç dostum."

İlk birkaç haftada Leon, Hennie'nin sadece yorulmak bilmez bir işçi olduğunu keşfetmekle kalmadı. Adam aynı zamanda motor tamirinde ve orman yaşamında Leon'dan çok daha tecrübeliydi, bilgisini paylaşmaktan da mutluluk duyuyordu. Personelle ilişkileri mükemmeldi. Hayatı boyunca Afrikalı kabilelerle iç içe olmuştu ve âdetlerini, huylarını biliyordu. Onlara karşı neşeli ve saygılıydı. Manyoro ile İsmail bile ondan hoşlanıyordu. Leon geceleri ateşin başında arkadaşlık edecek birini bulmuştu, üstelik iyi bir anlatıcıydı. Kırkını geçmiş olmasına rağmen sırım gibi vücudu vardı. Sakalı kırlaşmış, yüzüyle kolları güneşten iyice yanmıştı. Garip bir Afrika aksanıyla konuşuyordu. Bir bizon sürüsünü çevirip sekiz kurşunla sekiz genç dişiyi yere serdikten sonra, "Evet, genç dostum," demişti. "Seni iyi bir avcı yapacağız."

Manyoro ve diğer dört adamın yardımıyla hayvanların derisini yüzüp içini boşalttılar ve dörder parçaya böldükten sonra arabalara yükleyerek büyük başkanlık safarisinin yayıldığı kamp alanının bir kilometre yakınına götürdüler. Percy otomobillerin en fazla bu kadar yaklaşmasına izin veriyordu. Başkan'la Selous'un motor gürültüsünden rahatsız olmasını istemiyordu. Etleri taşımak üzere kamptan başka bir hamal grubu gelmişti.

İkisi baş başa kalınca Leon'la Hennie daha yaşlı olan Vauxhall'ı bir maun ağacının altına park ettiler ve yaptıkları makara sistemini ana dala geçirdiler. Aracın arkasını kaldırıp tehlikeli bir ses çıkarmaya başlayan diferansiyeli birlikte söktüler. Arızalı parçayı çıkarıp, her parçayı eski bir brandanın üstüne yaydılar. Yaklaşan nal seslerini duyunca başlarını kaldırıp baktılar. Atın üstündeki kısa botlar giyip, geniş kenarlı şapka takmış olan genç bir adamdı. Yere inip atını bağladıktan sonra çalıştıkları yere geldi.

"Selam. Ne yapıyorsunuz burada?" Belirgin bir Amerikan aksanıyla konuşmuştu.

Leon cevap vermeden önce adamı tepeden tırnağa süzdü. Pahalı binici botları, yeni yıkanıp ütülenmiş giysileri; hoş ama dikkat çekici olmayan bir yüzü vardı. Şapkasını çıkarınca kumral saçları ortaya çıkmıştı ve tebessümü içtendi. Leon ikisinin aynı yaşta olduklarını fark edince şaşırdı, o da yirmi ikiden fazla olamazdı.

Leon, "Şu külüstürde canımızı sıkan bir şey var da," deyince yabancı sırıttı.

"Demek külüstürde canınızı sıkan bir şey var," diye tekrarladı. "Tanrım, bu İngiliz denizci aksanına bayılıyorum, bütün gün dinleyebilirim."

"Ne aksanı?" Leon bunları onu taklit ederek söylemişti. "Benim aksanım filan yok. Komik bir aksanla konuşan sensin." Bu atışmalar üzerine kahkahalara boğuldular.

Yabancı, elini uzattı. "Adım Kermit." Leon yağa bulanmış eline baktı. Kermit, "Önemli değil," diye ısrar etti. "Ben de arabalarla uğraşmaya bayılırım. Evde bir Cadillac'ım var."

Leon elini pantolonuna silip tokalaştı. "Ben Leon, bu pasaklı tip de Hennie."

"Bir süre otursam sorun olur mu?"

"Ünlü bir ustaysan sen de el atabilirsin. Şu gergiyle dişliyi sökmeye ne dersin? Bir somun kap."

Hep birlikte birkaç dakika sessizce çalıştılar ama Leon'la Hennie yeni geleni kaçamak bakışlarla süzüyorlardı. Sonunda Hennie gür sesiyle fikrini belirtti: *"Hy weet wat hy doen."*

"Bu dil nece ve Hennie ne dedi?"

"Afrikaca, Hollanda dilinin Afrika versiyonu, yaptığın işi bildiğini söyledi."

"Sen de öyle ahbap."

Bir süre daha çalıştıktan sonra Leon, "Sen de o büyük Barnum ve Bailey Sirki'nden misin?" diye sordu.

Kermit keyifle güldü. "Ya... sanırım öyleyim."

"Görevin ne? Smithsonian Enstitüsü'nden misin?"

Kermit, "Bir anlamda evet, ama ben daha ziyade oturup birtakım ihtiyarların kendi zamanlarında her şeyin nasıl daha iyi olduğunu anlatışını dinliyorum," diye cevap verdi.

"Çok eğlenceliymiş."

"Bu sabah kampa getirilen o bizonları siz mi vurdunuz millet?"

"Kampa et temin etmek de görevimizin bir parçası."

"Bak, bu sahiden eğlenceliymiş işte. Gelecek sefer size takılmanın bir sakıncası var mı?"

Leon'la Hennie bakıştılar. Sonra Leon ihtiyatla, "Tüfeğin kaç kalibrelik?" diye sordu.

Kermit, atının yanına gitti ve eğerin gözünden bir silah çıkardı. Gelip tüfeği Leon'a verdi. O da boş olup olmadığını kontrol ettikten sonra omzuna kaldırdı. ".405 Winchester. İyi bir bizon tüfeği olduğunu duymuştum ama Bob Fitzsimmons'un yumrukları gibi de tepiyormuş. İyi atış yapabiliyor musun bununla?"

"Sanırım." Kermit silahı geri aldı. "Ona Büyük Sihirbaz diyorum."

"Pekâlâ. Öbür gün sabah dörtte buraya gel o zaman."

"Neden gelip kamptan almıyorsunuz beni?"

Leon, "Yasak," dedi. "Biz zavallı mahlûkların kamptaki yüce kodamanları rahatsız etmesine izin yok."

Sabah saat dörtte hava hâlâ karanlıktı. Hennie ve Leon peşlerinde katır üstündeki iz sürücüler ve deri yüzücülerle randevu yerine gelmişlerdi. Ama Kermit herkesten önce oraya gelmişti. Leon bu durumdan etkilenmişti, çünkü onun geleceğinden bile kuşkuluydu. Geri kalan karanlık saatlerde iz sürdüler, önden giden Manyoro girinti çıkıntılar konusunda ekibi uyarıyordu. Hava soğuktu ve Kermit rüzgârdan korunmak için bir brandaya sarınmıştı. İzler arabayla devam edilemeyecek kuru bir dere yatağına ulaşınca aracı bir ağacın altına park edip indiler. Tüfeklerini alırken Kermit, Leon'unkine dikkatle baktı. "Bunun bayağı uzun bir hayatı olmuş."

Leon, "Evet, epeyce iş görmüş," diyerek hak verdi. Percy kendi silah koleksiyonundan bu eski, yıpranmış .404 Jeffreys'i almasına izin vermişti, çünkü bunun cephanesi dörtte bir fiyata geliyordu ve .470 Holland'ınkilerden çok daha kolay bulunuyordu. Görünüşüne rağmen güvenilir ve sağlam bir silahtı, ama Leon'un onunla gurur duyduğu söylenemezdi.

Kermit, "Peki sen bununla iyi atış yapabiliyor musun?" diye hafiften dalga geçti.

"İyi günlerde."

Kermit, "Umalım da bugün onlardan biri olsun," diye iğneledi.

"Göreceğiz."

"Nereye gidiyoruz?" Kermit konuyu değiştirmişti.

"Dün gece Manyoro bu tarafa gelen büyük bir sürü keşfetti. Şimdi de bizi oraya götürüyor."

Nehir yatağına inip, geçen yağmur mevsiminden beri henüz kurumamış olan yeşil bir su birikintisinden geçtiler. Birikintinin çamur kıyısı, birçok hayvanın ayaklarının altında iyice çiğnenmişti, bunların arasında düzenli olarak oradan su içen bizon sürüleri de vardı. Karşı kıyıda, akasya ağaçlarının çiçek açmış olduğu ve açık çayırların taze yeşil otlarla kaplandığı bir yere geldiler.

Şafak bütün haşmetiyle sökmüştü, hava serin ve tatlıydı. Orman sakinleri uyanmaya başlıyordu. Adamlar birkaç dakika durup böcek ve kök arayan babun maymunlarını seyrettiler. Önde genç dişiler oluyordu, uyanık ve tehlikelere karşı tetikteydiler. Onların peşinde emzikli dişiler vardı. Kuyruklarını dik tutup çıplak gerilerini ve üreme organlarını gösteriyor, olgun ve istekli olduklarını belirtiyorlardı. Bir kısmının sırtına jokey gibi binmiş yavruları vardı. Daha büyük yavrular neşeyle oynaşıp, çayırda birbirlerini kovalıyorlardı. Onların arkasından muhafız gücü olarak kasıntılı ve kibirli iri dişiler yürüyordu, keşif kolundaki genç dişilerin önüne çıkabilecek herhangi bir tehlike karşısında savunmaya geçmeye hazırdılar. Küçük bir kıvrık boynuzlu, beyaz lekeli Afrika ceylanı sürüsü de adımlarını onlara uyduruyordu. Tetikte duran dişi maymunları, leoparlara ve diğer yırtıcı hayvanlara karşı nöbetçi ve gözcü olarak kullanmaktaydılar.

Hayvanların geçit töreni bitince adamlar yola devam ettiler, ama Manyoro mızrağıyla otlağın sonundaki yumuşak toprağı gösterince tekrar durdular; toprak iri toynaklar tarafından çiğnenmişti. "İşte sürü."

"Kaç tane Manyoro?"

"İki, belki de üç yüz."

"Ne zaman?"

Manyoro gökyüzünde kısa bir yay çizdi.

Leon, Kermit için, "Bir saatten az," diye tercüme etti. "Günün sıcak saatlerini yatarak geçirmek için ağır ağır tepelerin altındaki sık ağaçlıklı bölgeye gidiyorlar. Sana söylediğimi sakın unutma. Sadece üç dört yaşındaki dişilere ateş ediyoruz."

Kermit, "Büyük erkekleri neden vuramıyoruz?" diye sordu.

"Çünkü etleri araba lastiği kadar sert olur, tatları ise daha da beterdir. Aç bir Ndrobo bile onlara elini sürmez." Kermit mutsuz bir şekilde başını salladı.

Leon tekrar Manyoro'ya baktı. "İz sürelim."

Yaklaşık bir buçuk kilometre sonra seyrek çalılar sıklaşmaya başladı. Kısa bir mesafe içinde öylesine sıklaşmışlardı ki birkaç metreden ötesini görmek imkânsız hale gelmişti. Aniden Manyoro elini kaldırdı ve durup dinledi. İleriden iri bedenlerin hareket ettiğini belli eden sesler geliyordu, sonra da meme isteyen bir buzağının acıklı böğürtüsünü duydular.

Leon, Kermit'e eğilip, "Tamam!" diye fısıldadı. "Başlıyoruz. Bizden biri ateş edene kadar sen de etme. Beyinden vurmak için iyice yaklaşmak zorundayız. Gövdeye ateş etme. Etin tahrip olmasını istemeyiz, hem de bu sık bitki örtüsünün içinde yaralı bir bizonu kovalamak bizi fazlasıyla yorar." Maynoro'ya başıyla işaret verdi ve yola devam ettiler.

Önceki kurak mevsimde bir orman yangını atlatan ve bitkilerin yeniden çıkmaya başladığı bir yere geldiler. Bitki örtüsü yüzlerce kara sırtın görünmesine izin verecek kadar alçak, ama vücutlarının geri kalanını saklayacak kadar da yüksekti. Sürü bir yandan otladığı için başları aşağıdaydı. Sonra bir tanesi gelip gözlerini onlara dikti. Boynuz dipleri başın üstünde birleşiyor, uçları hayvana hüzünlü bir ifade verecek şekilde iki yana doğru kıvrılıyordu. Hemen durdular, bizon onların insan olduğunu fark etmemişe benziyordu. Ağzındaki kaba otları çiğnemekle meşguldü ve bir süre sonra homurdanıp otlanmak için tekrar başını eğdi.

Leon, "Manyoro burası çok sık," diye fısıldadı. "Ama yön değiştirdiler. Geç vakte kadar burada yatacak gibi görünmüyorlar. Şimdi, sabah geçtiğimiz nehre doğru gidiyorlar. Bence su içmek niyetindeler."

"*Ndio* Bwana. Bize bir daire çizdirecekler. Nehir hemen şu küçük tepenin bu tarafında akıyor." Manyoro bir buçuk kilometre kadar uzaktaki tepeciği göstermişti.

Leon, "Sen sürünün başına geç, biz de o su birikintisinin üstünde bekleyelim," diye emretti.

Tek sıra halinde hızlı adımlarla Manyoro'nun peşine düştüler ve rüzgâr altında kalarak, ağır ağır ilerleyen sürünün etrafından bir halka çizdiler. Sürüyü geride bırakınca koşmaya başladılar ve nehre yöneldiler. Oraya varınca da geniş, kumlu dere yatağını aşıp karşı kıyıdaki ağaçların arasında mevzilendiler.

Sürü liderinin etrafında birkaç bizonla kıyıya inmesi için fazla beklemediler. Homurdanarak ve susuzluktan kıvranarak suya giren öncü hayvanlar, su karın hizalarına kadar gelince başlarını eğerek hırsla içmeye başlamışlardı. Çıkardıkları gürültü Leon'un Kermit'e fısıltıyla söylediklerini bastıracak kadar yüksekti.

"Sürünün yanından sana en yakın duran dişilerden birini seç. Atış menzili otuz metre. Unutma, kafaya ateş edeceksin. Iskalarsan sana destek atışı yapacağım."

Kermit de, "Iskalamam," diye fısıldadı ve Winchester'ini kaldırdı. Leon, Amerikalının titrediğini fark etti. Tüfeğin namlusu bilinçsizce sallanıyordu.

Tecrübesiz avcı heyecanı! Leon, ilk defa büyük bir ava katılan acemi avcılara has o kontrolsüz heyecanın belirtilerini tanımıştı. Ateş etmemesini söylemek için ağzını açtı ama Winchester kükredi ve namlu havaya fırladı. Leon merminin suyun kenarındaki çok büyük bir erkeğin hörgücünü sıyırdığını ve tam arkasında duran dişinin sağrısına saplandığını gördü. Winchester'in şiddetli geri tepmesi yüzünden Kermit'in dengesini yitirdiğini ve bir an için görünmez olduğunu fark etti. O daha toparlanamadan Leon, arka arkaya iki el ateş etti. İlk mermisi yaralı erkek bizonu boynuzlarının dibinden vurmuş ve hayvan daha yere düşmeden ölmüştü. İkinci de yaralı dişiyi tam toparlanıp sudan çıkmaya çalışırken yakalamıştı. Omuriliğin başladığı yerden vurulmuştu. Hayvan gürültüyle beyaz kumlara devrildi ve orada hareketsiz kaldı.

Leon'un solunda duran Hennie, makine gibi aralıksız çalışarak, panik halinde dönüp duran hayvanlara ateş ediyordu. Her atışında bir tanesi devriliyordu. Kermit, Winchester'in geri tepmesinden sonra toparlanmış ve ateş ettiği erkekle dişinin öldüğünü görmüştü. Kovboylar gibi bağırmaya başladı. "Yi-hu! Tek atışla iki tane hakladım."

Tüfeğini yeniden kaldırdı ama Leon bağırdı. "Bu kadar yeter! Ateş etme." Kermit onu duymamış gibiydi. Tekrar ateş etti. Leon merminin gittiği yeri görmek için dönüp baktı, yaralayacağı hayvanın işini bitirmeye hazırdı. Ancak, bu kez Kermit mükemmel bir beyin atışı yapmıştı ve bir bizon daha gürültüyle yere yığıldı.

Leon, "Yeter!" diye bağırdı. "Ateşi kesin!" Kermit'in tekrar doğrultmaya çalıştığı namluyu indirdi. Aşağıda sürü gürültüyle karşı kıyıya çıkmış ve geride dokuz ölü bizon bırakarak ağaçlara doğru koşmaya başlamıştı.

Kermit hâlâ heyecandan titriyordu. "Vay canına!" diye bağırdı. "Hayatımda hiç bu kadar eğlenmemiştim. İki atışla üç bizon vurdum! Bu bir tür rekor olmalı."

Leon onun çocuksu sevinciyle eğleniyordu. Gerçekleri anlatıp onu utandıramazdı. O da Kermit'le gülmeye başladı. "Bravo Kermit!" Omzuna vurdu. "O ne atıştı öyle. Hiç böylesini görmemiştim." Kermit kendinden geçmiş bir şekilde sırıtıyordu. Leon ise o beyaz yalanın hayatını sonsuza kadar değiştireceğini aklından bile geçirmemişti.

Devasa leşleri parçalamayı bitirdiklerinde hava kararmıştı. Gece vakti arabanın süspansiyonunu zorlayacak kurumuş ağaç kökleri ve karınca yuvalarıyla dolu büyük hayvanların yolundan geçip gitmeyi göze almaktansa, nehir kıyısında kamp kurdular. İsmail yemekte onlara bizon dili pişirdi ve sonra ateşin başında kahvelerini yudumladılar. Gecenin karanlığında bizon kanının ve iç organlarının kokusuna gelen, kampın etrafındaki karanlık bitki örtüsünde hıçkırıp haykıran sırtlanları dinlediler. Hennie sırt çantasını kurcalayıp bir şişe buldu ve mantarını çıkarıp Kermit'e ikram etti. O da kaldırıp ateşin ışığına tuttu. Şişe yarısına kadar açık kahverengi bir sıvıyla doluydu.

"Başkan, kampta sert içkilere izin vermiyor. Bir aydır gerçek bir içki içmemiştim. Bu ne tür bir zehir?" diye ihtiyatla sordu.

"Cape'in oradaki Malmesbury'de oturan halam şeftaliden yapıyor. Mampoer deniyor buna. Göğüs kıllarını diken diken eder ve sanki karnın iri saçmalarla doluyormuş gibi olur."

Kermit bir yudum aldı. Ağzındaki içkiyi yutunca gözleri irileşti. "Sen adına ne dersen de. Bence bu yüzde yüz kaçak viski." Elinin tersiyle ağzını silip şişeyi Leon'a aktardı. "Sen de parlat bir tane ahbap!" Hâlâ çok sevinçliydi ve Leon onun bizonları öldürdüğünü düşünmesine izin verdiği için daha da mutluydu. Şişe boşalana kadar iki tur döndü ve üçü iyice samimi bir havaya girdiler.

Kermit, "E, Hennie, demek sen Güney Afrikalısın. Savaşta da orada mıydın?" diye sordu.

Hennie cevap vermeden önce bir dakika düşündü. "Ya, oradaydım."

"Amerika'da savaş hakkında bir sürü şey okuduk. Gazeteler bu savaşın bizim Güneylilerle savaşmamıza benzediğini yazıyordu. Zor ve acı bir savaş."

"Bazılarımız için daha da kötüydü."

"Sen de çarpışmalara katılmış gibisin."

"Evet, de la Rey'le birlikteydim."

Kermit, "Hakkında bir şeyler okumuştum," dedi. "En büyük komando lideriymiş. Anlatsana biraz."

İçki, her zaman suskun olan Boer'in dilini gevşetmişti. Bozkırda otuz bin Boer çiftçisinin, dünyanın en güçlü imparatorluğunu sonuna kadar zorladığı savaşı anlatırken adeta gevezeleşmişti.

"O lanet olası Kitchener Kasabı çiftliklerde bıraktığımız kadınlarla çocukları hedef almasaydı asla teslim olmazdık. Çiftlikleri ateşe verip sığırları öldürdü. Bütün kadınlarla çocukları önüne katıp toplama kamplarına sürdü ve yemeklerine balık kancaları attırdı ki ölmeden önce kan tükürsünler." Pörsümüş yanık yanaklarından bir damla yaş süzüldü. Hemen silip beceriksizce özür diledi. "Ihh! Özür dilerim. Mampoer içkisi yüzünden, ama kötü anılardı. Karım Annetjie de kamplarda öldü." Ayağa kalktı. "Yatmaya gidiyorum. İyi geceler." Battaniyesini alıp karanlığa doğru uzaklaştı. O gittikten sonra Kermit'le Leon bir süre sessizce oturdular, ikisi de hüzünlenmişti.

Leon yumuşak bir sesle konuşmaya başladı. "Balık kancası değildi. Onları öldüren difteriydi. Hennie bunu kasten yapmadığımızı anlayamaz. Boer kadınları hep açık havada yaşar. Kalabalık oldukları ve bir arada yaşadıkları için hijyen nedir bilmezler. Kampları nasıl temiz tutacaklarını da bilemediler. Pis mikrop yuvalarına döndü kamplar." İçini çekti. "Savaştan beri İngiliz Hükümeti durumu telafi etmeye çalışıyor. Çiftliklerini yeniden kursunlar diye milyonlarca pound ödediler. Geçen yıl serbest seçimlere izin verdiler. Şimdi iki Boer generali, Louis Botha ve Jannie Smuts yönetiyor ülkeyi. Hiçbir muzaffer ülke yenilen tarafa Britanya'nın gösterdiği cömertliği ve yüce gönüllüğünü göstermemiştir."

Kermit, "Ama Hennie'nin neler hissettiğini de anlıyorum," dedi. "Bizim ülkemizde de kırk yıl sonra bile unutmayı ve bağışlamayı başaramayan Güneyliler var."

Ertesi sabah Hennie aralarında o konuşma hiç geçmemiş davrandı. Kahve ve kalan soğuk dille kahvaltılarını yaptıktan sonra arabaya bindiler. İz sürücülerle post yüzücüler de kanlı bizon parçalarını erzak katırlarına yükledi. Hennie arkadan izlerken, Kermit, Leon'u arabayı kullanmasına izin versin diye kandırdı.

Kermit'in her zaman neşeli ve umursamaz bir ruh hali vardı. Leon onun arkadaşlığını eğlenceli buluyordu. Ortak yönleri oldukça fazlaydı. Her ikisi de atlara, motorlu arabalara ve avlanmaya meraklıydı ve konuşacak çok şey buluyorlardı. Her ne kadar Kermit açık etmese de belli ki zengin ve güçlü bir adamın oğluydu ve babası hayatına hâkimdi.

Leon, "Benim babam da aynen öyleydi," dedi.

"E, sen ne yaptın?"

"Dedim ki, 'Sana saygım var baba, ama senin kurallarına göre yaşayamam.' Sonra da evden ayrılıp orduya katıldım. Dört yıl önceydi. O zamandan beri de eve dönmedim."

"Aman Tanrım! Bu, mangal gibi yürek ister. Ben de hep böyle yapabilmek istedim ama asla yapmayacağımı biliyorum."

Leon, Kermit'i tanıdıkça daha çok hoşlandığını fark ediyordu. Ne olmuş yani, diyordu. Tamam, manyak gibi ateş ediyor ama kimse kusursuz değildir. Sohbet sırasında Kermit'in iyi bir doğa uzmanı ve kuş bilimci olduğunu keşfetmişti. Smithsonian'dansan öyle olur tabii, diye düşünmüş; ilginç bir böcek, kuş ya da küçük bir hayvan gözüne takıldığında Kermit'e göstermeye başlamıştı.

Karşılarına aniden iki beyaz adam çıktığında Kermit'in önceki gün atını bıraktığı yere, yani kampın birkaç kilometre ötesine gelmek üzereydiler. Adamlar da safari kıyafeti giymişti, ama ikisinde de tüfek yoktu. Ancak, büyük bir fotoğraf makinesi ve üç ayaklı sehpasıyla donanmış durumdaydılar.

Kermit, "Lanet olsun! Dördüncü eyaletten beyefendiler," diye mırıldandı. "Bunlardan kurtuluş yok." Durdu. "Bence onlara nazik ve iyi davranmalıyız, yoksa ipliğimizi pazara çıkarırlar."

İki yabancıdan uzun boylu olanı telaşla şoför mahalline yaklaştı. "Pardon beyler." Şirin şirin gülümsüyordu. "Affınıza sığınarak birkaç soru sorabilir miyim? Acaba sizler de Başkan Roosevelt'in safari grubundan olabilir misiniz?"

"Dr. David Livingstone'un ölümsüz sözleriyle ifade edersek, sanırım siz Associated Press'ten Bay Andrew Fagan'sınız." Kermit de şapkasını geri itip gülümseyerek konuşmuştu.

Gazeteci hayretle irkildi, sonra Kermit'e daha dikkatli baktı. "Bay Roosevelt Junior!" diye bağırdı. "Lütfen beni bağışlayın. Uyku sersemliğiyle tanıyamadım sizi." Kermit'in kirli, kanlı giysilerine bakıyordu.

Leon, "Junior da kim?" diye sordu.

Kermit utanmış gibiydi ama Fagan çabucak atıldı. "Kiminle dolaştığınızı bilmiyor musunuz? Bu Bay Kermit Roosevelt, Birleşik Devletler Başkanı'nın oğlu."

Leon suçlarcasına yeni arkadaşına baktı. "Bana söylememiştin!"

"Sormadın ki."

Leon, "Sen yine de söyleyebilirdin," diye ısrar etti.

"Aramızdaki ilişki bozulabilirdi. Hep öyle olur."

"Bu genç arkadaşınız kim Bay Roosevelt?" Andrew Fagan hemen cebinden defterini çıkarmıştı.

"Benim av rehberim Bay Leon Courtney."

Fagan kuşkulu bir şekilde, "Çok genç görünüyor," dedi.

Kermit, "Afrika'nın en büyük avcılarından biri olmak için uzun, gri bir sakalınız olması gerekmiyor," diye cevap verdi.

"...Afrika'nın en büyük avcılarından biri!" Fagan hızla not alıyordu. "Adınız nasıl yazılıyordu Bay Courtney? İki e mi, tek e mi?"

"Sadece bir tane." Leon huzursuz olmuştu, dönüp Kermit'e baktı. "Gördün mü, beni neye bulaştırdın?"

"Sanırım avdaydınız." Fagan arabanın arkasındaki erkek bizon başını gösteriyordu. "Kim vurdu bunu?"

"Bay Roosevelt."

"Nedir o?"

"Cape bizonu, *Syncerus caffer.*"

"Tanrım, kocamanmış! Birkaç resim alabilir miyiz lütfen Bay Roosevelt?"

"Ancak bize de birkaç baskısını verirseniz. Biri Leon'a, biri de bana."

"Elbette. Tüfeklerinizi de alın. Boynuzların iki yanında durun lütfen." Fotoğrafçı sehpasını kurup ayarlarını yaptı. Kermit sakin ve neşeli görünüyordu, Leon ise idam mangasının karşısında duruyormuş gibiydi. Flaş büyük bir duman bulutu çıkararak patladı, post yüzücüler ve kamp personeli yerlerinden zıplamışlardı.

"Tamam! Harika! Şimdi şu kırmızı pelerinli kabile üyesini de resme katabilir miyiz? Söyleyin de mızrağını kaldırsın. Böyle. Nedir kendisi? Şef filan mı?"

"Masai'lerin kralıdır."

"Şaka yapmayın! Söyleyin de kızgın baksın."

Leon, Manyoro'ya Maa dilinde, "Bu aptal senin kadın gibi giyindiğini düşünüyor," dedi ve Manyoro fotoğrafçıya yiyecekmiş gibi bakmaya başladı.

"Şahane! Tanrım çok güzel!"

Ancak yarım saat sonra yola devam edebildiler.

Leon, "Hep böyle mi oluyor?" diye sordu.

"Alışıyorsun. Onlara karşı kibar davranmak zorundasın, yoksa hakkında bir sürü pislik uydururlar."

"Yine de bana babanın Başkan olduğunu söylemen gerekirdi."

"Yine avlanabilir miyiz birlikte? Bana rehber olarak Mellow denen yaşlı birini verdiler. Okul çocuğuymuşum gibi davranıyor ve ateş etmeme engel olmaya çalışıyor."

Leon bir süre düşündü. "İki gün içinde ana kamp, Ewaso Ng'iro Nehri'ne doğru yola çıkıyor. Onlardan önce çadırları ve ağır ekipmanı oraya nakletmem lazım. Fakat patronum izin verirse seninle tekrar avlanmayı ben de isterim. Mütevazı soyuna rağmen fena biri sayılmazsın."

"Patronun kim?"

"Percy Phillips adında yaşlı bir beyefendi, tabii bunu yüzüne karşı söylemesen daha iyi olur."

"Onu tanıyorum. Sık sık babamla ve Bay Selous'la yemek yiyor. Elimden geleni yapacağım. Bay Mellow'a daha fazla dayanabileceğimi sanmıyorum."

Leon'un kaderi Kermit'in eliyle değişiyordu. Büyük safarinin, Ewaso Ng'iro Nehri'nin güney kıyısındaki yeni yerine yerleşmesinden iki gece sonra, Lort Delamere'nin baş aşçısı Başkan için bir Şükran Günü daveti hazırlamakla görevlendirildi. Hindi olmadığı için Başkan kendi eliyle dev bir toy kuşu vurdu. Şef, kuşu pişirdi ve baharatlı bizon karaciğerinden bir iç hazırladı.

Ertesi sabah kamptakilerin yarısı berbat bir ishalle uyandı, belli ki bizon karaciğeri sıcaktan bozulmuştu. Demir gibi sağlam olan Roosevelt bile etkilenmişti. Kermit'in rehberi olarak belirlenen Frank Mellow, en kötü durumda olanlardan biriydi ve kamp doktoru, Nairobi'deki hastaneye götürülmesini emretmişti.

O içten yememiş olan Kermit bu avantajlı durumu kullandı. Babası dışardaki tuvalette mahsur kalmış durumdayken yeni atanacak rehber meselesini tartıştı. Roosevelt oğlunun talebine ancak sembolik olarak karşı koyabildi ve böylece Kermit bir başkanlık emriyle Percy Phillips'e gidebildi. O akşam Leon kendini Percy'nin çadırında buldu.

"Niyetin nedir bilmiyorum ama yer yerinden oynadı. Kermit Roosevelt, Frank Mellow'un yerine senin geçmeni istiyor ve babasından bunun için izin almış. Bana danışmadıkları için kabul etmekten başka çarem yok." Leon'a baktı. "Henüz yeterince pişmiş değilsin. Daha bir aslanla, leoparla veya gergedanla karşılaşmadın ve ben de Başkan'a her şeyi böylece anlattım. Fakat hasta olduğu için beni dinlemek istemedi. Kermit Roosevelt vahşi ve pervasız bir delikanlı, tıpkı sana benziyor. Eğer başına bir şey gelirse senin de, benim de işimiz biter. Bir daha asla müşteri bulamam ve seni kendi elimle yavaş yavaş boğarım. Anladın mı?"

"Evet efendim, gayet iyi anladım."

"Pekâlâ, hadi bakalım. Seni durduramam."

"Teşekkür ederim efendim." Leon tam çıkarken Percy durdurdu.

"Leon!"

Leon şaşkınlıkla dönüp baktı. Percy daha önce hiç adıyla seslenmemişti. Sonra, daha da şaşırarak Percy'nin gülümsediğini gördü. "Bu senin için büyük bir fırsat. Bir daha asla böylesini bulamazsın. Şansın yaver gider, aklını da iyi kullanırsan ta tepeye çıkarsın. İyi şanslar."

Ertesi gün Leon'la Kermit belli bir av hayvanı aramadan, ama günün getireceklerine de hazırlıklı olarak dolaşıyorlardı.

"Bir aslan bulursak, şöyle siyah yeleli kocaman yaşlı bir erkek, rüyalarım gerçek olacak. Babam bile hiç vuramamış onlardan."

Leon, "Masai Bölgesi'nden çıkana kadar beklemek zorunda kalabilirsin," dedi. "Bu ülke büyük siyah yeleli aslanlar için çok tehlikeli bir yerdir."

"Neden?" Kermit şaşırmış gibiydi.

"Çok genç bir *morani* bile, bir aslan öldürsem de erkekliğimi ispat etsem diye bekler. Aynı yıl sünnet olacak *morani*'ler topluca ava çıkarlar. Bir aslan bulup etrafını sararlar. Aslan kaçamayacağını anlayınca adamlardan birini seçer ve ona saldırır. *Morani*'nin öylece durması, saldırıyı kalkanı ve *assegai*'siyle karşılaması gerekir. Aslanı öldürürse yelesinden savaş başlığı yapmasına ve onurla başında taşımasına izin verilir. Ayrıca kabiledeki istediği kızı seçebilir. Bu gelenek aslan nüfusunu bir şekilde azaltıyor."

"Ben olsam önce kızı alırdım." Kermit güldü. "Ama insan bu tür bir cesarete hayran oluyor. Muhteşem bir halk. Şu senin Manyoro'ya bak mesela. Bir panter zarafetiyle hareket ediyor."

Manyoro atların önünde hızla yürüyordu ama tam o anda durmuş, mızrağına dayanarak atlıların yetişmesini beklemeye başlamıştı. Açık düzlükte, bir çalı kümesinin kenarında duran kocaman kara şekli gösterdi. Hemen hemen bir buçuk kilometre uzaktaydı, sıcağın yarattığı pus yüzünden hayal meyal seçilebiliyordu.

"Gergedan. Buradan bakınca koca bir bizonu andırıyor." Leon eyer torbalarından, Percy'nin çıraklıktan tam teçhizatlı avcılığa yükselişinin nişanesi olarak verdiği Carl Zeiss dürbünü buldu. Mercekleri ayarladı ve uzaktaki şekli inceledi. "Tamam, gergedan, hem de gördüğüm en büyük gergedan. Boynuzu inanılır gibi değil!"

"Babamın birkaç gün önce vurduğundan da mı büyük?"

"Çok daha büyük derim."

Kermit hararetle, "İstiyorum onu," dedi.

Leon, "Ben de," diyerek ona katıldı. "Rüzgâr altında çember oluşturup şu çalılara saklanarak izleyeceğiz. Hedefi bulman için otuz, kırk metre kadar yakınında olmamız lazım."

"Frank Mellow gibi konuşuyorsun. Ya dört ayak üstünde gitmemi ya da çıngıraklıyılan gibi karnımın üstünde sürünmemi istiyorsun. Bunlardan bıktım artık." Kermit şimdiden av heyecanıyla titremeye başlamıştı. "Şimdi sana Eski Batı'da sınır sakinlerinin nasıl bizon avladığını göstereceğim. Beni takip et ahbap." Bunları der demez kısrağının böğrünü topukladı ve uzaktaki hayvana doğru dörtnala gitmeye başladı.

Leon arkasından, "Kermit bekle!" diye bağırdı. "Aptallık etme." Fakat Kermit dönüp bakmadı. Dizinin altındaki yerinden Büyük Sihirbaz'ı çıkardı ve havaya kaldırdı.

Leon, "Percy haklı, sen vahşi ve pervasız bir delikanlısın," diye söylenerek kendi atını topukladı.

Gergedan geldiklerini duymuştu ama gözleri iyi görmediği için yerlerini tam olarak kestiremiyordu. Koca bedenini bir o yana bir bu yana çevirip toprağı tekmeliyor, feci şekilde homurdanarak küçük, miyop gözleriyle etrafına bakınıyordu.

"Yi-huu!" Kermit kovboy narasını atmıştı.

Sesi izleyen gergedan atla binicisine odaklandı ve aniden saldırıya geçti, doğruca üstlerine gidiyordu. Kermit üzengilerin üstünde yükselip tüfeğini kaldırdı ve dörtnala giden atın sırtından ateş etti. İlk mermisi gergedanın sırtının üstünden geçmiş, hayvanın iki yüz metre ilerisinde toprağa saplanmıştı. Namluya çabucak mermi sürüp tekrar ateş etti. Leon kurşunun hayvanın etine saplanırken çıkardığı sesi duymuş ama neresi olduğunu görememişti. Gergedan hiç etkilenmemiş, aksine ata doğru daha da hızlanmıştı.

Kermit'in bir sonraki çılgın atışı da isabetsiz oldu ve Leon gergedanın ön ayaklarının altından kalkan tozu gördü. Kermit bir daha ateş etti, Leon bu merminin sarkık gri deride bir etki yarattığını fark etti. Hayvan ıstırapla sıçradı, boynuzunu havaya kaldırdı, sonra atı boynuzlamak üzere indirdi.

Fakat Kermit onun için fazla hızlıydı. Usta bir polo oyuncusunun çevikliğiyle dizlerini kullanarak atını çevirmişti. Atla gergedan yan yana gelip aksi yönlere doğru koştular ve gergedan son anda boynuzuyla Kermit'e hamle yaptıysa da sivri ucu dizinin bir karış ötesinde kaldı. Aynı anda Kermit eyerden sarkmış ve namluyu neredeyse hayvanın çıkık kürek kemiklerinin ortasına değdirerek ateş etmişti. Gergedan kurşunu yiyince omuzlarını kabartıp sıçradı. Atın peşinden koşmak üzere döndü ama artık adımları kısa ve sarsaktı. Açık ağzından kanlı köpükler geliyordu. Kermit atının dizginlerini çekerken tüfeğini bir daha doldurdu, sonra iki kez daha ateş etti. Bu son mermileri de yiyince gergedanın bedeni sarsıldı ve hızı iyice azaldı. Koca kafası öne düştü ve iki yana yalpalamaya başladı.

Dörtnala yaklaşan Leon bu feci manzara karşısında dehşete düşmüştü. Adil ve dengeli bir av kavramına her bakımdan tersti. Şu ana kadar Kermit'i veya atını vururum korkusuyla bu vahşete müdahale edememişti, ama artık atış alanı açıktı. Yaralı gergedan otuz adımdan daha yakındı ve Kermit uzakta tüfeğini yeniden doldurmakla meşguldü. Leon atını dizginleyip durdurdu. Ayaklarını üzengilerden kurtarıp elinde Holland'la yere atladı. Gergedanın omuriliğinin kafatasına birleştiği noktaya nişan aldı ve mermisi celladın baltası gibi omuriliği yarıp geçti.

Kermit leşin yanına gelmiş ve atından inmişti. Yüzü kıpkırmızıydı, gözleri parlıyordu. "Yardımına teşekkürler ahbap." Güldü. "Tanrı aşkına! Sahiden nefes kesiciydi! Vahşi Batı tarzı avı nasıl buldun? Muhteşem değil mi?" Olanlardan en küçük bir pişmanlık ya da suçluluk duymuyordu.

Leon öfkesini bastırmak için derin bir nefes aldı. Ölçülü bir sesle, "Vahşiydi, o kadarını söyleyebilirim. Muhteşemliğindense pek emin değilim," dedi. "Şapkamı düşürmüşüm." Eyere atlayıp o tarafa doğru gitti.

Şimdi ne yapacağım, diye düşünüp durumu tartmaya çalışıyordu Leon. Onunla güç gösterisine mi kalkışacağım? Kendine başka bir rehber bulmasını mı söyleyeceğim? İleride şapkasını görünce atı oraya sürdü ve indi. Şapkasını alıp bacağına vurarak tozunu aldı. Sonra başına geçirdi. Dikkatli ol Courtney! Yanlış bir adım atarsan bitersin. Mısır'a gidip babanla çalışmak zorunda bile kalabilirsin.

Atına binip ağır ağır Kermit'in ölü gergedanın yanında, hayvanın uzun kara boynuzunu okşayarak beklediği yere gitti. Leon atından inerken Kermit başını kaldırıp ona baktı, düşünceli bir hali vardı. Hafif bir sesle, "Canını sıkan bir şey mi var?" diye sordu.

"Başkan bu boynuzu görünce ne hissedecek diye endişeleniyorum. Rahat rahat bir buçuk metre vardır. Umarım parlak yeşil bir renk almaz." Leon doğal bir şekilde tebessüm etmeyi başarmıştı. Bu sözlerin mükemmel bir barış teklifi olduğunun farkındaydı.

Kermit gözle görülür biçimde rahatladı. "O renk babama çok yakışabilir. Ona göstermek için sabırsızlanıyorum."

Leon başını kaldırıp güneşe baktı. "Geç oldu. Ana kampa bu gece dönemeyiz. Burada kalacağız."

İsmail bir katırla onları izliyor, yedeğinde çektiği katırda da mutfak eşyalarını taşıyordu. Bulundukları yerde hemen kamp kurdular.

Hava iyice kararmadan önce İsmail onlara yemeklerini getirdi. Kucaklarında emaye tabaklarıyla eyerlerine yaslanıp sarı pilava ve Tommie etinden pişirilmiş güvece daldılar.

Kermit ağzı dolu dolu, "İsmail bir büyücü," dedi. "New York restoranlarında bile böylesini yememiştim. Bunu ona da söyle olur mu?"

İsmail iltifatı ağırbaşlılıkla karşıladı.

Leon tabağını sıyırıp kaşıktaki son lokmayı da ağzına attı. Çiğnemeye devam ederken eyer çantasından bir şişe çıkardı. Etiketini Kermit'e gösterdi. "Bunnahabhain malt viski."

Kermit sevinçle gülümsedi. "Bunu da nereden buldun?"

"Percy'den sevgilerle. Ama kendi cömertliğinden haberi yok."

"Tanrım, Courtney, asıl büyücü senmişsin."

Leon emaye kupalarına içki koydu ve zevkle içlerini çekerek ilk yudumlarını aldılar.

Leon, "Bir an için peri vaftiz annen olduğumu ve her dileğini gerçekleştirebileceğimi düşün," dedi. "Ne dilerdin?"

"Güzel ve ateşli bir kız dışında mı?"

"Onun dışında."

İkisi de gülüştüler. Ardından, Kermit sadece bir iki saniye düşündü. "Babamın birkaç gün önce vurduğu fil ne kadardı?"

"Doksan dörde doksan sekiz. Sihirli yüz rakamına ulaşamadı."

"Ben daha iyisini yapmak isterdim."

"Babandan daha iyisini yapmaya fazla takılmışsın. Aranızda bir rekabet mi var?"

"Babam elini attığı her işte başarılı oldu. Daha kırkını devirmeden savaş kahramanıydı, eyalet valisi oldu, başarılı bir avcı ve sporcuydu. Bu kadarı yetmezmiş gibi Amerika'nın gelmiş geçmiş en genç ve en başarılı başkanı oldu. Galiplere saygı duyar, yenilenleri hor görür." Bir yudum daha içti. "Anlattığın kadarıyla seninle aynı durumdaymışız. Bunu anlaman gerekir."

"Sence seni hor mu görüyor?"

"Yok. Beni seviyor ama saygı duymuyor. Saygısını kazanmayı dünyadaki her şeyden daha çok istiyorum."

"Az önce onunkinden büyük bir gergedan vurdun."

Ateşin ışığında boynuzu parlayan muazzam leşe baktılar.

"Bu bir başlangıç." Kermit başını salladı. "Ancak bildiğim kadarıyla babam için fil veya aslan daha önemlidir. Bana onlardan birini bul, peri vaftiz anne."

Manyoro diğer ateşin başında İsmail'le oturuyordu, Leon ona seslendi. "Gelsene kardeşim. Konuşmamız gereken önemli bir şey var." Manyoro gelip ateşin başına oturdu. "Bu Bwana için büyük bir fil bulmamız lazım."

Manyoro, "Ona bir Swahili ismi verdik," dedi. "Bwana Popoo Hima."

Leon güldü.

Kermit, "O kadar komik olan ne?" diye sordu.

"Seni onurlandırmışlar. En azından Manyoro sana saygı duyuyor. Sana bir Swahili ismi vermiş."

Kermit, "Neymiş o?" diye sordu.

"Bwana Popoo Hima."

Kermit kuşkuyla, "Kulağa iğrenç geliyor," dedi.

"Anlamı Bay Hızlı Mermi."

"Popoo Hima ha! Hey! Söyle ona, hoşuma gitti bu!" Kermit memnun olmuştu. "Neden o ismi seçmişler?"

"Ateş etme tarzından çok etkilenmişler." Leon tekrar Manyoro'ya döndü. "Bwana Popoo Hima çok büyük bir fil istiyor."

"Bütün beyaz adamlar büyük fil ister. Ama bunun için Lonsonyo Dağı'na gidip anneme danışmamız lazım."

"Kermit, Manyoro'nun tavsiyesi; gidip bir dağın tepesinde yaşayan Masai'li hanımı görmemiz. Senin fili nerede bulacağımızı söyleyecek."

Kermit, "Bu tür şeylere sahiden inanıyor musun?" diye sordu.

"Evet inanıyorum."

"Eh, öyleyse ben de inanıyorum." Kermit ciddi bir tavırla başını salladı. "Dakota'daki çiftliğimizin kuzeyinde yaşlı bir Kızılderili şaman yaşar. Gidip onu görmeden asla ava çıkmam. Bütün gerçek avcıların küçük, batıl itikatları vardır. Hayatta göreceğin en dik başlı adam olan babamın bile. Sahaya çıktığında hep bir tavşan ayağı taşır yanında."

Leon, "Bayan Şans'a bir selam vermek işe yarar," diye onayladı. "Bu seni götüreceğim hanım da onun ikiz kardeşi. Ayrıca benim analığım."

"O zaman ona güvenebiliriz. Peki ne zaman gidebiliriz?"

"Ana kampa en az otuz iki kilometre mesafedeyiz. Gergedan başını önce oraya götürürsek birkaç gün kaybetmiş oluruz. Onu buraya gizlemeyi düşünüyorum, Manyoro sonra gelir alır. Böylece hemen dağa gidebiliriz."

"Ne kadar sürer?"

"Çabuk davranırsak iki gün."

Ertesi sabah gergedanın başını yüksek bir maun ağacının dalları arasına gizlediler ve sırtlanlarla diğer leş yiyiciler ulaşamasın diye bir kamayla kıstırdılar. Sonra doğuya doğru yola koyuldular ve ancak, hava önlerini göremeyecek kadar kararınca kamp kurdular. Leon atların karınca yiyen çukurlarına girip sakatlanmasını istemiyordu. Gece uyandı ve kendisini huzursuz eden sesin ne olduğunu anlamak için kulak verdi. Atlardan biri kişneyip ayağını yere vuruyordu.

Aslanlar, diye düşündü. Atların peşindeler. Battaniyesini fırlattı ve doğrulurken tüfeğine uzandı. Sonra küllenmekte olan ateşin başında oturan yabancı birini gördü. Aşıboyası rengi bir pelerine bürünmüştü.

"Kim var orada?" diye sordu.

"Benim Loikot. Ben geldim."

Loikot ayağa kalkınca Leon hemen tanıdı, ama çocuk altı ay öncesine göre epey uzamıştı. Aynı zamanda sesi de kalınlaşmış ve tam bir erkek olmuştu. "Bizi nasıl buldun Loikot?"

"Yerinizi Lusima Ana söyledi. Sizi karşılamaya yolladı beni."

Sesleri Kermit'i uyandırmıştı. Uykulu uykulu doğrulup oturdu ve, "Neler oluyor? Kim bu sıska çocuk?" diye sordu.

"Ziyaretine gittiğimiz hanımdan bir haberci. Bizi bulup dağa götürsün diye göndermiş."

"Oraya gittiğimizi nereden anlamış ki? Dün geceye kadar biz bile bilmiyorduk."

"Uyan, Bwana Popoo Hima. Düşünsene. Bu hanım bir büyücü. Gözü yolda, ayağı pedaldadır. Onunla poker oynamak istemezdin."

Sabahın ilk ışıklarıyla Lonsonyo Dağı'nın düşsel mavi ufkun önündeki görüntüsü karşılarındaydı, ama heybetli dağın dibine gelmeleri öğleden sonrasını bulmuş, *manyatta*'ya varıp Lusima'nın kulübesinin önünde attan inmelerinden önce karanlık basmıştı. Lusima, atların sesini duymuş, arkadan vuran ateşin ışığında uzun boyuyla eşikte belirmişti. Beline doladığı boncuklar dışında çıplaktı. Teni yağ ve aşı boyasıyla yeni ovulmuştu ve pırıl pırıl parlıyordu.

Leon önüne gidip bir dizinin üstüne çöktü. "Beni kutsa Ana," dedi.

"Kutsuyorum oğlum." Leon'un başına dokundu. "Ayrıca anne sevgim de senin."

"Sana bir ricacı daha getirdim." Leon ayağa kalkıp eliyle Kermit'e yaklaşmasını işaret etti. "Swahili adı Bwana Popoo Hima."

"Demek büyük beyaz kralın oğlu olan prens bu." Lusima yakından Kermit'in yüzüne baktı. "Güçlü bir ağacın sürgünü, ama asla o ağaç kadar yüksek olmayacak. Ormanda sadece bir ağaç öbürlerinden yüksek olur, tek bir kartal diğerlerinden yüksekte uçar." Kermit'e kibarca gülümsedi. "Bütün bunları kalbinin derinliklerinden biliyor ve bu yüzden kendini küçük ve mutsuz hissediyor."

Bu kadar öngörüye Leon bile şaşırmıştı. "Babasının saygısını kazanmayı çok istiyor," diye kabul etti.

"Demek ona bir fil bulmam için geldi." Lusima başını salladı. "Sabah olunca *bunduki*'sini kutsayacağım ve avının yönünü göstereceğim. Ama şimdi benimle şölene buyurun. Seninle kan ve süt içmeyen, pişmiş eti tercih eden bu *mzungu* için körpe bir keçi kestim."

Ertesi gün öğle vakti, sığır ağılındaki ağacın altında toplandılar. Tabaklanmış aslan postunda Büyük Sihirbaz yatıyordu. Mavimsi metal yeni yağlanmıştı ve ahşap kısımları parlıyordu. Kurban ayini için gereken taze inek kanıyla sütü, tuz, enfiye ve cam boncuklar hazırdı. Leon'la Kermit yan yana aslan postunun başına çömeldiler, arkalarında da Manyoro ile Loikot duruyordu.

Lusima süsleriyle muhteşem bir şekilde kulübesinin kapısında belirdi. Soylu yürüyüşüyle ağacın altına geldi, köle kızları da hemen arkasındaydı. Adamlar saygıyla el çırpıp duasını okumaya başladılar: "O bizi memelerindeki sütle besleyen büyük kara inektir. Her şeyi gören bekçidir. Kabilenin anasıdır. Yeryüzündeki her şeyi bilen bilge kişidir. Bizim için dua et Lusima Ana."

Lusima, erkeklerin önüne çömeldi ve ayin sorularını sordu: "Dağıma neden geldiniz? Benden dileğiniz nedir?"

Leon, "Silahlarımızı kutsamanı diliyoruz," diye cevap verdi. "Bize büyük gri erkeğe giden yolu göstermen için yalvarıyoruz."

Lusima kalkıp tüfeğe süt, kan, enfiye ve tuz serpti. "Bu silah yöneldiği her şeyi öldüren bir avcı olsun. Mermisi kovana dönen arı gibi yolunu şaşırmasın."

Sonra Kermit'in yanına gitti ve öne eğik duran başına zürafa kuyruğundan asasıyla kan ve süt serpti. "Avı ondan kurtulamasın, çünkü onda avcı yüreği var. Avını şaşırmadan takip etsin. Avcı gözünden hiçbir şey kaçmasın."

Leon fısıldayarak Kermit'e tercüme ediyor, Lusima'nın her cümlesinden sonra el çırpıp onun duasının nakaratını söylüyorlardı: "Büyük kara inek konuştu, dilekleri kabul olsun."

Lusima dar bir çember içinde dönerek dans etmeye başladı. Genç bir kızınkine benzeyen çıplak ayakları hareket ediyor, yağ ve aşıboyasıyla karışan teni değerli bir amber gibi ışıldıyordu. Sonunda aslan postuna serildi ve yüzü çarpıldı. Çenesine kan sızana kadar dudaklarını ısırdı. Bütün bedeni kasılıp sarsılıyor, nefesi hırıltı halinde çıkıyor, ağzını dolduran köpükler kanla karışıp pembe bir renk alıyordu. Konuştuğunda sesi erkek gibi çıkıyordu: "Avcı evine doğru gitsin. Akıllı avcı şafak vakti öten küçük siyah kuşa kulak versin. Tepede beklerse avcı üç kez kutsanacak." Lusima bir nefes aldı ve sudan çıkan av köpeği gibi silkindi.

Akşam İsmail'in hazırladığı tıpkı domuz eti kadar yumuşak olan sulu kirpi rostosunu yerken Kermit tatsız bir sesle, "Eh, şu senin ana bayağı şifreli konuşuyormuş," dedi. "Sence eve dönüp bu işlerden vazgeç mi demek istedi?"

"Şu senin Kızılderili şaman bir kehanet duyduğunda her benzetmeye uygun bir karşılık bulman gerektiğini öğretmedi mi? Her şeyi söylendiği gibi anlamamalısın. Mesela geçen sefer ben yardım istediğimde Lusima, tatlı şarkıcıyı izle, demişti. Sonunda anlaşıldı ki balkuşu denen kuştan bahsediyormuşuz."

"O da bir tür kuş bilimci galiba, ama bu sefer balkuşu değil siyah kuşlardan söz etti."

"Başından başlayalım. Sana evine dön mü dedi, yoksa evine doğru git mi dedi?"

"Evime doğru! Benim evim Amerika'da, New York'ta."

"Eh, bu durumda işin içine kuzey, kuzeybatı girecek diyebilirim."

Kermit, "Aklımıza başka bir şey gelmezse bu da bir fikir," diye hak verdi.

Leon, KAR'dan ayrılırken yürüttüğü ordu işi pusulayla gidecekleri yönü belirledi ve ilk gece küçük, kayalık bir tepenin rüzgâr altında konakladılar. Şafak sökmeden az önce ortalığın aydınlanmasını bekleyerek kahvelerini içiyorlardı. Loikot aniden başını havaya dikti ve susmaları için elini kaldırdı. Konuşmayı bırakıp dinlemeye başladılar. Ses o kadar hafifti ki ancak sabah rüzgârı biraz durunca duyulabiliyordu.

"Nedir bu Loikot?"

"*Chungaji*'ler birbirlerine sesleniyorlar." Kalkıp mızrağını aldı. "Tepeye çıkmam lazım ki dediklerini duyabileyim." Karanlığın içinde gözden kayboldu, diğerleri uzaktan gelen sese kulak vermişlerdi.

Kermit, "İnsan sesine benzemiyor," dedi. "Daha çok serçe ötüşü gibi."

Leon, "Sakın küçük siyah kuşlar olmasın?" dedi. "Lusima Ana'nın küçük siyah kuşları?"

Kahkahalarla güldüler.

"Bence buldun onu. Loikot tepeden indiğinde bize bunu söyleyecek."

Loikot'un seslenişini duydular, öteki seslere göre daha yakından ve anlaşılırdı. Masai'lerin haberleşmesi güneş ufukta iyice yükselene kadar devam etti. Sonra nihayet, rüzgâr ve yükselen sıcaklık iletişimi engeller hale gelince ortalık sessizleşti. Az sonra da Loikot geri geldi. Kurumundan yanına yanaşılmıyordu. Belli ki birileri yalvarana kadar konuşmak niyetinde değildi.

Leon istediğini yaptı. "Söylesene Loikot, sünnet bıçağı kardeşlerinle neler konuştunuz?"

"En çok, on bin hamalı olan safariden ve bir sürü w*azungu*'nun Ewaso Ng'iro Nehri'nde kamp yapışından, Emelika denen ülkenin kralının avladığı hayvanlardan bahsettik."

"Peki ondan sonra ne konuştunuz?"

"Arusha civarındaki sığırlarda kızıl su hastalığı çıkmış. On tanesi ölmüş."

"Acaba Rift Vadisi'nde dolaşan bir filden de söz etmiş olabilir misiniz?"

Loikot, "Evet, ondan da söz ettik," diye cevap verdi. "Hepimiz büyük erkeklerin Rift Vadisi'ne gelme mevsimi olduğunda anlaştık. Son günlerde *chungaji*'ler Maralal ile Kamnoro arasındaki düzlüklerde bir sürü erkek görmüş. Doğuya doğru giden sürüde üç tane büyük erkek varmış." Nihayet tebessüm etti ve sesinde bir telaş belirdi. "Onları yakalayacaksak hemen kuzeye gidip yollarını kesmemiz lazım M'bogo, yoksa Samburuland ve Turkana'ya geçerler."

Atlar onların, "yeryüzünü oburca yutmak" diye tanımladığı şekilde uzun adımlarla koşarken, Manyoro'yla Loikot da önden koşuyordu. Onların arkasından gelen iki atlının gerisinde yine katırına binmiş, kap kacağını yüklediği öbür katırı yedekte çeken İsmail gelmekteydi.

Kermit her zamanki gem vurulmaz halindeydi. "Altında iyi bir at, elinde bir tüfek ve seni bekleyen av! Erkek dediğin böyle yaşamalı."

Leon da, "Ben de başka türlü yaşayabileceğimi sanmıyorum," dedi.

Kermit birden dizginlere asıldı ve şapkasını gözüne siper edip, ilerideki gri dikenli çalı kümesine baktı. "Şurada büyük bir erkek ceylan var," dedi. "Mellow'un bana bulduklarından çok daha büyük."

"Bir ceylan daha mı istiyorsun, yoksa devasa bir erkek fil mi? Karar ver dostum. İkisini birden yapamazsın."

Kermit, "Niye olmasın ki?" diye sordu.

"Sırtında senin adının yazılı olduğu büyük erkek fil hemen şu tepenin ardında olabilir. Şimdi ateş edersen dörtnala kaçıp gider. Nil kıyısına varana kadar da durmaz."

"İz sürücüler! Sen de o kahrolası Frank Mellow kadar kötüsün." Kermit arayı epey açmış olan iki Masai'ye yetişmek üzere atını eşkine kaldırdı.

Öğle sonrasının ortalarında ufuk çizgisini bölen bir dizi alçak dağ gördüler, yumruk yapılmış bir elin eklem yerlerini andırıyorlardı. En yüksek olanın altında kamp kurdular. Ertesi sabah şafak sökmeden ateşin başında kahvelerini içip, İsmail'i ortalığı toparlasın ve atlara göz kulak olsun diye orada bırakarak en yüksek tepeye tırmandılar. Tepeye ulaşınca Loikot vadiye doğru seslendi. Henüz aydınlanmamış uzak bir yerden neredeyse anında karşılık geldi. Bir süre bu şekilde görüşme yaptıktan sonra Leon'a döndü. "Bu konuştuğum Masai değil. Bizim yurdumuzla Samburu arasındaki sınırdan," dedi. "Yarı Samburu'dur, yani yarım kan bizim piç kuzenlerimizin kabilesinden. Onlar da Maa dili konuşur ama bizim gibi değil. Onlarınki komiktir." Sonra gözlerini devirdi ve deli bir eşek anırmasına benzer sesler çıkardı. Manyoro bunu çok komik bulmuş ve yanaklarını döverek döne döne Maa dili konuşan Samburu taklidi yapmaya başlamıştı.

"Artık palyaçoluğu bırakıp şu piç kuzeninin neler söylediğini anlatır mısın?"

Loikot gülmekten soluk soluğa kalmış vaziyette, "Samburu eşeği diyor ki dün gece sürüyü *manyatta*'ya götürürken üç erkek görmüşler. Her birinin çok uzun dişleri vardı diyor."

Leon hevesle, "Hangi yöne gidiyorlarmış?" diye sordu.

"Doğruca bu vadiye, tam bizim bulunduğumuz yere geliyorlarmış." Leon haberi hemen Kermit'e tercüme etti ve gözlerinin parlayışını izledi. "Yani dün o ceylanı vurmana izin verseydim onları yakalama şansımızı hepten yok etmiş olacaktın."

"Gerçekten, yaptıklarım için pişmanım. Gelecekte, her şeyi bilen Yüce Kişi'nin sözünü dinleyeceğime söz veririm." Kermit, Leon'a abartılı bir selam verdi.

"Cehenneme git Roosevelt!" Leon sırıtıyordu. "Gece geçip geçmediklerine baksınlar diye Manyoro'yla Loikot'u vadiye yolluyorum. Ancak, ay yeni olduğu için hava karardıktan sonra yola devam ettiklerini sanmıyorum. En karanlık saatlerde dinlendiklerine ve daha yeni harekete geçmek üzere olduklarına bahse girebilirim." Oturdular ve iki Masai'nin tepeden inip vadideki ağaçların arasında gözden kayboluşunu izlediler.

Kermit birden, "Şimdiye kadar Lusima'nın şafakta öten küçük siyah kuşlarla ilgili sözlerini dinledik. Sonrası için ne demişti?" diye sordu.

"Tepede bekleyen avcının üç kez kutsanacağını söylemişti. İşte tepedeyiz. Bakalım senin üçlü de yola çıkmış mı?"

Güneş ateşli başını ufukta gösterir göstermez Leon sırtındaki dürbünün kayışını çözdü ve bir ağaca sırtını dayadı. Dürbünle ağır ağır aşağıdaki vadiyi taradı. Bir saat sonra Manyoro ile Loikot'un geldiğini gördü ama sakin sakin yürüyor, bir yandan da sohbet ediyorlardı. Dürbünü indirdi. "Acele etmiyorlar, demek ki şansları yaver gitmemiş. Filler bu tarafa gelmemişler. En azından şimdilik." İki Masai yanlarına gelip çömeldiklerinde Leon sorarcasına Manyoro'ya baktı ama o başını salladı.

"*Hapana*. Hiçbir şey." Enfiye kutusunu çıkarıp kendisi çekmeden önce bir tutam Loikot'a verdi. Enfiyeyi burunlarına çekip gözlerini yumarak aksırdılar, sonra da fısıltıyla sohbet etmeye başladılar, böylece sesleri vadiye ulaşamayacaktı. Kermit taş zemine uzandı, şapkasını gözüne indirdi ve birkaç dakika sonra hafiften horlamaya başladı. Leon ise vadiyi gözlemeye devam ediyordu, sadece arada bir dürbünü indirip gözünü dinlendiriyor, gömleğinin eteğiyle mercekleri temizliyordu.

Çağlar boyunca tepeden kopan yuvarlak kayalar vadinin dibine yuvarlanmıştı. Bazıları fil sırtını andırdığı için Leon birkaç kere boş yere heyecanlandı, ama sonradan gördüğü şeylerin fil derisi değil de gri kayalar olduğunu anladı. Dürbününü bir daha indirip Manyoro'ya alçak sesle, "Daha ne kadar beklememiz gerekiyor?" diye sordu.

"Güneş şuraya ulaşana kadar." Manyoro zirveyi gösteriyordu. "Eğer yine gelmezlerse başka yola sapmışlar demektir. O zaman da atlarla Samburu'ların dün onları görmüş olduğu manyatta'ya gitmemiz gerekir. Oradan izlerini sürüp yakalayabiliriz."

Kermit şapkasını kaldırıp, "Manyoro ne dedi?" diye sordu. Leon tercüme edince kalkıp oturdu. "Sıkıldım ben," diye açıkladı. "Bu tam bir, önce koştur, sonra bekle oyunu."

Leon cevap vermeye zahmet etmedi. Dürbününü kaldırıp araştırmaya devam etti.

Vadide, bir kilometre kadar mesafede önceden fark ettiği, çevreye göre daha yeşil olan bir ağaçlık vardı. Yaprakların renginden ve ağaçların sıklığından onların maymun kirazı ağacı olduğunu anlamıştı. Meyveleri mordu ve insanlara acı gelirdi ama vahşi hayatın irili ufaklı tüm üyelerini çekerdi. Ağaçlığın ortasında o kocaman kayalardan biri vardı, kayanın yuvarlak sırtı maymun kirazı ağacının arkasından yükseliyordu. Leon tekrar o kayaya baktı ve tam geçecekken yüreği ağzına geldi. Kayanın duruşu değişmiş gibiydi ve şimdi daha büyük görünüyordu. Leon gözleri sulanana kadar baktı. Kayanın şekli tekrar değişti. Leon nefesini tuttu. O kayanın arkasında bir fil duruyordu. Kaya gizlediği için sadece sağrısı ve kavisli omurgası görünüyordu. Böyle iri bir yaratığın kimseye görünmeden oraya yerleşebilmiş olması, aslında ne kadar sessiz ve sinsice hareket edebildiklerinin bir başka göstergesi olmuştu Leon için. Tekrar nefes alır hale gelene kadar göğsünün astımlı biri gibi tıkandığını hissetti. File bakmaya devam etti ama hayvan bir daha hareket etmemişti. Sadece bir tane olduğu için onların aradığı sürü olamazdı. Muhtemelen avarelik eden bir dişi ya da genç erkekti. Hayal kırıklığına uğramamak için kendini tutmaya çalıştı.

Sonra başka bir hareket daha algıladı ve gözleri sağa kaydı. Maymun kirazı ağacının dalları arasından ikinci bir filin kafası görünmüştü. Yine nefesini tuttu. Bu kesinlikle bir erkekti: Kafası kocamandı, alnı fazla çıkıktı ve kulakları uskuna yelkeni gibi yayılıyordu. Hantalca sallanan gövdeden iki tane uzun, kıvrık diş çıkıyordu, dişler kalın ve parlaktı.

Leon telaşla, "Manyoro!" diye fısıldadı.

"Gördüm M'bogo!"

Leon dönüp bakınca iki Masai'nin de ayağa kalkmış maymun kirazlarına doğru bakmakta olduğunu gördü. "Kaç tane?" diye sordu.

Loikot, "Üç," diye cevap verdi. "Bir tanesi kayanın arkasında. İkincinin yüzü bize dönük, üçüncü de ikisinin arasında ama ağaçlar gizliyor. Sadece bacaklarını görebiliyorum."

Kermit çabucak doğruldu, onların sesindeki gerilimden bir şeyler olduğunu anlamıştı. "Ne oldu? Ne gördünüz?"

"Pek bir şey yok." Leon'un sesi titriyordu. "Sadece devasa bir fil, belki de iki, hatta üç tane. Ama herhalde sen ilgilenemeyecek kadar sıkılmışsındır."

Kermit ayağa fırladı, hâlâ uyku sersemiydi. "Nerede? Nerede?"

Leon gösterdi. Sonra Kermit de gördü. "Şey, ben..." diye söylendi. "Kafama vurun. Çimdikleyin! Bu gerçek değil, değil mi? Rüya görmediğimi söyleyin. O dişlerin sahici olduğunu söyleyin."

"Biliyor musun ahbap? Bana sahici gibi görünüyorlar."

"Tüfeğini al! Hadi peşlerine düşelim." Kermit'in sesi boğuklaşmıştı.

"Ne güzel bir plan Bay Roosevelt. Hiçbir kusur göremiyorum bu planda." Onlar seyrederken üç fil maymun kirazlarının arasından çıkmış, vadide onlara doğru gelmeye başlamıştı. Tek sıra halinde, üzerinde bulundukları tepenin dibinden geçen geniş, el değmemiş hayvan yolunu izliyorlardı.

Kermit, "Benim kehanetimde kaç tane fil vardı?" diye sordu. "Üç mü?"

"Gayet iyi biliyorsun. Üçünü de mi vuracaksın? Açgözlü çocuk."

"En büyük dişler hangisinde?" Kermit, Winchester'ine mermi dolduruyordu.

"Buradan kestirmek zor. Üçü de büyük hayvanlar. En büyüğünü seçebilmek için epeyce yaklaşmamız lazım. Ama acele etsek iyi olur. Çok hızlılar."

Çizmelerinin altından taşları fırlatarak aşağı koştular. Ağaçlar ve eğim yüzünden filleri göremez olmuşlardı. Leon önde, vadinin tabanına ulaştılar. Leon tepenin dibinden sola doğru koşmaya başladı, filleri görebilecekleri yere bir an önce yerleşmek için acele ediyordu.

İri hayvan, geçidine ulaştı. Yol, çağlar boyunca toynakların, patilerin ve ayakların altında ezilip düzleşmişti. Kermit hemen dibinde, iki Masai de birkaç adım gerideydi. Leon ileride, tepeden inen sığ bir derenin yolu kestiğini gördü. Sel taşkınlarıyla oluşmuştu. Onlar dereye ulaşmadan, birkaç şey birden aynı anda gerçekleşti. Leon öndeki filin derenin karşı tarafındaki ağaçların arasından çıktığını, peşine sıralanmış diğer iki fille birlikte kendilerine doğru geldiklerini gördü, aralarında beş, altı yüz metre vardı.

Sonra sol taraflarından, tepenin üstünden bir feryat yankılandı. Nöbetçi babunlardan biri sürüyü uyarıyordu. Aşağıda koşan insanları görmüştü. Yaygarası bütün vadiyi sardı. Üç fil aniden durdu. Birbirlerine yanaşmış kuşkuyla salınıyor, tehlike kokusunu almak için hortumlarını havaya kaldırıyor, sesleri duymak için hassaslaşmış kulaklarını iki yana sallıyorlardı.

Leon herkesi, "Kıpırdamayın!" diye uyardı. "En ufak bir hareketi bile algılarlar." Kendisi de durup dikkatle dinlemeye başladı. Hangi yöne koşacaklar diye merak ediyordu. Kalbi koşmaktan ve duyduğu heyecandan yerinden fırlayacakmış gibiydi. Üç fil de başının her bir yanında en azından elli kiloluk dişler taşıyordu.

Hangi yöne gitmeliyiz, diye düşündü. Sonra kararını verdi. "Onlar bizi keşfetmeden dereye ulaşmak zorundayız," dedi ve tekrar ilerlemeye başladı. Filler yerlerini saptayamadan dereye vardılar ve dik yamaçtan aşağı kayarak, kıyıdaki bitkilerin alçak dallarını yiyen bir impala sürüsünün ortasına indiler. Sürü panikle birbirine girdi ve zıplayıp homurdanan hayvanlar derenin karşı tarafından karaya çıkıp, geniş yoldan doğruca üç erkek file doğru koşmaya başladı.

Lider fil impalaların gelişini görünce olduğu yerde döndü ve dik yamaca doğru koşmaya başladı. Diğer ikisi de peşinden gittiler.

Leon kıyıdan bakarken olup biteni görmüştü. "Kahrolası budala impalalar!" diye homurdandı. Üç fil, tepenin dibindeki ilk bayırda, diyagonal olarak onlardan uzaklaşarak zirveye doğru koşuyordu. Deli gibi, "Hadi Kermit!" diye bağırdı. "Tepeye varmadan önlerini kesemezsek bir daha hiç göremeyiz onları."

Derenin sığ yerinden karşıya koşup tepenin eteğine ulaştılar. Şimdi fillerin iki yüz metre gerisindeydiler. Leon uzun adımlar atarak, yoluna çıkan küçük kayaların üstünden atlayarak tepeye doğru koştu.

Filler bu kadar dik bir yamacı dümdüz giderek tırmanamazdı. Liderleri yana saptı ve zikzaklar çizerek koşmaya başladı. O arada Leon'la Kermit de dümdüz koşarak tırmanıyorlardı. Onların her zikzak yapışında devasa avlarına biraz daha yaklaşmış oluyorlardı.

Kermit, "Böyle devam edebileceğimi sanmıyorum," diye soludu. "Yere yığılmak üzereyim."

"Devam et dostum." Leon arkaya uzanıp Kermit'in bileğini yakaladı. "Hadi! Neredeyse geldik." Kermit'i yukarı sürüklüyordu. "Artık onlardan öndeyiz. Fazla bir şey kalmadı."

Nihayet tepenin zirvesine vardılar ve Kermit bir ağaç gövdesine yaslandı. Gömleği terden sırılsıklam olmuştu, göğsü inip kalkıyor, düdük gibi sesler çıkararak nefes alıyordu. Bacakları felçli gibi titriyordu. Leon bayırdan aşağıya baktı. Lider fil onların seviyesinden otuz metre aşağıda, kıvrıla kıvrıla kendilerine yaklaşmaktaydı. Leon, hayvanın birkaç dakika sonra atış menziline gireceğini ama onları fark etmeyeceğini tahmin etti. Kermit'e, "Hazır ol ahbap. Dön bu tarafa. Düzgün bir atış yapmaya hazırlan. Çabuk. Birkaç saniye sonra buradalar," diye tısladı. "Ancak tek bir şans tanırlar. Lidere nişan al. Omzunun hemen altından, koltukaltından vur. Kalbine gitsin. Beyin atışı yapmaya kalkma."

Lider fil birdenbire görüş alanının üst kısmında hareket eden şekilleri görmüş ve hortumunu kuşkuyla savurarak durmuştu. Dönüp aşağı inmeye niyetlendi ama Manyoro'yla Loikot arkasından geliyorlardı. Kollarını sallayıp bağırarak hayvanı avcıların bulunduğu yöne döndürmeye çalıştılar.

Hayvan yine duraksadı, başını iki yana sallıyordu. Arkadaşları da tam arkasında durmuşlardı. İki Masai ürkütücü sesler çıkarıp kırmızı pelerinlerini sallayarak üstlerine koşuyorlardı. Oysa tepedeki adamlar sessiz ve hareketsiz bekliyorlardı. Bu yüzden, öndeki file daha az tehlikeli göründüler. Tekrar döndü ve Leon'la Kermit'in beklediği yere doğru gitmeye başladı. Öbür ikisi de onu izlediler.

Leon alçak sesle, "İşte geliyorlar, hazır ol," dedi.

Kermit dirseklerini dizleriyle destekleyerek kalçalarının üstünde kıpırdamadan bekliyordu. Ama hâlâ soluk soluğaydı ve Leon heyecandan Winchester'inin namlusunun sallandığını gördü. Kermit'in o ilginç atıcılık gösterilerinden birini yapacağından korkmuştu ama artık vakti gelmişti. Nefesini verip, "Şimdi Kermit! İndir onu!" diye bağırdı.

Kendisi de Kermit ıskalarsa diye Holland'ını hazır tutuyordu, ki ıskalayacağından da emindi. Winchester patlar patlamaz Kermit'in elinde savruldu. Leon şaşkınlıkla tüfeğini indirdi. Mermi öndeki filin omzuna değil, tam kulak deliğine saplanmıştı. Fil dizlerinin üstüne çöktü ve anında öldü. Winchester tekrar patlarken Leon yerinden zıpladı. Yere düşen liderin arkasından gelen fil de mükemmel bir beyin atışıyla ölü olarak devrilmişti. Fakat yamaç tarafına düşmüş ve aşağı yuvarlanmaya başlamıştı. Leş giderek hız kazandı ve gevşek taşları, molozları da çığ gibi peşinden sürükleyerek gürültüyle yere çarptı. Manyoro ile Loikot az kalsın altında kalıyorlardı. Son anda kendilerini yana atabilmişler ve leş yanlarından geçip gitmişti.

Üçüncü erkek, zirvenin altındaki açıklıkta iki grubun arasında sıkışıp kalmıştı. Manyoro bağırarak ayağa fırlayıp *shuka*'sını salladı ve hayvana doğru koştu. Ürken fil yukarı kaçmaya başladı. Leon ile Kermit kaçış yolunda duruyorlardı. Hayvanın kaçışı dehşetli bir saldırıya dönüştü: Dikilmiş kulakları yarı geride, öfkeyle böğürerek üstlerine koşuyordu.

Leon, "Bir daha!" diye bağırdı. "Tekrar ateş et! Vur onu!" Kendisi Holland'ı kaldırdı ama o daha ateş edemeden Winchester üçüncü kez patladı. Bu fil Kermit'in aşağısındaydı, ama saldırı için başını kaldırdığından hedef noktası oldukça yüksekti. Yine de Kermit mükemmel bir hesaplama yapmış ve mermi ölümcül bir isabet kaydetmişti. Son fil de arkadaşları gibi savrularak ani ve acısız bir şekilde öldü. O da yamaçtan aşağı yuvarlandı, tepenin dibine yakın büyük ağaçlara kadar kaydı ve onlara takılıp kaldı. İlk atıştan üçüncü atışa kadar olsa olsa bir iki dakika geçmişti. Leon bir kere bile ateş etmemişti.

Tüfek seslerinin vadiden aşağılara doğru inen yankıları dindi ve ortalığa derin bir sessizlik çöktü. Ne bir kuş ötüyor, ne de bir maymun bağırıyordu. Bütün doğa nefesini tutmuş dinliyor gibiydi.

Sonunda Leon sessizliği bozdu. "Başına ateş diyorum, gövdesine ateş ediyorsun. Gövdesine ateş et diyorum, başına ateş ediyorsun. Sana kolay bir atış sağlıyorum, beceremiyorsun. İmkânsız bir atış sağlıyorum, tam on ikiden vuruyorsun. Ne bu Roosevelt? Bana niye ihtiyacın olduğunu sahiden anlamıyorum?"

Kermit onu duymamış gibiydi. Tere batmış suratında sersemlemiş bir ifadeyle kucağındaki tüfeğe bakakalmıştı. "Tanrı beni seviyor!" diye fısıldadı. "Daha önce hiç bu kadar iyi atış yapmamıştım." Başını kaldırıp üç devasa cesede baktı. Ağır ağır ayağa kalkıp en yakındaki filin yanına gitti. Çömeldi ve sağ elini uzatıp saygıyla uzun, parlak dişleri okşadı. "Olanlara inanamıyorum. Büyük Sihirbaz sanki benim elimden çıkmış gibiydi. Sanki ben bir kenarda durmuş, uzaktan kendimi seyrediyordum." Winchester'i dudaklarına götürdü ve mavimsi metal namluyu öptü. "Merhaba Büyük Sihirbaz, Lusima Ana sana müthiş bir büyü yapmış, değil mi?"

Dişlerin çürüyen etlerden ayrılabilmesi için altı gün beklemeleri gerekti. Daha sonra Manyoro, yakındaki Samburu köylerinden onları Ewaso Ng'iro Nehri'nin kıyısındaki ana kampa taşıyacak hamallar ayarladı. Dönüş esnasında küçük bir ilave tur yapıp gizledikleri gergedan başını da aldılar. Kampa yaklaşırken büyük hayvanları taşıyan hamal grubu seyre değer bir manzara oluşturuyordu. Kamp yönünden kendilerine doğru gelen küçük bir grup atlı gördüklerinde nehirden hâlâ birkaç kilometre uzaktaydılar.

Kermit hevesle sırıtarak, "Bahse girerim babam ne yaptığıma bakmaya geliyordur," dedi. "Bütün bunları görünce suratının alacağı hali sabırsızlıkla bekliyorum."

Gelenleri beklemek üzere kendi atlarını dizginleyince Leon dürbününü alıp grubu inceledi. "Dur! Bu baban değil." Biraz daha baktı. "Şu gazeteciyle fotoğrafçısı. Bizi nerede bulacaklarını nasıl bildiler?"

Kermit, "Sanırım kampımızda bir muhbirleri var. Zaten kendi gözleri de akbaba gibi dört dönüyor," diye yorumda bulundu. "Hiçbir şeyi kaçırmıyorlar. Neyse, onlarla konuşmak zorundayız."

Andrew Fagan yaklaşıp şapkasını kaldırdı. "İyi günler Bay Roosevelt," diye seslendi. "Adamlarınız fildişi mi taşıyor öyle? Bu kadar büyük olduklarını bilmezdim. Hele şunlar dev gibi. Çok başarılı bir safari yaşıyorsunuz. En içten tebriklerimi sunarım. Avladıklarınıza daha yakından bakabilir miyim?"

Leon hamalları çağırıp yüklerini yere sermelerini istedi. Fagan atından indi ve heyecanla bakmaya gitti. "Av hikâyelerinizi dinlemeyi çok isterdim Bay Roosevelt," dedi. "Tabii bana biraz zaman ayırabilirseniz. Ve tabii ki siz ve Bay Courtney birkaç poz daha verirseniz minnettar kalırım. Okurlarım öykülerinize bayılacak. Bildiğiniz gibi, benim yazılarım neredeyse Moskova'dan Manhattan'a kadar medeni dünyanın tüm gazetelerinde yayınlanır." Bir saat sonra Fagan'la fotoğrafçısının işi bitmişti. Fagan aldığı notlarla defterinin yarısını doldurmuş, fotoğrafçı da avcıların ve avladıklarının birkaç düzine resmini çekmişti. Fagan daktilosunun başına geçmek için sabırsızlanıyordu. Yazısını ve talimatlarını bir atlıyla Nairobi'deki telgraf ofisine gönderip, bir an önce New York'taki editörüne ulaştırmak niyetindeydi. Herkes birbiriyle tokalaşırken Kermit birdenbire, "Babamla tanıştınız mı?" diye sordu.

"Hayır efendim, tanışmadım ama kendisinin başlıca hayranlarından biri olduğumu belirtmeliyim."

Kermit, "Yarın sabah ana kampa beni görmeye gelin," dedi. "Sizi tanıştırayım."

Fagan bu davet karşısında kendinden geçmişti, atıyla uzaklaşırken hâlâ teşekkürlerini iletiyordu.

Leon, "Aklında ne var ahbap?" diye sordu. "Dördüncü kuvvetten nefret ettiğini sanıyordum."

"Ediyorum, ama arkadaşlıkları düşmanlıklarından iyidir. Günün birinde Fagan'ı tanımak işime yarayabilir. Şimdi bana borçlanmış oldu."

Leon'la Kermit, o gün öğleden sonra nehir kıyısındaki ana kampa girdiler. Kimse onları beklemiyordu. Başkan kuvvetli bünyesi sayesinde Şükran Günü yemeğinin etkilerinden tümüyle kurtulmuştu. Çadırının önünde, bir ağacın altında oturmuş en sevdiği kitaplardan biri olan Dickens'in *Pickwick Belgeleri*'ni okuyordu. Şaşkın bir ifadeyle oğlunun gelişinin yarattığı karmaşaya baktı. Kampın tüm personeli, yani hemen hemen bin kişi, dört bir yandan kampa dönen avcıları karşılamaya koşuyordu. Kalabalık, dişlere ve gergedan başına daha yakından bakabilmek için başlarına üşüştü.

Teddy Roosevelt kitabını kenara bıraktı, çelik çerçeveli gözlüğünü düzeltti, koltuğundan kalktı, gömleğinin uçlarını göbeğinin üstünden pantolonuna tıkıştırdı ve karmaşanın sebebini görmeye gitti. Kalabalık geçmesi için saygıyla yol açtı. Kermit, babasını karşılamak üzere eyerden atladı. Büyük bir içtenlikle tokalaştılar ve Başkan, oğlunun kolunu tuttu. "Eh oğlum, neredeyse üç haftadır yoksun. Merak etmeye başlamıştım. Şimdi bu ihtiyara neler getirdiğini göster bakalım." İkisi birlikte, hamalların ganimetleri dizdiği yere gittiler. Leon hâlâ atının üstündeydi ve Başkan'ın yüzünü, başların üstünden gayet iyi görecek bir konumdaydı. En ufak bir mimik değişikliğini bile yakalayabilirdi.

Yerde yatan dişleri sayarken Roosevelt'in hafif, keyifli ilgisinin yerini şaşkınlığa bıraktığını gördü. Dişlerin kalınlığını görünce de şaşkınlığın yerini dehşet almıştı. Kermit'in kolunu bırakıp avların yanı sıra yürümeye başladı. Sırtı oğluna dönüktü ama Leon, Başkan'ın duygularının kıskançlık ve öfkeye dönüştüğünü görebiliyordu. Başkan'ın bulunduğu pozisyona gelmesinde, yeryüzündeki en rekabetçi insanlardan biri olmasının payı büyüktü. Her alanda üstün olmaya, her ortamda en önde ve en tepede bulunmaya alışkındı. Şimdi, hayatında ilk kez oğlunun gerisinde kalma gerçeğini kabullenmekte zorlanıyordu.

Başkan ganimet dizisinin sonunda durdu ve ellerini arkada birleştirmiş olarak dikildi. Bıyıklarının uçlarını çiğniyordu, kaşları çatılmıştı. Sonra ifadesi bir anda değişti, Kermit'e döndüğünde gülümsüyordu. Leon, adamın duygularını bu kadar çabuk kontrol altına alabilmesine hayran olmuştu.

Roosevelt, "Muhteşem!" dedi. "Bu dişler şu ana kadar elde ettiklerimizden üstün ve çok büyük bir ihtimalle safarinin bundan sonrasında da daha iyisi olmayacak." Kermit'in elini bir daha sıktı. "Seninle gurur duydum, gerçekten ve içtenlikle. Bu olağanüstü avda kaç atış yaptın?"

"Av rehberime sorsan daha iyi baba."

Kermit'in sağ elini bırakmamış olan Başkan, Leon'a baktı. "E, Bay Courtney, kaç atış? On mu, yirmi mi, daha mı çok? Anlatın lütfen."

Leon, "Oğlunuz üç fili art arda üç atış yaparak öldürdü," diye cevap verdi. "Üç mükemmel beyin atışı."

Roosevelt bir an Kermit'in yüzüne baktı, sonra oğlunu sert bir hareketle kendine çekip sımsıkı kucakladı. "Seninle gurur duyuyorum Kermit. Şu an olduğumdan daha gururlu olamam."

Leon, Başkan'ın omzunun üstünden Kermit'in yüzüne baktı. Adeta ışıldıyordu. Şimdi karışık duygulara kapılma sırası Leon'daydı. Arkadaşı adına sevinmişti, ama kendisi adına çaresiz bir acı duyuyordu. Günün birinde keşke benim babam da bana bunları söylese. Ama hiç söylemeyecek, biliyorum, diye düşündü.

Başkan sonunda oğlundan uzaklaşıp onu bir kol mesafesinde tuttu, ışıltılı gözlerle yüzüne baktı. "Oğlum bir şampiyon olmasa kahrolurdum," dedi. "Yemekte her şeyi anlatmanı istiyorum. Ama burnum yemekten önce bir yıkanman gerektiğini söylüyor. Hadi, şimdi git de temizlen." Sonra Leon'a baktı. "Yemekte siz de bize katılırsanız sevinirim Bay Courtney. Yedi buçuk, sekiz gibi diyelim mi?"

Leon düz usturasını çenesini kaplayan gür ve kalın kıllarda gezdirirken İsmail de galvaniz küveti neredeyse ağzına kadar sıcak suyla doldurmuştu, içerisi odun isi kokuyordu. Leon küvetten çıkarken vücudu pembe pembeydi ve İsmail elinde ateşin yanında ısıttığı büyük bir havluyla bekliyordu. Leon'un yatağında jilet gibi ütülenmiş safari giysileri seriliydi, altında da ayna gibi parlayan bir çift çizme duruyordu.

Kısa bir süre sonra saçı biryantin sürülüp taranmış olan Leon, sirk büyüklüğündeki çadıra doğru yola koyulmuştu. Başkan'ın davetine geç kalmamaya kararlı olduğu için yarım saat erken gidiyordu. Percy Phillips'in çadırının önünden geçerken tanıdık bir ses yolunu kesti. "Leon, bir dakika içeri gelsene."

Sinek perdesini açıp içeri girince Percy'i elinde bir bardakla oturur buldu. Percy eliyle karşısındaki boş koltuğu gösterdi. "Otursana. Başkan masasında içki bulundurmuyor. Muhtemelen bu gece içeceğin en sert içki kızılcık şerbeti olacaktır." Hafifçe dudak büküp Leon'un koltuğunun yanındaki sehpada duran şişeyi gösterdi. "Biraz takviye yapsan iyi olur."

Leon kendine iki parmak malt Bunnahabhain viskisi koydu ve üstüne kaynatılıp soğutulmuş nehir suyu ekledi. Tadına baktı. "İksir bu! Bunun tiryakisi olabilirim."

"Altından kalkamazsın. Henüz." Percy kendi kadehini uzattı. "Başlamışken benimkini de tazele." Kadehi dolunca Leon'a doğru kaldırdı. "Sağlığına!"

Leon da kadehini kaldırdı. Hoş kokulu içkinin tadına vararak karşılıklı oturdular.

Sonra Percy, "Bu arada, son muhteşem başarılarını kutlamış mıydım?" dedi.

"Bunu yaptığınızı hatırlamıyorum efendim."

"Tüh bana, kutladığıma yemin edebilirdim oysa. Yaşlanıyorum galiba." Gözlerini kırpıştırdı. Buruşuk, güneş yanığı yüzünde masmavi gözleri pırıl pırıl parlıyordu. "Pekâlâ o zaman, şimdi iyi dinle. Bunu sadece bir kere söyleyeceğim. Bugün mahmuzlarını hak ettin. Seninle gerçekten büyük gurur duydum."

"Teşekkür ederim efendim." Leon beklendiğinden çok daha derinden etkilenmişti.

"Artık şu 'efendim' i kaldırıp Percy de."

"Teşekkür ederim efendim."

"Percy, sadece Percy."

"Teşekkür ederim sadece Percy."

Bir süre dostça bir sessizlik içinde içkilerini yudumladılar. Sonra Percy devam etti. "Herhalde gelecek ay atmış beşi devireceğimi biliyorsundur?"

"Hiç öyle düşünmemiştim."

"Düşünmemişmiş. Muhtemelen doksanı geride bıraktığımı düşünmüşsündür." Leon kibarca itiraz etmek için ağzını açtı ama Percy eliyle onu susturdu.

"Belki şimdi konuyu açmanın sırası değil ama, giderek ağırlaştığımı hissediyorum. İhtiyar bacaklarım eskisi gibi değil. Bugünlerde yürüdüğüm her bir kilometre, beş kilometre gibi geliyor. İki gün önce yüz metreden bir Tommie kaçırdım, hem de kıpırdamadan oturuyordu. Artık yardıma ihtiyacım var. Kendime bir ortak bulmayı düşünüyorum. Genç bir ortak. Aslında bayağı genç bir ortak."

Leon gerisini duymayı bekleyerek ihtiyatla başını salladı.

Percy cebinden gümüş avcı saatini çıkarıp süslü kapağını açtı, kadrana baktı, içkisini başına dikip ayağa kalktı. "Eski Amerikan Başkanı'nı yemekte bekletmek olmaz. Yemek yemeyi seviyor ama şarap sevmemesi ne yazık. Neyse, eminim buna da dayanırız."

Büyük çadırda on kişilik yemek hazırlamıştı. Freddie Selous ve Kermit, Başkan'ın iki yanındaki şeref koltuklarındaydı. Leon masanın sonuna, ev sahibinin en uzağına yerleştirilmişti. Teddy Roosevelt doğuştan öykücüydü. Dili gümüşten, bilgisi ansiklopedik, aklı abidevi, coşkusu bulaşıcı ve çekiciliği dayanılmazdı. Siyasetten dine, kuş biliminden felsefeye, tropikal tıptan Afrika antropolojisine, bir konudan başka bir konuya geçerken konuklarını büyülüyordu. Başkan, Avrupa'daki uluslararası gerilimi değerlendirirken Leon kulak kesildiği için tabağındaki antilop etini soğuttu. Bu, domuz avına çıktıklarında Penrod Ballantyne'nin yeğenine ayrıntılarıyla anlattığı bir konu olduğu için yabancısı değildi.

Başkan aniden ona baktı. "Sizin görüşünüz nedir Bay Courtney?"

Bütün başlar merakla ona dönünce Leon küçük bir panik yaşadı. İlk aklına gelen, konuyla pek ilgilenmediğini ve kendini fikir beyan edecek yeterlilikte görmediğini söyleyip kaçmak oldu, ama sonra kendini topladı. "Efendim, konuya İngiliz bakış açısından yaklaşacağım için mazur görün. Ben tehlikenin Almanya'yla Avusturya'nın imparatorluk hayallerinde yattığına inanıyorum. Bunun dışında bir de, Avrupa'daki çeşitli devletler arasında giderek artan gizli kapaklı antlaşmalarda da aynı sorun söz konusu. Bu ittifaklar karışık olsa da hepsi de dışarıdan biriyle sorun çıktığında birbirini koruyup destek veriyor. Böyle bir ittifakta yer alan küçük ortak, komşusuyla çatışmak gibi bir hataya düşer de daha güçlü olan ortağını yardıma çağırırsa bir domino etkisi görülebilir."

Roosevelt gözlerini kırpıştırdı. Böyle ağır bir yanıt beklememişti. "Örnek verir misiniz lütfen?"

"Biz Britanya İmparatorluğu'nun ancak güçlü bir Kraliyet Donanması sayesinde bir arada kalabileceğine inanıyoruz. İkinci Kayzer Wilhelm, Alman Donanması'nı dünyanın en güçlü donanması yapma niyetini gizlemiyor. Bu durum imparatorluğumuzu tehdit ediyor. Avrupa'da; Belçika, Fransa ve Sırbistan gibi ülkelerle sonuca giden antlaşmalar yapmaya zorlanıyoruz. Almanya'nın da Avusturya ve Müslüman bir ülke olan Türkiye'yle antlaşmaları var. 1905'te Fas'la yeni stratejik ortağımız olan Fransa arasında gerilim artınca bütün Kuzey Afrika'da kriz çıktı. Çünkü Türkiye ile olan ittifakı yüzünden Almanya, Fransa'ya karşı çıkmak zorunda kaldı. Fransa bizim müttefikimiz olduğu için de biz onun adına karşı çıkmak zorunda kaldık. Bu, domino etkisi. Ancak yoğun diplomatik görüşmeler ve çok büyük şansla savaştan kaçabildik."

Leon, dinleyenlerin yüzündeki ifadenin saygıya dönüştüğünü görünce kendinde devam etme cesareti buldu. Hoşnutsuzluk belirten bir jest yaptı. "Bana, dünya bir uçurumun kenarında sallanıyormuş gibi geliyor. Dolap içinde dolap dönüyor ve onca insanın Başkan'ı olarak ortada pek çok tehlikeli oyunun döndüğünü sizin de göreceğinize inanıyorum."

Roosevelt kollarını göğsünde kavuşturdu. "Genç omuzların üstünde akıllı bir baş. Yarın akşam da bizimle yemek yemelisiniz. Afrika'daki ırksal bölünmeler ve gerilimler hakkındaki fikirlerinizi de duymak isterim. Fakat şimdi daha önemli konularımız var. Oğlum sizinle avlanmayı seviyor. İkinizin son fil ve gergedan zaferi üstüne başka planlarınız olduğunu anlattı."

"Kermit'in benimle avlanmaya devam etmek istemesine sevindim efendim. Ben de kendisinin arkadaşlığından büyük zevk alıyorum."

"Bundan sonra ne avlayacaksınız?"

"Baş iz sürücüm çok büyük bir timsahın izini buldu. Böyle bir yaratık Smithsonian'ın ilgisini çeker miydi acaba?"

"Her anlamda. Fakat timsahın yerini biliyorsanız bu iş fazla sürmez. Sonrası için ne düşünüyorsunuz?"

"Kermit, şöyle gösterişli bir aslan vurmak istiyor."

"Vay canına!" Kermit'in kolunu çimdikledi. "Fil ve gergedan avında beni yendiğin yetmedi, şimdi de üçüncü zaferi mi eklemek istiyorsun?" Masadakiler de onunla birlikte gülerken Teddy Roosevelt devam etti. "Tamam dostum, hodri meydan! On dolarına bahse girelim mi?" Bahsi garantilemek için baba oğul tokalaştılar ve Başkan, "Konu aslan olunca, dünyanın en büyük uzmanı yanımızda olduğu için şanslıyız." Oğlundan öbür yanındaki yakışıklı ak sakallıya döndü. "Belki bize biraz ipucu verirsin Selous. Özellikle aslanın avcıya saldırmadan önce verdiği tepkileri anlatmanı isterim. İnsan kendini nasıl hissediyor öyle bir durumda kalınca, onu da söyle." Selous çatalını ve bıçağını bıraktı. "En büyük saygı ve hayranlığı aslanlara duyarım. Asil duruşu bir yana, iki metrelik bir engeli ağzında bir öküz leşi taşıyarak aşacak güce sahiptir. Çeneleri o kadar kuvvetlidir ki en sert kemikleri tebeşir gibi kırabilir. Ölüm gibi hızlıdır. Saldırdığı zaman, saatte yetmiş kilometre hıza ulaşır."

Selous yumuşak ama otoriter sesiyle konukların hepsini bir saat boyunca neredeyse büyüledi ve sonunda Başkan araya girdi. "Teşekkürler. Yarın sabah erken kalkmak istiyorum, o yüzden kusuruma bakmazsanız yatmaya gidiyorum beyler."

Leon çadırlarına kadar Percy ile birlikte yürüdü. "Sözlerinde Penrod'un etkisini hissettiysem de akşamki konuşmandan etkilendim Leon. Bence Teddy Roosevelt de etkilendi. Öyle görünüyor ki, yıldızlara tırmanan merdivene iki ayağınla sıkıca bastın. Frederick Selous'un tavsiyesini unutma. Aslanlar son derece tehlikeli yaratıklardır. Bir aslan kulaklarını geriye atmış, kuyruğunu da yere vurmaya başlamışsa saldırmaya hazırlanıyor demektir ve bu durumda bir an önce ateş etmekte fayda vardır." Percy'nin çadırına gelmişlerdi. Percy, "İyi geceler," dedikten sonra sinek perdesini açıp içeri girdi ve rulo halinde yukarı toplanmış olan kapıyı indirdi.

Leon'la Kermit, Manyoro ve Loikot'un önceki gün nehir kıyısında yapmış oldukları ince saz perdenin gerisinde yan yana yatıyorlardı. İki Masai iz sürücü de onların hemen gerisine uzanmıştı. Şafaktan beri Manyoro'nun timsahı ortaya çıksın diye bekliyorlardı. Saz perdedeki göz deliklerinden yosun yeşili suyu görebiliyorlardı. Karşı kıyı yaklaşık iki yüz metre ötedeydi, kıyıyı gölgeleyen yüksek maun ağaçlarının dalları tropik sarmaşıklarla süslenmişti ve aralardan parlak sarı çulha kuşlarının yuvaları sarkıyordu. Erkekler örmüş oldukları yuvanın altından baş aşağı sarkıyor, civarda dolanan bir dişiyi cezbedip yuvaya almak için kanat çırparak ötüşüyordu. Leon onları seyrederek oyalanıyordu ama Kermit sızlanmaya başlamıştı bile.

Manyoro gizlenme yerini tam su kıyısındaki sazlıklara uzanan av yolunun hemen üstündeki dik yamaca kurmuştu. Gölün etrafında suya kolay erişilen birkaç yer vardı. Avcılar gizlenme yerine daha hava karanlıkken girmişlerdi ve ışık arttıkça Manyoro, Leon'a timsahın kıyıda, yüzeydeki yumuşak çamurların altında saklandığı yeri gösteriyordu. Önce kıvrana kıvrana sudaki çamuru karıştırıp havalandırmış, sonra da hareketsiz kalıp çamurun başını ve sırtını örtecek şekilde çökelmesini beklemişti. Oradaki varlığını gösteren tek şey, çamurda sırtındaki pullu derinin oluşturduğu kafesi andırır muntazam izlerdi. Leon hayvanın kafasını ve kafatasına göz diye konmuş iki fırlak projektörü zar zor seçebiliyordu.

O belirsiz koca gövdeyi Kermit de görebilsin diye Leon ve Manyoro epeyce uğraşmışlardı. Görür görmez de her zamanki tez canlılığıyla bulanık sudaki kafaya derhal ateş etmek istemişti. Lusima'nın kutsamasına rağmen Winchester'in bile bir metre derinlikteki suda, tuğla duvara çarpmış gibi etkisiz kalacağını fısır fısır anlatana kadar Leon'un göbeği çatlamıştı.

Artık neredeyse öğle olmuştu, sıcak yüzünden antilop ve zebra sürüleri su içmek için yavaş yavaş kıyıya geliyorlardı, ama hiçbiri timsahın pusu kurduğu yere uğramıyordu. Kermit her dakika biraz daha sabırsızlanıyordu. Leon, yakında isyan bayrağını çekip ateş etmek isteyecek, diye düşünmekteydi.

Leon'un şansı yaver gitti. Sol taraflarında bir hareket fark etti. Kermit'in koluna dokunup çenesiyle ağaçların altından çıkıp suya doğru gelen Grevy zebralarını gösterdi. Kermit canlanmıştı. "Nihayet bir hareket görürüz belki," diye mırıldandı ve Büyük Sihirbaz'ın kabzasını okşadı.

Grevy zebraları at ailesinin en iri fertleriydi, Perheron araba atlarından bile iriydiler. O yüzden İmparator Zebra diye de bilinirlerdi. Öncülük eden aygırın yerden omzuna kadar olan yüksekliği bir buçuk metreydi ve muhtemelen beş yüz kilograma yakın bir ağırlığı vardı. Sürü, suda bekleyen yırtıcı hayvanlar olabileceğini bilen tüm av hayvanları gibi maksimum dikkatle ilerliyordu. Birkaç adım atıp duruyor, bir tehlike işareti var mı diye etrafa bakınıyor, sonra birkaç adım daha atıyorlardı.

Kermit gelişlerini hevesle izliyordu. Büyük Sihirbaz doluydu ve yaslandığı eyer çantasından ucu çıkmış hazır bekliyordu. Sonunda en öndeki aygır büyük bir dikkatle kendisinden önce gelen binlerce hayvan tarafından çiğnenmiş patikaya adım attı ve kıyıdaki dar kumsala indi. Kıyıda durup çevresini bir daha inceledi. Nihayet ölümcül kararını verdi: Başını eğip kadifemsi siyah yelesini suya soktu. O içmeye başlar başlamaz sürü de peşinden kıyıya inmiş, bir an önce suya ulaşma hevesiyle itişip kakışmaya başlamıştı.

Timsahın sabırla beklediği an buydu. Kendini yukarı itmek için kuyruğunu kullandı, aniden çamurun içinden çıktı ve etrafa sular saçarak yüzmeye başladı. Kıyıdaki adamlar içgüdüsel olarak irkilmiş, canavarın büyüklüğü, hızı ve saldırının vahşeti karşısında şok geçirmişlerdi.

Kermit, "Tanrım, altı metre boyunda olmalı!" diye fısıldadı.

Aygır ağırdı ama düşmanı ondan dört beş kat daha ağırdı. Bu farka rağmen zebranın toynakları zemine çakılmış ve bütün gücü bacaklarında toplanmıştı. Timsahın bacaklarıysa kısa, bükük ve güçsüzdü. Tüm gücü kuyruğundaydı. Kafa kafaya nizami bir dövüş olsa zebra daha avantajlı durumdaydı. Timsah onu toynaklarının yerden kuvvet alamayacağı derin sulara çekmek zorundaydı. Orada timsahın devasa kuyruğu tümüyle üstünlük kazanırdı.

Aygırı çenelerinin arasına alıp sürüklemeye çalışmadı ama kafasını dövüş sopası gibi sallıyordu. Hareketinin ardındaki onca ağırlık ve kuvvet nedeniyle oldukça gözle takip etmek neredeyse imkânsızdı. Sert kafatası zebranın başına yandan çarptı ve hayvanın kemiğini kırıp sersemletti. Zebra bir buçuk metre derinliğindeki suda yana doğru devrildi, bacakları çılgınca yüzeyi dövüyor, boğulmak üzere olduğu için başını bir o yana bir bu yana savuruyordu. Timsah ileri atıldı, zebrayı burnundan yakalayıp derin suya çekti. Bir yandan köpükler çıkararak suyu yarıyor, bir yandan da zebranın boynunu tavuk gibi bükerek hayvanı boğmaya çalışıyordu. Çizgili bedende son hayat belirtileri de sönene kadar oyununa devam etti, sonra da zebrayı bırakıp geri çekildi.

Kıyıdan yirmi metre açıkta yüzeyde durmuş ölü zebrayı izliyor, son bir hayat belirtisi kalıp kalmadığına bakıyordu. Zebranın cesedi hemen hemen tümüyle suya gömülmüştü, sadece bir bacağı suyun üstünde gökyüzüne doğru dikilmiş vaziyetteydi. Timsah avcılara tamamen yan dönmüştü, sadece sırtının üst kısmıyla başının üst yarısı suyun dışındaydı. Alaycı, sabit sırıtışı yüzünden kafası daha da sevimsiz görünüyordu.

Kermit eyer çantasının önünde yüzükoyun uzanmıştı, tüfeği omzuna kıstırmış, yanağını dipçiğe dayamış durumdaydı. Sol gözü sıkıca kapalı, sağ gözüyse nişan almak üzere kısılmıştı.

Leon ona doğru eğildi. "Ağzının köşesine nişan al, tam su hizasından gözün altına." Winchester kükrediğinde daha lafı bitmemişti. Dürbünle bakınca merminin yüzeyde tam da küçük gözün altından girip hayvanın kafasına gömüldüğünü gördü.

Ayağa fırlarken, "Mükemmel!" diye bağırdı.

"*Piga*!" Manyoro da heyecanlanmıştı. "Vurdu!"

Loikot da ayağa fırladı. "*Ngwenya kufa!* Timsah öldü!" diyerek gülüp haykırdı ve hoplayıp zıplayarak vahşi bir dansa başladı. Timsahın tüm bedeni sudan fırlamış, kuyruğuyla devasa yaylar çizerek yüzeyi dövmeye başlamıştı. Çeneleri birbirine çarptı, sonra sudan bir daha fırladı ve büyük bir gürültüyle tekrar düştü, kıvranıyor, kuyruğuyla dev dalgalar yaratıyordu.

Sonunda çırpınışları giderek yavaşladı ve kıyıdaki adamlar, "*Ngwenya kufa!*" diye bağırdılar.

Muazzam gövde bir anda hareketsiz kaldı, kuyruk bükülüp katılaştı ve timsah suyun yüzünde bir an öylece durduktan sonra yeşil sulara batarak gözden kayboldu.

Kermit endişeyle, "Onu kaybedeceğiz!" diye bağırdı ve tek ayağının üstünde zıplayarak çizmesini çıkarmaya başladı.

Leon onu yakalayıp, "Ne yaptığını sanıyorsun?" diye sordu.

"Gidip onu çekeceğim."

Kermit kurtulmak için debelendi ama Leon bırakmadı. "Dinle sersem, suya girersen timsahın büyükbabasını seni bekler bulursun."

"Ama onu kaybedeceğiz! Sudan çıkarmam lazım."

"Hayır, lazım değil. Manyoro'yla Loikot yarına kadar burada bekleyecekler, o zamana kadar timsah şişip yüzeye çıkacak. Sonra da biz geri gelip halatla çekeriz."

Kermit biraz yatışmıştı. "Akıntıyla sürüklenirse?"

"Nehir artık akmıyor. Burası kapalı bir birikinti. Timsahın bir yere gidecek değil ahbap."

Kamptaki heyecanlı koşuşmalardan Başkan'ın döndüğü anlaşılıyordu, vakit öğleden sonrasını bulmuştu. Leon'la Kermit, Leon'un çadırının perdesinin altında oturmuş çay içiyor ve bıkıp usanmadan timsah avını konuşuyorlardı. Kermit ayağa fırladı. Leon'a, "Hadi!" dedi. "Gidip bakalım, benim ihtiyar av torbasına ne koymuş?" Hızla yürüdü ama sonra geri geldi. "Sakın timsahtan söz etme. Gözüyle görene kadar inanmaz."

Teddy Roosevelt atının üstünde kampa girmişti. Eyerden inip dizginleri seyise teslim ederken Kermit ve Leon da yanına gelmişlerdi. Roosevelt, Kermit'i görünce gülümsedi ve çelik çerçeveli gözlüğünün ardında gözlerinden muzaffer bir pırıltı yansıdı.

Kermit, "Selam baba," dedi. "Günün iyi geçti mi?"

"Fena değildi. Aslan mevsimini başlattım."

Kermit'in yüzü düştü. "Aslan mı vurdun?"

"Evvet!" diyen Başkan hâlâ gülümsüyordu. Parmağıyla omzundan geriyi gösterdi. Kermit ağaçların arasından bir taşıyıcı grubunun yaklaştığını gördü. Ortalarındaki sırığa asılmış esmer bir gövde taşıyorlardı. Hamallar yüklerini tahnit çadırının yanına bıraktılar ve Smithsonian bilim adamlarından üçü o günün ürününü görmek üzere dışarı çıktı. Aslanın pençelerini sırığa bağlayan ipleri kestiler ve leşi ölçüp fotoğraflamak için yere uzattılar.

Kermit rahatlayarak güldü. Aslanlardan pek anlamasa da o bile bunun olgunlaşmamış bir dişi olduğunu anlayabilmişti. "Hey baba!" Babasına dönerken kıkırdıyordu. "Sen buna aslan diyorsan ben de kendime Amerika Birleşik Devletleri Başkanı diyebilirim. Bu dişi daha bebek."

Hâlâ kendini beğenmişçe gülümsemekte olan babası, "Haklısın oğlum," dedi. "Zavallı küçük, onu da vurmak zorunda kaldım. Yoksa erkek arkadaşının cesedine yaklaştırmayacaktı bizi. Çılgın gibi etrafında dönüp duruyordu. En azından müzedeki Afrika Bölümü'nde onu da aile grubundan biri olarak sergileyebiliriz. Ne dersin?" Soruyu bilim adamlarının başkanı olan George Lemmon'a yöneltmişti.

"Seve seve efendim. Türünün güzel bir örneği. Postu kusursuz, hâlâ yavrulara has lekeleri var ve dişleri mükemmel."

Başkan omzunun üstünden baktı ve rahat bir tavırla, "Ah, güzel!" dedi. "Erkeği de getiriyorlar." Ormandan bir grup taşıyıcı daha çıkmıştı. Dört kişi, taşıdıkları yükün ağırlı altında iki büklüm yürüyordu.

"Aman Tanrım! Bu bana tam bir aslan gibi görünüyor." Frederick Selous da gömleğinin kolları sıvalı vaziyette çadırdan çıkmıştı, elinde çizim defteri vardı. "Umarım adamlar düzgün taşıyordur. Postun sıyrılmaması, bozulmaması lazım."

Taşıyıcılar ritmik yürüyüşleriyle aslanı sırıkta sallaya sallaya geldiler. Yavaşça yere, dişinin yanına bıraktılar. Baş tahnitçi Sammy Edwards hayvanı özenle uzattı ve oniks siyahı burnundan kuyruğunun ucundaki siyah püsküle kadar ölçmek için koşup metresini getirdi. "İki metre yetmiş beş santim." Başını kaldırıp Başkan'a baktı. "Büyük bir aslan efendim, hatta ölçtüğüm en büyük aslan."

O gece yemekten sonra Kermit, Leon'un çadırına geldi. İçinde Jack Daniel's viski bulunan gümüş cep matarasını da getirmişti. Lambayı kısıp sivrisinek ağının altındaki bez koltuklara oturdular ve fısıldayarak konuşmaya başladılar.

Kermit, "Andrew Fagan bu gece onur konuğuydu," dedi. Kermit'in daveti üzerine Fagan o gün öğleden sonra kampa gelmişti. "Babamla iyi anlaştılar. İhtiyar yeni bir dinleyici bulmaktan memnun."

Birkaç dakika sessiz kaldılar, sonra Kermit devam etti. "Babama kin gütmüyorum. O da hepimiz gibi iyi avlara düşkün ve yarı yaşındaki biri gibi uğraşıyor. Sen orada değildin tabii, ama bu gece iyice abarttığını söyleyebilirim. Bana böbürlenmedi ama kendinden fazlasıyla memnundu. Elbette Fagan da her şeye atladı."

Leon bardağındaki amber rengi sıvıya bakarak onaylar gibi bir şeyler mırıldandı.

Kermit hevesle, "Tamam iyi bir aslandı, güzel bir aslandı, ama Afrika'da vurulan en iyi aslan da değildi, değil mi?" diye sordu.

Leon, "Kesinlikle haklısın. Gövdesi çok büyüktü ama yelesi tüy gibiydi. Kadınların devekuşu tüyünden yapılmış şallarına benziyordu," deyince Kermit bir kahkaha patlattı ama hemen elini ağzına kapadı. Başkan'ın çadırından yüz metre uzakta olsalar da büyük adam ışıklar söndükten sonra kampta sessizlik istiyordu.

Kermit keyifle, “Kadın şalı,” diye tekrarladı ve kadınsı bir sesle, “Baleye gidelim canlarım?” diye sordu. Bir süre bu espriyle oyalanıp Jack Daniel’s içmeyi sürdürdüler.

Sonra Kermit, “Bazen babamdan adeta nefret ediyorum. Bu beni kötü biri yapar mı?” diye sordu.

“Hayır, seni insan yapar.”

“Açık söyle Leon, o aslan hakkında ne düşünüyorsun?”

“Biz onu geçebiliriz.”

“Öyle mi düşünüyorsun? Gerçekten öyle mi düşünüyorsun?”

“Babanın aslanının şalında tek bir siyah kıl yoktu. Bir tane bile.” Kermit “şal” sözcüğü yüzünden bir kahkaha daha parlattı. Jack Daniel’s içini ısıtıyor, keyfini yerine getiriyordu.

Arkadaşı gülmeyi kesince Leon tekrar etti. “Onu geçebiliriz. Daha büyük ve daha siyah bir aslan vurabiliriz. Manyoro’yla Loikot birer Masai. Büyük kedilerle farklı bir yakınlıkları var. Onlar da daha iyisini yapabileceğimizi söylüyor, ben de inanıyorum.”

“Peki nasıl yapacağız?” Kermit ciddi bir tavırla yüzüne bakıyordu.

“Hızlı bir kafile oluşturur ve ana kampı geride bırakıp Masai Bölgesi’nin ötesine, aslanların son bin yıldır Masai’ler tarafından avlandığı yerlere gideriz. Biz diğerlerinden çok daha hızlı hareket edebiliriz, çünkü onlar hamalların adımlarına uymak zorundalar. Birkaç gün içinde yüz elli, iki yüz kilometre öne geçebiliriz. Başkan ne zaman kuzeye hareket etmek niyetinde, biliyor musun?”

“Bu gece yemekte bir süre daha burada kalmak istediğini açıkladı. Anlaşılan birkaç gün önce yerli rehberler, babamla Bay Selous’u buradan otuz, kırk kilometre uzaktaki büyük bir bataklığa götürmüşler. Bataklığın yakınında birtakım izler görmüşler, Bay Selous erkek sitatunga antiloplarına ait olabileceğine inanıyor, ama bunlar kendisinin 1881’de Okavango Deltası’nda keşfettiklerinden daha büyükmüş. O antiloplara bu keşiften ötürü *Limnotragus selousi* adı verilmiş. Babamı bunların tümüyle yeni alt türler olabileceğine ikna etti. Babam için de önceden bilinmeyen bir türü keşfetmek dayanılmaz bir şey. *Limnotragus roosevelti* adı verilecek bir sitatunga'nın hayalini kuruyor şimdi. Bunun için ilk doğan çocuğunu kurban edebilir. İlk doğan çocuğu da bendeniz oluyorum elbette! O antilobu bulana kadar veya var olmadığına ikna olana kadar buralarda oyalanacağını umuyorum."

"Bu merakını anlayabiliyorum. Sitatunga hakkında ne biliyorsun?"

Kermit, "Pek bir şey bilmiyorum," diye itiraf etti.

"Büyüleyici bir yaratıktır, çok nadir bulunur ve ele geçmez. Suda yaşayan tek gerçek antiloptur. Toynakları o kadar uzun ve yayvandır ki karada zar zor yürür, ama derin çamurlarda veya suda yayın balığı gibi çeviktir. Tehlikeyle karşılaşınca suyun altına dalar ve sadece burun deliklerinin ucunu dışarıda bırakarak saatlerce öyle kalabilir."

Kermit, "Vay canına, onlardan birini yakalamak isterdim," dedi.

"Her şeye sahip olamazsın ahbap. Ya aslan, ya sitatunga, sen seç." Leon cevabı beklemedi. "Başkan'ın planı bizim için çok uygun. Onları bu işle uğraşsınlar diye bırakalım ve biz öbür gün atlarımıza binip gidelim. Şimdi, sence mataranın dibinde birkaç damla kalmış mıdır? Kaldıysa ziyan etmek istemezsin değil mi?"

Ertesi günü hızla ekiplerini oluşturmakla geçirdiler. Altı tane midilli ile üç çift katır seçtiler. Sonra, müdürden kaçan okul çocuğu heyecanıyla kuzeye doğru yola koyuldular.

Üçüncü günün akşamı isimsiz küçük bir ırmak boyunca giderlerken yüz metre öndeki Masai'lerden bir çığlık yükseldi. El kol hareketleri yaparak, bir çalı kümesinden ok gibi fırlayıp açık sel yatağına, oradan da öteki ormana doğru koşan bir tür kediyi gösteriyorlardı.

"Nedir o?" Kermit üzengilerinin üstünde kalkarak şapkasını gözüne siper etmişti.

Leon, "Leopar," dedi. "Büyük kedilerden."

Kermit, "Benekleri yok ama," diye itiraz etti.

"Bu mesafeden göremezsin."

"Onu avlayabilir miyim?"

Leon, "Silah sesi aslanları ürkütmez," diye garantiledi. "Filler gibi değildirler. Onlarda kedi merakı vardır. Hatta birkaç el silah sesi ilgilerini bile çekebilir." Kermit'in daha fazlasını duymaya ihtiyacı yoktu. Vahşi bir kovboy narası atıp şapkasını kullanarak atını çılgın bir dörtnala kaldırdı, bir yandan da Büyük Sihirbaz'ı sağ dizinin altındaki kılıftan çıkarmış, başının üstünde sallıyordu.

Leon, "İşte yine başlıyoruz," diyerek güldü. "Bay Hızlı Mermi yine hassas bir planlamayla av peşinde." O da kendi atını topuklayıp dörtnala kaldırdı ve Kermit'in peşinden gitti. Leopar şamatayı duymuştu. Kalçalarının üstüne oturmuş şaşkın şaşkın bakmaktaydı. Sonra durumunun ne kadar nazik olduğunu algıladı ve hızla dönüp koşmaya başladı. Her sıçrayışında vücudu iyice geriliyordu; uzun, parlak ve zarifti.

Kermit, "Yi-huu! Yakaladım onu!" diye haykırınca Leon bile bu pervasız saldırıdan heyecan duydu.

O da tilki avlarına has bir çığlık atıp midillisinin boynuna iyice yapıştı, iki eliyle dizginlere sıkıca asılmıştı. Yüzüne çarpan rüzgâr mest ediciydi. Her tür çekinceyi bir yana bırakıp düzlükte yarışmaya başlamışlardı.

Leon'un midillisinin burnu Kermit'in çizmelerine sürünüyordu. Kermit koltukaltından bakıp Leon'un yaklaştığını görünce şapkasını atının boynuna sertçe vurdu ve topuklarını böğrüne gömdü. "Hadi kıpırda!" diye bağırdı. "Hadi bebeğim. Şunu geçelim!" Tam o anda atının ayağı bir çukura girdi. Hayvan beyninden vurulmuş gibi öne doğru düşüp, kamçı sesini andıran bir gürültüyle yere çarptı. Kermit havaya fırlamıştı. O da omzunun ve yüzünün yan tarafının üstüne düştü. Tüfeği elinden fırladı ve Kermit, top gibi, Leon'un atının ayaklarına doğru zıpladı. Leon midillinin başını çevirip son anda Kermit'i ezmekten kurtuldu. Hayvan dizginlerin, gemin ve mahmuzların baskısına başını şiddetle savurarak cevap vermişti. Yere düşen biniciye doğru gittiler. Kermit'in atı kalkmak için debeleniyordu ama ön bacağı tam eklem yerinden kırılmıştı, bacağın alt kısmı gevşek bir şekilde sallanıyordu. Kermit ise sert zeminde kıpırdamadan yatmaktaydı.

Leon dehşet içinde, kendini öldürdü, Tanrım, ben Başkan'a ne diyeceğim, diye düşünürken ayaklarını üzengilerden kurtardı. Sağ bacağını atın boynundan geçirip yere atladı. Kermit'e doğru koştu ama yanına vardığında arkadaşı sersemlemiş bir şekilde oturuyordu. Yüzünün sol tarafının derisi soyulmuş, kaşı açılmış, kalkan deri gevşek bir şekilde gözünün üstüne sarkmıştı, gözü ise toz toprak içindeydi.

"Hata," diye mırıldanıp ağız dolusu kan ve çamur tükürdü. "Büyük bir hataydı!"

Leon rahatlayarak güldü. "Kasıtlı olmadığını mı söylemek istiyorsun? Ben de beni etkilemek için yaptın sanmıştım."

Kermit dilini ağzının içinde gezdirdi. Damağı yarılmış gibi konuşarak, "Eksik diş yok," diye belirtti.

"Neyse ki tepe üstü düştün, yoksa kendine zarar verebilirdin." Leon yanına diz çöküp başını iki elinin arasına aldı ve gözünü incelerken iki yana doğru çevirdi. "O şekilde göz kırpmasan iyi olur, yoksa gözünü çizeceksin."

"Söylemesi kolay tabii. İstersen bir de 'nefes alma' diye aptalca bir talimat daha ver."

İsmail katırıyla yetişti ve Leon'a bir matara uzattı.

Leon, "Şu gözü açık tut İsmail," dedikten sonra içine su döktü ve çamurun büyük kısmı temizlendi. Sonra matarayı Kermit'e verdi. "Ağzını çalkala, yüzünü yıka." İki Masai olup bitenleri rahatça görecekleri bir mesafede çömelmiş, keyifle yorum yapıyorlardı. "Siz iki sırtlan sinsi sinsi seyretmeyi bırakın da küçük çadırı kurun, sonra da Popoo Hima'nın battaniyesini serin. Güneşin altında yatmasını istemiyorum."

Onlar Kermit'i küçük çadıra taşırken Leon da koca Holland'ını eyerdeki yerinden çıkardı ve sakatlanan atı vurdu. Bunu yaparken soğukkanlı ve sakin görünüyordu ama kendini atlara çok yakın hissettiği için vicdanı sızlıyordu.

Boş pirinç kovanı düşürüp tüfeği yerine kaldırırken Manyoro'ya, "Eyeri çıkar da o zavallıyı rahatlat," dedi. Sonra çadıra gidip eşikte durdu. Kermit, "Büyük Sihirbaz nerede?" diyerek kalkmaya çalıştı.

Leon onu yerine itti. "Manyoro'yu yollarım o bulur." Sesini yükseltti. "Manyoro! Bwana'nın *bunduki*'sini getir." Sonra parmağını Kermit'in gözünün önüne tuttu. "Parmağıma bak." Parmağını ağır ağır iki yana oynattıktan sonra tatmin olmuş bir şekilde başını salladı. "Bütün çabalarına rağmen Tanrı'ya şükür beynini sarsmayı başaramamışsın. Şimdi de bir zamanlar kaşının bulunduğu yere bakalım." Yaraya yakından baktı. "Birkaç dikiş atacağım."

Kermit korkmuş gibiydi. "Sen insanlara dikiş atmak konusunda ne bilirsin ki?"

"Bir sürü ata ve köpeğe dikiş attım."

"Ben ne atım, ne de köpek."

"Hayır, o hayvanlar çok akıllıdır." Dönüp İsmail'e, "Dikiş takımını getir," dedi.

Tam o anda Manyoro çadırın girişinde belirdi, çok üzgün görünüyordu. İki elinde Winchester'in birer parçası duruyordu. Kiswahili dilinde, "Kırılmış," dedi.

Kermit elindeki parçaları kaparcasına aldı. "Ah, lanet olsun!" diye sızlandı. Dipçik tetiğin bulunduğu yerden kırılmış ve arpacığı ezilmişti. Artık kullanılacak gibi görünmüyordu. Kermit silahı hasta bir çocukmuş gibi bağrına bastı. "Ne yapacağım ben?" Kederle Leon'a baktı. "Tamir edebilir misin?"

"Evet, ama kampa dönüp alet takımlarımı bulmam lazım. Dipçiği fil kulağından alınma yeşil deriyle tuttururum. Kuruduğu zaman eskisinden bile iyi olur."

"Ya arpacık?"

"Orijinalinden bulamazsak bir parça metali eğeler, oraya lehimlerim."

"Ne kadar sürer bunlar?"

"Bir hafta kadar." Kermit'in hayal kırıklığını görünce biraz moral vermek istedi. "Belki biraz daha az sürebilir. Taze fil kulağını ne zaman bulacağımıza ve ne kadar zamanda kuruyacağına bağlı. Şimdi dikiş atarken kıpırdamadan dur."

Kermit o kadar bunalmıştı ki Leon'un yaptığı ilkel dikiş operasyonuna aldırmıyormuş gibiydi. Leon önce yarayı tentürdiyotla temizledi, sonra iğne ipliği eline aldı. Her iki işlem de güçlü bir erkeğin fazlasıyla inlemesine sebep olabilirdi ama Kermit, kendi acısından çok Büyük Sihirbaz'ı düşünüyormuş gibiydi.

Tüfeği bırakmadan, "Peki o arada ben neyle atış yapacağım?" diye sızlandı.

"Neyse ki eski beylik .303 Enfield'i yedek olarak getirmiştim." Leon iğneyi sarkan deriye batırdı.

Kermit yüzünü buruşturdu ama konudan vazgeçmiyordu. "O oyuncak silah sayılır." Hakarete uğramış gibiydi. "Tommie, impala veya insan vurmak için kullanılabilir ama aslan için fazla hafif kalır!"

"Yeterince yaklaşıp mermiyi doğru yere gömersen işini görür."

"Yakın mı? Bununla ne kastettiğini biliyorum! Tüfeği kahrolası kedinin kulak deliğine sokmamı istiyorsun."

"İyi o zaman, sen her zamanki tarzınla devam et ve beş yüz metre uzaktan ateş et. Ama işe yarayacağını sanmam."

Kermit bir süre düşündü ama bu düşünce pek keyfini yerine getirmişe benzemiyordu. "Senin şu koca Hollandı'ı ödünç vermeye ne dersin?"

"Seni kendi kardeşim gibi seviyorum, ama kız kardeşimi bir geceliğine istemeni tercih ederim."

Kermit ani bir ilgiyle, "Senin kız kardeşin mi var?" diye sordu. "Güzel mi?"

Leon kardeşlerini Kermit'in merakından korumak için, "Kız kardeşim filan yok," diye yalan söyledi. "Ve tüfeğimi sana ödünç vermeyeceğim."

Kermit huysuz huysuz, "Eh, ben de o zavallı küçük .303'ünü istemiyorum," dedi.

"Güzel! O zaman Manyoro'ya sor bakalım mızrağını ödünç verir miymiş?"

Adı geçince Manyoro hevesle sırıttı.

Kermit başını salladı ve bildiği tüm Kiswahili sözcüklerini kullanarak, "*Mazuri sana* Manyoro. *Hakuna matatu!*" dedi. "Çok güzel Manyoro. Merak etme." Masai hayal kırıklığına uğramış gibiydi. Kermit, Leon'a döndü. "Pekâlâ dostum. Şu senin oyuncak tüfekle birkaç atış yapmaya çalışayım bari."

Sabaha Kermit'in gözü şişip kapanmıştı ve vücudunda ciddi çürükler vardı. Neyse ki yaralanan sol gözüydü, nişan aldığı gözünde bir şey yoktu. Leon bir sıtma ağacının kabuğuna atmış adımdan ateş etmesi için işaret koydu ve .303'ü eline verdi. "Bu mesafeden iki buçuk santim kadar yükseğe isabet eder, o yüzden arpacığın üstündeki noktayı hedefin azıcık altına indir." Kermit iki atış yaptıktan sonra işareti kontrol ettiler, mermiler bir parmak yanına saplanmıştı.

"Hey! Başlangıç için hiç fena değil!" Kermit yaptıklarından hoşnuttu. Gözle görünür şekilde neşeliydi.

Leon, "Popoo Hima gibi bir nişancı için bile iyi sayılır," dedi. "Ama unutma, ufukta görünenlere ateş etmeyeceksin."

Kermit şakaya karşılık vermedi. "Hadi gidip bir aslan bulalım."

O gece son yağmurlardan kalma küçük bir su birikintisinin başında kamp kurdular. Yemek yer yemez battaniyelerini serdiler ve ikisi de birkaç dakika içinde uykuya daldılar.

Sabahın erken saatlerinde Leon dürterek Kermit'i uyandırdı. Kermit uyku sersemliğiyle doğrulup oturdu. "Ne oluyor? Saat kaç?"

Leon, "Sen saati boş ver, sadece dinle," dedi.

Kermit etrafına bakınınca iki Masai ile İsmail'in ateşin başında oturduklarını gördü. Ateşi kuru dallarla beslemişlerdi ve canlı alev dilimleri karanlıkta dans ediyordu. Adamların yüzünde dikkat kesilmiş bir ifade vardı. Dinliyorlardı. Sessizlik birkaç dakika sürdü.

Kermit, "Neyi bekliyoruz?" diye merakla sordu.

Leon, "Sabret! Sadece kulaklarını açık tut," diye çıkıştı. Aniden gece, kasırgadaki dalgalar gibi yükselip alçalan güçlü, bas bir sesle doldu. İnsanın tüylerini diken diken eden bir sesti. Kermit battaniyesini kenara atıp ayağa fırladı. Ses bir dizi homurtuyla sona erdi. Sonraki sessizlik tüm insanları ve hayvanları kuşattı.

Kermit, "Bu da neydi?" diye soludu.

Leon alçak sesle, "Aslan. Krallığını ilan eden büyük, güçlü bir aslan," dedi. Manyoro da Maa dilinde bir şeyler ekledi ve Loikot'la ikisi bu şakaya güldüler.

Kermit, "Ne dedi?" diye merak etti.

"En cesur adamın bile iki kere aslandan korktuğunu söyledi. Biri ilk kükremesini duyduğu zaman, ikinci ve sonuncusu da hayvanla yüz yüze geldiği zaman."

Kermit, "Birincisi konusunda haklı," diye itiraf etti. "İnanılmaz bir sesti. Peki dişi olmadığını nereden biliyorsun?"

"Enrico Caruso'nun sesini Nellie Melba'nınkinden nasıl ayırıyorsam öyle."

"Hadi gidip vuralım onu."

"Güzel plan ahbap. Ben mumu tutarım sen de ateş edersin. Kolay olur."

"O zaman ne yapacağız?"

"Şahsen ben battaniyemin altına girip biraz uyumaya çalışacağım. Sen de öyle yapmalısın. Yarın yoğun bir gün olacak." Bir kez daha ateşin yanına uzandılar, ama gök gürültüsü gibi bir kükreme duyulduğunda ikisi de uyumaktan uzaktı.

Kermit, "Şunu dinlesene!" diye mırıldandı. "Beni dışarıda oynamaya çağırıyor. Bu sesler devam ederken nasıl uyuyabilirim?" Son homurtular da kesildikten sonra bu kez ilk kükremenin yankısına benzer bir ses duyuldu, uzaktan geliyordu. Hepsi birden doğruldular.

Kermit, "Peki bu neydi?" diye sordu. "Başka bir aslandan geliyor gibiydi."

Leon, "Aynen öyleydi," dedi.

"Birincinin kardeşi filan mı?"

"Kardeşi dışında her şeyi. İlk aslanın rakibi ve ölümüne düşmanı." Kermit başka bir şey sormak üzereydi ki Leon onu durdurdu. "Dur da Masai'lerle konuşayım." Konuşma Maa dilinde hızlı bir şekilde geçti ve sonunda Leon, Kermit'e döndü. "Olan biten şu: İlk aslan daha yaşlı ve sürüye egemen olan erkek. Burası onun bölgesi, dişilerle yavrulardan oluşan büyük bir haremi var. Ama artık ihtiyarlıyor ve gücü azalıyor. İkinci erkekse genç ve güçlü. Bölgeyi ve haremi ele geçirmeye hazır. Sinsice dolaşıp fırsat kolluyor ve ölüm savaşı için cesaret topluyor. İhtiyar da onu korkutup kaçırmaya çalışıyor."

"Manyoro bir iki kükreme duyup bütün bu hikâyeyi çözmüş mü?"

Leon ifadesiz bir yüzle, "Hem Manyoro hem de Loikot aslanların dilinden çok iyi anlar," diye cevap verdi.

"Bu gece bana ne desen inanırım. Yani şimdi iki büyük erkeğimiz mi oldu?"

"Evet ve bir yere gitmiyorlar. İhtiyar kapıyı açık bırakmaya cesaret edemiyor, genç de hanımların kokusunu alıyor. O da bir yere gitmeyecek."

Bundan sonra kimsenin uyuması mümkün değildi. Ateşin başında oturup günün ilk ışıkları ağaç tepelerinden süzülene kadar, Masai'lerle avı planladılar ve İsmail'in enfes kahvesinden içtiler. Sonra kahvaltı olarak İsmail'in meşhur devekuşu omletinden ve aynı derecede meşhur çöreklerinden yediler. Bir devekuşu yumurtası iki düzine iri tavuk yumurtasına denkti ama geride bir şey kalmamıştı. Onlar çörek parçalarıyla tavada kalan son yağ damlalarını sıyırırlarken, İsmail ve Masai'ler kampı söküp katırlara yüklediler. Günün neler getireceğini görmek üzere atlarının üstünde giderlerken hava hâlâ serin ve tatlıydı.

Nehir kıyısından bir buçuk kilometre uzakta, su içmekten dönen birkaç yüz bizonluk bir sürü görünce şaşırdılar. Leon, Holland'ın sol ve sağ namlularından yaptığı isabetli atışlarla iki tanesini devirdi. Leş kokusu rüzgârla etrafa yayılsın diye hayvanların karnını yardılar. Sonra da katırlar onları etrafında yaralı bir aslanın sığınacağı hiçbir şey olmayan açık bir alana çekti. Onlar yemleri yerleştirirken hamallar yeşil dallardan kesip akbabalarla sırtlanlar kolayca erişemesin diye üstlerini örttüler. Öte yandan böyle derme çatma bir örtü büyük bir aslanı asla durduramazdı.

Nehre ve aslanların gece kükredikleri bölgeye gittiler. Her birkaç kilometrede bir Leon karşısına çıkan hangi memeli olursa olsun ateş ediyordu: zürafa, gergedan veya bizon. Güneş batarken on kilometrelik bir alanda çeşitli aslan tuzakları serilmiş yatıyordu.

O gece yine iki hasmın karşılıklı kükremeleri yüzünden deliksiz bir uyku çekemediler. Bir keresinde yaşlı aslan o kadar yakınlarından kükredi ki battaniyelerinin altında titreyerek yere yapıştılar, ama bu kez hasmından yanıt gelmemişti.

Manyoro, "Genç aslan bizim yemlerden birini buldu," diyerek sessizliğini bozdu. "Onu yemekle meşgul."

Kermit, "Aslanlar asla leş yemez sanırdım," dedi.

"Hiç inanma. Ev kedileri kadar tembeldirler. Hazır bulduklarını yemeyi tercih ederler, çürümüş olması filan hiç fark etmez. Ancak başkaları bir şey beceremediyse lütfedip kendileri avlanırlar."

Gece yarısını iki saat geçtikten sonra yaşlı aslan kükremeyi kesti ve gece sessizliğe büründü.

Manyoro, "Şimdi o da bir tane buldu," diye gözlem yaptı. "İkisini de sabaha haklarız."

Kermit, "Lisansımda kaç aslan vurmama izin var?" diye sordu.

Leon, "Canının çektiği kadar," dedi. "Britanya Doğu Afrikası'nda aslan zararlı sayılıyor. İstediğin kadar vurabilirsin."

"Güzel! O koca oğlanların ikisini de istiyorum. Götürüp babama göstereceğim."

Leon da hararetle, "Ben de," diye atıldı. "Ben de."

Hava, iz sürücülerin izleri takip edebileceği kadar aydınlanır aydınlanmaz yemlerin peşine düştüler. Leon'la Kermit sabah serinliği ve havanın Chablis kanalı gibi kokması yüzünden kalın ceketlerini giymişlerdi.

Uğradıkları ilk üç yeme dokunulmamıştı, ama etraftaki ağaçların dallarında kara kara düşünen, sırtlarını kabartmış, cenaze levazımatçısı suratlı akbabalar bekleşiyordu. Dördüncü yemin başına geldiklerinde Leon birkaç yüz metre ötede durdu ve dürbünüyle yemin üstünü örten dalları inceledi.

Kermit, "Boşuna vakit harcıyorsun ahbap. Orada hiçbir şey yok," dedi.

Leon alçak sesle ve dürbünü indirmeden, "Aksine," dedi.

"Ne demek istiyorsun?" Kermit birden dikkat kesilmişti.

"Yemin hemen tepesinde bir erkek aslan var demek istiyorum."

Kermit, "Yok!" diye itiraz etti. "Ben bir halt görmüyorum."

"İşte." Leon dürbünü arkadaşına uzattı. "Bununla bak."

Kermit mercekleri ayarladı ve bir dakika boyunca yeme baktı. "Ben hâlâ aslan filan görmüyorum."

"Dalların kenara itildiği yere bak. Zebranın sırtındaki çizgileri göreceksin..."

"Tamam. Onu gördüm."

"Şimdi de hemen zebranın üstüne bak. İki küçük koyu renk yuvarlak görmüyor musun?"

"Görüyorum da aslan değil ki o."

"Onlar aslanın kulaklarının tepeleri. Zebranın arkasında yatıyor."

Kermit, "Tanrım! Haklısın! Kulağının kıpırdadığını gördüm," diye bağırdı. "Bu hangisi? Genç olan mı yaşlısı mı?"

Leon, Manyoro'yla hızlı hızlı konuşmaya başladı, arada Loikot da birkaç cümleyle kendi fikrini beyan ediyordu. Sonunda tekrar Kermit'e döndü. "Derin bir nefes al ahbap. Sana bir haberim var. Bu büyük olanı. Manyoro ona aslanların aslanı diyor."

"Şimdi ne yapıyoruz? Atları ona doğru mu süreceğiz?"

"Hayır, yürüyerek gideceğiz." Leon çoktan eyerden atlayıp Holland'ını yerinden çıkarmaya başlamıştı bile. Tüfeği açıp pirinç kovanları çıkardı ve fişekliğinden aldığı yeni mermileri sürdü. Kermit de aynısını küçük Lee-Enfield'le yapıyordu. Adamlar gelip atları dizginlerinden tutarak geri çektiler, sonra da biraz su içmek üzere mataralarını çıkardılar. Sonra da ayağa kalkıp aslan mızraklarını aldılar ve tüyler ürperten homurtularla mızraklarını havada sallayarak savaş için hazırlanmaya başladılar.

Bütün avcılar hazır olunca Leon, Kermit'e talimatlarını verdi. "Sen önden gideceksin. Ben de üç adım arkandan geleceğim ki atış alanını kapatmayayım. Ağır ağır ve istikrarlı ilerleyeceğiz, ama tam ona doğru değil. Yirmi adım sağından geçip gidecekmiş gibi yapacaksın. Sakın doğrudan ona bakma. Gözlerini ileriye dik. Ona bakarsan ya kaçırırsın ya da vaktinden önce saldırmasına sebep olursun. Elli adım kadar yaklaşınca uyarı anlamında kükrer. Kuyruğuyla da yeri dövmeye başladığını göreceksin. Ne dur, ne de hızlan. Yürümeye devam et. Otuz metre kalınca da kalkıp sana bakacaktır. Bu noktada herhangi bir aslan olsa ya saldırır ya da kaçar. Bu farklı. Genç aslanla mücadele ettiği için huysuz ve saldırgan bir halde. Kanı kaynıyor. Saldıracaktır. Sana iki üç saniye müddet verip atılır. O daha harekete geçmeden vurman lazım, yoksa sen daha gözünü bile kırpamadan saatte elli kilometre hızla üstüne atılır. Ben ateş diye bağırınca ya çenesinin altından ya da göğsünün ortasından vurman lazım. Bu kedilerin derisi yumuşak olur. .303 bile devirir onu. Ancak, ayakta kaldığı sürece ateş etmeyi sürdürmek zorundasın."

"Sen ateş etmeyeceksin değil mi?"

"Senin kafanı çiğnemeye başlamadan etmeyeceğim ahbap. Hadi, yürüyelim!"

Önde Kermit, birkaç adım geride Leon ve arkalarında iki Masai olmak üzere yürümeye başladılar. Masai'ler *assegai*'lerini çekmiş omuz omuza ilerliyorlardı.

Leon alçak sesle Kermit'e, "Mükemmel," dedi. "Bu hızla ve bu yönde yürümeye devam et. Gayet iyi gidiyorsun." Elli adım kadar sonra Leon, aslanın kafasını beş on santim kaldırdığını gördü. Artık başının üst kısmı ortaya çıkmış, yeleleri tehditkâr bir şekilde kabarmıştı. Küçük bir saman yığınını andırıyordu, gür ve Hades kadar karaydı. Kermit adımının ortasında kalakaldı.

Leon, "Devam, devam, yürümeye devam et!" diye uyardı. Yürümeyi sürdürdüler, artık o koca yelenin altından aslanın gözlerini de görebiliyorlardı. Soğuk, sarı ve acımasızdılar. On ağır adımdan sonra aslan kükredi. Alçak, derinden, sonsuz tehdit içeren bir sesti, uzaktan duyulan gök gürültüsünü andırıyordu. Ses Kermit'i durdurdu ve uzun tüfeği omzuna kaldırırken dönüp aslana baktı. O hareket ve Kermit'in doğrudan bakışı aslanı tetikledi.

Leon sertçe, "Dikkat et! Saldıracak," dedi ama aslan çoktan atağa kalkmış, hızlı bir lokomotifin buhar pistonları gibi kısa, kesik kesik homurtular çıkararak Kermit'e doğru koşmaya başlamıştı. Siyah yelesi öfkeden iyice havaya dikilmişti, uzun kuyruk iki yana savruluyordu. Dev gibi bir hayvandı ve attığı her adımda daha da iri görünüyordu.

"Vur onu!" Leon'un sesi .303'ün şiddetli patlama sesinin altında kayboldu. Hızla fırlayan mermi aslanın başının üstünden geçmiş ve iki yüz metre ötede bir yere saplanmıştı. Kermit tüfeği hızla yeniden doldurdu. Bu defaki atışı daha alçaktandı ve hayvanın ön bacaklarının arasına denk gelmişti. Ne var ki aslan sarı bir bulut gibi koşmaya devam ediyordu. İnsanın kanını donduracak kızgın homurtular çıkarıyor, ortalığı tozu dumana katıyordu.

Leon, aman Tanrım, diye düşündü. Kermit'i devirecek. Bütün gücünü toplayıp Holland'ı koca yeleli kafaya ve gıcırdayan dişlere doğrulttu. İşaret parmağının öndeki tetiğe gidişini güç bela fark etti. Aslan iki yüz elli kiloluk gövdesini saatte elli kilometre hızla Kermit'in göğsüne fırlatmadan önce, Kermit üçüncü atışını yaptı.

.303 Lee-Enfield'in namlusu neredeyse aslanın parlak, siyah burun ucuna değiyordu. Hafif mermi tam burnun ucundan girip beyne doğru ilerlemişti. Esmer gövde, yem torbası gibi gevşek bir şekilde döndü. Kermit kendini son saniyede kenara attı ve aslan onun az önce durduğu yere yığıldı. Kermit titreyen bedeni ve tıkanmış nefesiyle ona bakakalmıştı. Yüzü ter içindeydi.

Leon, "Bir daha vur," diye bağırdı ama Kermit'in çoktan dizlerinin bağı çözülüp yere oturmuştu. Leon koşup aslanın başına dikildi. Yakın mesafeden kalbine ateş etti. Sonra Kermit'in oturmakta olduğu tarafa döndü. Samimi bir ilgiyle, "Sen iyi misin dostum?" diye sordu.

Kermit başını ağır ağır kaldırdı ve yabancı biriymiş gibi Leon'a baktı. Şaşkın bir şekilde başını salladı. Leon onun yanına oturup kolunu omzuna attı. "Gevşe biraz ahbap. Harika bir iş çıkardın. Saldırıya karşı durdun. Asla yıkılmadın. Orada durup bir kahraman gibi ateş ettin. Baban burada olsa seninle gurur duyardı."

Kermit'in bakışları netleşti. Derin bir nefes alıp, "Gerçekten öyle mi düşünüyorsun?" diye sordu.

Leon ikna edici bir sesle, "Gerçekten öyle olduğunu biliyorum," dedi.

"Sen ateş etmedin değil mi?" Kermit hâlâ uzun mesafe koşucuları gibi nefes nefeseydi.

"Hayır etmedim. Onu sen öldürdün, benim hiç yardımım olmadı."

Kermit başka bir şey demedi, gözünü dikmiş aslanın muhteşem gövdesine bakıyordu. Leon onun yanında kaldı. Manyoro ile Loikot hoplayıp zıplayıp daireler çizerek dans etmeye başlamışlardı.

Leon, "Senin şerefine aslan dansı yapacaklar," diye açıkladı.

Manyoro şarkı söylemeye başladı. Sesi güçlü ve berraktı.

"Biz genç aslanlarız.
Kükreyince yeri sarsarız.
Mızraklarımız dişlerimizdir.
Mızraklarımız pençelerimizdir..."

Her mısradan sonra kuş gibi havaya sıçrıyorlar ve Loikot nakarata başlıyordu. Şarkı bitince ölü aslanın yanına gidip parmaklarını kanına buladılar. Sonra Kermit'in hâlâ oturmakta olduğu yere geldiler. Manyoro, Kermit'in üstüne eğilip alnına biraz kan sürdü.

"Sen Masai'sin.
Sen morani'*sin.*
Sen bir aslan savaşçısısın.
Sen benim kardeşimsin."

O geri çekilince bu kez Loikot yanaştı. O da Kermit'in yanaklarına kırmızı çizgiler çekip;

"Sen Masai'sin.
Sen morani'*sin.*
Sen bir aslan savaşçısısın.
Sen benim kardeşimsin."

diye tekrarladı.

İkisi birden Kermit'in önüne diz çöküp ritmik bir şekilde el çırpmaya başladılar.

"Seni Masai ve kan kardeşi yapıyorlar. Sana verebilecekleri en büyük onur bu. Senin de kabul etmen lazım."

Kermit, "Siz de benim kardeşlerimsiniz," dedi. "Aramızda büyük sular olsa da sizi hayatım boyunca her gün anacağım."

Leon'un çevirisi üzerine Masai'ler zevkle mırıldandılar.

Manyoro, "Popoo Hima'ya, bize büyük onur verdiğini söyle," dedi.

Kermit ayağa kalkıp aslanın yanına gitti. Bir tapınakmış gibi önünde diz çöktü. Hemen elini sürmedi ama o muazzam başı incelerken yüzünde farklı bir pırıltı vardı. Yele, mat gözlerin beş santim üstünden başlıyor ve dalga dalga gür kıllar halinde kafatasını, boynunu, dev gibi omuzlarını sarıyor, göğsün altına iniyor ve ta geniş sırtın ortasında bitiyordu.

Manyoro, Leon'a, "Bırak yapsın," dedi. "Popoo Hima aslanın ruhunu kendi yüreğine akıtıyor. Bu doğru ve uygun bir hareket. Gerçek bir savaşçı böyle yapar."

Kermit aslanı bırakıp Leon'un tek başına oturduğu küçük ateşin başına geldiğinde güneş batmıştı. İsmail iki tane kütüğü karşılıklı koymuş, ortadaki düz kütüğe de iki kupayla bir şişe bırakmıştı. Kermit, Leon'un karşısına oturunca şişeye göz attı. Leon, "Bunnahabhain viski. Otuz yıllık," dedi. "Böyle bir şey olur da kutlamak zorunda kalırız diye Percy'den yalvar yakar almıştım. Ne yazık ki sadece şişenin yarısını bıraktı bana. Dediğine göre senin zevkine fazla gelirmiş." Leon kupalara içki koyup birini Kermit'e uzattı.

Kermit, "Kendimi farklı hissediyorum," diyerek bir yudum içti.

Leon, "Anlıyorum," dedi. "Bugün ateşle vaftiz edildin."

"Evet!" Kermit hararetle cevap vermişti. "Tam öyle oldu. Mistik, adeta dini ayin gibi bir deneyimdi. Bana garip ve harikulade bir şey oldu. Kendimi başka biriymiş gibi hissediyorum, daha önce olduğumdan çok daha iyi biri gibi." Kelimeleri seçmek için durdu. "Yeniden doğmuş gibiyim. Öteki ben, korkak ve kuşkulu biriydi. Artık hiç korkmuyorum. Artık dünyayla kendi koşullarımda hesaplaşabilirim."

Leon, "Anlıyorum," dedi. "Geçiş töreni."

Kermit, "Sana da olmuş muydu?" diye sordu.

Kavrulmuş toprakta çarmıha gerili soluk cesetleri, Nandi oklarının uçuşunu ve Manyoro'nun sırtındaki ağırlığını hatırlayan, duyan, hisseden Leon'un gözleri acıyla kısıldı. "Evet... ama bugüne hiç benzemiyordu."

"Anlatsana."

Leon başını salladı. "Bu gibi şeyleri pek konuşmayız. Kelimeler önemini azaltır, yetersiz kalır."

"Anladım. Çok özel bir şey."

Leon, "Kesinlikle," deyip kupasını kaldırdı. "Bunun için çabalamamız gerekmez. Yüreğimizden biliriz. Masai'lerin bunun için söylediği bir söz vardır, kısaca 'savaşçı kanı kardeşleri' diyorlar."

Uzun süre huzurlu bir sessizlik içinde oturdular, sonra Kermit, "Bu gece uyuyacağımı sanmıyorum," dedi.

Leon, "Ben de seninle nöbet tutarım," diye cevap verdi.

Bir süre sonra o günkü avı en küçük ayrıntısına kadar hatırlamaya başladılar. İlk kükremeyi, koca aslanın atılırken nasıl göründüğünü, ne kadar hızla geldiğini konuştular. Ama duygusal konulardan kaçınıyorlardı. Şişedeki viski giderek azalıyordu.

Gece yarısını geçtikten sonra karanlıkta hızla yaklaşan atları ve İngilizce konuşmaları duyunca şaşırdılar. Kermit ayağa kalktı. "Kim olabilir bu saatte?"

"Ben bir tahminde bulunabilirim." Binici kıyafetleri ve gevşek kenarlı şapkasıyla bir atlı ateşin ışığında belirdiğinde Leon hâlâ kıkırdıyordu. "İyi geceler Bay Roosevelt, Bay Courtney. Geçiyordum da bir uğrayıp merhaba diyeyim dedim."

"Bay Andrew Fagan, umarım size büyük bir yalancısınız dersem alınmazsınız. Neredeyse iki haftadır gece gündüz peşimizdesiniz. İz sürücülerim bıraktığınız izleri görüyor."

Fagan, "İnanmıyorum Bay Courtney," diye güldü. "Peşimizdesiniz çok iddialı bir tanım. Ama ikinizin ne yaptığını bütün dünya gibi ben de merak ediyorum doğrusu." Şapkasını çıkardı. "Bir kadeh atmak için ben de size katılabilir miyim?"

Kermit, "Maalesef biraz geç kaldınız," dedi. "Gördüğünüz gibi şişe boşalmış vaziyette."

"Ne tesadüf ki benim yanımda fazla bir şişe var." Fagan fotoğrafçısına seslendi. "Carl, şu Jack Daniel's şişesini bulup sen de yanımıza gelir misin lütfen?" Hepsi ateşin başına yerleşip içkilerinden ilk yudumları alınca, Fagan, "Bugün ilginç bir şey oldu mu?" diye sordu. "Sizin taraftan silah sesleri duyduk da."

"Sen anlat Leon!" Kermit için için kaynıyordu ama övünüyormuş gibi görünmek de istemiyordu.

"Ha, siz söyleyince hatırladım, bugün öğleden sonra Bay Roosevelt safarinin başından beri beklediğimiz aslanı vurdu."

"Aslan mı?" Fagan'ın ağzından biraz viski püskürdü. "İşte bu gerçek bir haber. Bir hafta kadar önce Başkan'ın vurduğuyla kıyaslayınca ne durumda?"

Leon, "Kendiniz karar verin," dedi.

"Görebilir miyiz?"

Kermit hevesle, "Bu taraftan buyurun," deyip ateşten ucu yanan bir odun aldı ve adamları aslanın yattığı yere götürdü. Karanlıkta kaldığı için şu ana kadar belli olmuyordu. Kermit odunu havaya kaldırıp ortalığı aydınlattı.

Fagan, "Her şey üstüne yemin ederim ki ki bu bir canavar!" dedi ve hemen fotoğrafçısına döndü. "Carl makineni getir." Daha sonra uzun bir süre aslanın yanında poz versinler diye Leon'la Kermit'e dil döktü. Kermit biraz nazlanıyordu. En sonunda yerlerine dönüp kupalarını tekrar ellerine aldıklarında sürekli patlayan flaşlar yüzünden hâlâ gözleri kamaşıyordu. Fagan not defterini çıkardı. "E, anlatsanıza Bay Roosevelt, şimdi kendinizi nasıl hissediyorsunuz?"

Kermit bir süre bu soruyu düşündü. "Bay Fagan, siz de avlanır mısınız? Öyleyse açıklamak daha kolay olur da."

"Hayır efendim. Ben golfçüyüm avcı değilim."

"Tamam. Benim için bu aslan, sizin Açık Golf Şampiyonası'nda Willie Anderson'la unvan maçı yaparken tek atışta topu deliğe sokmanız gibi."

"Şahane bir tanımlama! Doğru kelimeleri seçmek konusunda doğal bir yeteneğiniz var efendim." Fagan hızla not aldı. "Şimdi bana o devasa hayvanı ilk gördüğünüz andan ölüm anına kadar her şeyi adım adım anlatın." Kermit hâlâ heyecanın ve viskinin etkisi altındaydı. Hiçbir şeyi atlamadı. Ayrıntılar için sürekli Leon'dan yardım istiyordu. "Öyle değil mi? Tam öyle olmadı mı?" Leon da müşterisi için elinden geleni yapıyor ona destek oluyordu. Sonunda bütün hikâye anlatılınca, ayrıntıları sindirmek için sessizce oturdular. Karanlıkta gök gürültüsü gibi bir kükreme patladığında Leon herkesin yatmasını önermek üzereydi.

"O da neydi?" Andrew Fagan çok korkmuştu. "Tanrı aşkına, neydi o ses?"

Kermit düşünmeden, "Yarın avlayacağımız aslan," dedi.

"Bir aslan daha mı? Yarın mı?"

"Evet."

"Biz de gelebilir miyiz?" Leon itiraz etmek için ağzını açacakken Kermit atıldı. "Tabii. Neden olmasın? Buyurun Bay Fagan."

Ertesi sabah erkenden post yüzücüler aslanın derisini yüzmeye başladılar ve nemli postu kalın bir tuz tabakasıyla kapladılar.

Leon, "İşiniz bitince burada bekleyin," dedi. "Sizi alması için Loikot'u yollayacağım."

Doğudan gün ışığı gelmeye başlayınca ağaçların başladığı yere bakmaya başladı. Yaprakları tek tek seçer hale gelince de, "Avlanmak için ışık yeterli! Lütfen atlarınıza binin beyler," diye seslendi. Herkes eyerine yerleştikten sonra Manyoro'ya bir el işareti yaptı. Önde iki Masai olmak üzere birbirlerine yakın bir şekilde ilerlemeye başladılar. Leon atını biraz dizginleyip Bay Fagan'la üzengi üzengiye gelecek şekilde yanaştı. Alçak sesle, ama kesin bir tavırla konuşuyordu. "Bay Roosevelt, sizi de ava davet etmekle nezaket gösterdi. Bana kalsa kabul etmezdim. Ancak, bu işin tehlikesini hafife alıyor olabilirsiniz. İşler yolunda gitmezse birileri fena halde zarar görebilir. Geride kalıp tehlikeden uzak durmanız için ısrar ediyorum."

"Elbette Bay Courtney. Nasıl isterseniz."

"Geride kalın derken en az iki yüz metre mesafeden söz ediyorum. Ben müşterimi kolluyor olacağım. Aynı anda size de göz kulak olamam."

"Anlıyorum. İki yüz metre geride ve fare kadar sessiz olacağız efendim. Orada olduğumuzu hissetmeyeceksiniz bile."

Manyoro, onları üç kilometre ötedeki diğer aslan tuzağına götürdü. Yaşlı zürafanın şişmiş leşine yaklaşırlarken hayvanı yemekte olan büyük bir akbaba sürüsü havalandı ve bir düzine kadar sırtlan da panik halinde, kuyruklarını sırtlarına kaldırmış, gülmeye benzer tiz sesler çıkararak uzaklaştılar, sırıtkan çenelerinden kanlı sakatat parçaları sarkıyordu.

Manyoro, "*Hapana*," diyerek omuz silkti. "Bir şey yok."

Leon, "Üç tuzak daha var. Onlardan birinde olmalı. Vakit harcama da yol göster Manyoro," diye emretti. İkinci leş, yeni yanmış, üç tarafı gür bitki örtüsü yere yakın olan ve kaçan bir hayvanın rahatça sığınacağı yeşil Kusaka-saka çalılarıyla kaplı açık bir alandaydı. Fakat Leon leşin etrafında yeterince açıklık olduğu için burayı seçmişti. İşlerini görmelerine yetecek kadar yer vardı.

Leon'u ilk çarpan ve sinirlerini oynatan şey, civardaki ağaçların üst dallarına tünemiş koca bir akbaba kolonisiyle Kusaka-saka çalılarının kenarında bekleyen dört sırtlan oldu. Hem akbabalar, hem de sırtlanlar açıklığın ortasındaki ölü bizondan uzak duruyorlardı. Hoşlarına gitmeyen bir şey olmalıydı. Sonra epey önde olan Manyoro, durdu ve yaptığı hareketle Leon'a sözle iletilmiş gibi net bir mesaj yolladı.

Leon da Kermit'e, "Aslan burada. Dikkatli ol," dedi. "Bekle. Manyoro iyice yaklaşıyor. Bırakalım hazırlık yapsın." Fagan ve grubu da onlara yetişmişti. Leon, "Siz burada kalıyorsunuz," dedi. "Ben işaret verene kadar da daha fazla yaklaşmayın. Buradan her şeyi görebilir ve tehlikeden de uzak olursunuz." Manyoro'nun rüzgârı kontrol edişini izlediler. Hafif ve ılıktı ama doğruca tuzağın bulunduğu taraftan geliyordu. Manyoro başını sallayıp başka bir hareket yaptı.

Leon, Kermit'e, "Evet ahbap, aslan leşin başında," dedi. "Biz de gidiyoruz. Son dakika uyarıları. Sakin ol. Acele etme. Ama ne yaparsan yap, bu sefer o kahrolası aslana bakma."

"Tamam patron." Kermit hem sinirli, hem de heyecanlıydı ve sırıtıyordu, tüfeğini almak için uzanan eli titriyordu. Leon bu ağır yürüyüşün ona kendini toparlaması için fırsat yaratacağını umdu.

Atlarından indiler.

"Tüfeğini kontrol et. Şarjöre mermi sürülü olduğundan emin ol." Kermit söylenenleri yaparken Leon artık ellerinin titremediğini görüp rahatladı. Arkalarında pozisyonunu alsın diye Manyoro'ya işaret etti ve yanmış açık alandaki uzun yürüyüşlerine başladılar. Attıkları her adımda yerden küçük kül topakları kalkıyordu. Onlar leşe daha iki yüz elli adım uzaktayken aslan arkasından ayağa kalktı. Çok iri bir hayvandı, her parçası diğer aslanınki kadar büyüktü. Yelesi de gürdü, ama kızıldı, sadece uçlarında yer yer siyahlıklar vardı. İyi durumdaydı, postu ipeksi ve parlaktı, hiçbir yerinde çirkin yara izleri yoktu. Hırlamak için ağzını açınca uzun ve mükemmel dişleri beyaz beyaz parlamıştı. Ama gençti ve o yüzden ne yapacağı belli olmuyordu.

Leon fısıltıyla, "Ona bakma!" diye uyardı. "Yürümeye devam et ama Tanrı aşkına ona bakma. Daha yakına gitmemiz gerek. Çok daha yakına." Daha arada yüz elli metre varken aslan bir daha kükredi ve kuyruğu kararsızca büküldü. Koca yeleli başını çevirip arkasına baktı.

Leon içinden hay aksi, hayır, dedi. Sinirleri bozulmuştu. Yerini korumayacak. Kaçıp gidecek.

Aslan tekrar onlara dönüp bir daha hırladı, ama seste o öldürücü yoğunluk yoktu. Sonra, birdenbire, dönüp koşmaya başladı ve açık alanı geçip, kendini Kusaka-saka çalılarının arasına attı.

Kermit, "Kaçıyor!" diye bağırdı ve üç adım attıktan sonra durup Lee-Enfield'i kaldırdı.

"Hayır!" Leon telaşla bağırmıştı. "Ateş etme." Mesafe çok uzaktı ve aslan hızlı hareket eden bir hedefti. Leon, Kermit'i durdurmak üzere koştu, ama Lee-Enfield keskin bir sesle patladı ve namlu sarsıldı. Aslanın uzun kasları ipeksi postun altında hayatının baharını yaşayan bir atletinki gibi oynuyordu. Leon merminin çarptığını gördü. Çarpma noktasında, hareketsiz, derin bir göle, taş atılmış gibi deri dalgalanmıştı. Hayvanın böğründeki son kaburganın iki karış ötesinde ve gövdenin ana arterinin altında kalmıştı.

Leon, "Karnına geldi!" diye inledi. "Çok uzaktı." Aslan mermiyi yiyince homurdanmış ve ölümcül bir koşuya başlamıştı. Leon tüfeğini omzuna alana kadar hayvan neredeyse Kusaka-saka'nın sağladığı güvenliğe ulaşmıştı. Holland'la nişan alabilmek için aradaki mesafe fazla uzundu. Yine de Leon ateş etmek zorundaydı. Aslan yaralıydı. Başarı şansı ne kadar az olursa olsun, işini bitirmeliydi. İlk namludan ateş etti, ama ağır mermi aslanın göğsünün altında toprağa saplandı. İkinci atışın sesi ilkine karıştı, ama aslan çalıların içinde gözden kaybolduğu için nereye gittiğini göremedi. Hemen dönüp Manyoro'ya baktı ve sol bacağını gösterdiğini gördü.

Leon öfkeyle, "Kahrolası arka bacağı kırıldı," diye söylendi. "Fazla yavaşlatmaz onu." Boşalan şarjörü çıkarıp Holland'ı yeniden doldurdu.

Kermit'e, "Orada boş tüfeğinle durup etrafı seyretmeyi bırak," diye çıkıştı. "Lanet şeyi doldur tekrar."

Kermit, "Üzgünüm," dedi, utanmıştı.

Leon, "Ben de öyle," diye terslendi.

Kermit, "Kaçıp gidecekti," diye açıklamaya çalıştı.

"Eh, işte şimdi sahiden gitti, karnında senin merminle." Leon eliyle Manyoro'yu çağırdı ve ikisi çömelip ciddi ciddi konuşmaya başladılar. Bir süre sonra Manyoro yine Loikot'un yanına döndü ve iki Masai bir tutam enfiye çektiler. Leon da çıplak toprağa oturdu, Holland'ı kucağına yatırmıştı. Kermit biraz ötede oturduğu yerden Leon'u izliyordu. Leon aldırmadı.

Sonunda Kermit, "Şimdi ne yapıyoruz?" diye sordu.

"Bekliyoruz."

"Neyi?"

"Zavallı aslanın kan kaybetmesini ve yaraları yüzünden katılaşmasını."

"Ya sonra?"

"Sonra Maynoro'yla ben gidip işini bitireceğiz."

"Ben de sizinle geleceğim."

"Hayır, kesinlikle gelmeyeceksin. Bugünlük yeterince eğlendin."

"Size bir şey olabilir."

"Böyle bir olasılık her zaman var." Leon acı acı güldü.

"Bana bir şans daha ver Leon." Kermit yalvarıyordu.

Leon başını çevirip ilk kez yüzüne baktı, bakışları sert ve soğuktu. "Bana bir sebep söyle."

"Çünkü o muhteşem hayvan orada ağır ağır can çekişerek ölüyor ve ona bunu yapan benim. Oraya gidip onu acılarından kurtarmayı Tanrı'ya, aslana ve erkeklik gururuma borçluyum. Bunu anlıyor musun?"

Leon, "Evet," dedi. İfadesi yumuşamıştı. "Çok iyi anlıyorum ve saygı duyuyorum. Birlikte gideceğiz ve seni yanıma almayı onur sayacağım."

Bir şeyler daha diyecekti, ama açıklığa gözü takıldı ve ifadesi dehşete dönüştü. Ayağa fırladı. "O Tanrı'nın cezası geri zekâlı ne halt ettiğini sanıyor?" Andrew Fagan atıyla ağır ağır tam Kusaka-saka çalılarının kenarında ilerliyordu, tam yaralı aslanın gözden kaybolduğu noktaya doğru gidiyordu. Leon, onu durdurmak için koşmaya başladı.

"Geri dön kahrolası budala! Geri dön!" diye avazı çıktığı kadar bağırdı. Fagan dönüp bakmadı bile. Yavaş yavaş ölümcül tehlikeye doğru ilerliyordu. Leon da hızla koşuyordu ve bir daha bağırmadı. Nefesini, karşılaşacağı kötü manzaraya saklıyordu. Artık o kadar yaklaşmıştı ki Fagan'ın duymaması imkânsızdı. "Fagan, seni aptal! Uzaklaş oradan!" diye bağırdı ve tüfeği başının üstünde salladı. Bu kez Fagan dönüp baktı ve neşeyle binici kırbacını salladı, ama atını durdurmamıştı.

"Hemen buraya dön!" Leon'un sesi çaresizlikten tizleşmişti.

Bu sefer Fagan atını durdurdu ve tebessümü yok oldu. Leon'a doğru döndü ve tam o anda aslan bütün gücüyle, öfke içinde homurdanarak saldırdı. Yelesi dikilmiş, sarı gözlerinden ateşler saçarak Fagan'a doğru koşuyordu.

Fagan'ın atı başını savurup vahşice şaha kalktı. Fagan'ın bir ayağı üzengiden çıktı ve hayvanın boynuna doğru fırladı. At koşmaya başlayınca da iki koluyla boynuna sarıldı. Kısa mesafede aslan atla biniciden daha hızlıydı ve onlara çabucak yetişti. Havaya sıçrayıp ön pençelerini atın kalçasına geçirdi.

At acıyla inledi ve kendini pençelerden kurtarmak için şiddetle sıçradı. Fagan dengesini yitirmiş ve çuval gibi yere düşmüştü. Ama bir ayağı üzengide takılı kaldığı için çırpınan atın arkasında, aslanın arka bacaklarının altında sürükleniyordu. At kişniyor ve saldırgandan kurtulmak için çifte atıyordu. Toynakları Fagan'ın başının etrafında parlıyordu. Aslanın arka bacaklarından biri kırık olduğu için atı aşağı indirecek gücü toplayamıyordu. Yanmış otlardan çıkan küller yüzünden göz gözü görmez olmuştu. O karmaşada Leon, aslan yerine adamı vurmaktan korktuğu için ateş edemiyordu. Daha sonra Fagan'ın üzengi kayışı koptu ve adam dövüşün dışına yuvarlandı.

Leon, "Fagan, bana doğru gel!" diye bağırdı. Bu sefer Fagan çağrıya büyük bir istekle karşılık verdi. Üzenginin çeliği hâlâ sağ ayağına takılı olarak ayağa kalktı ve Leon'a doğru atıldı. Arkasında aslanla at hâlâ boğuşuyordu, at iki bacağıyla çifte atarak aslanı bir halkanın içine çekiyor, aslan kükrüyor, ön pençelerini geçirdiği atın sağrısını ısırmaya çalışıyordu.

At bir çifte daha attı ve bu sefer iki toynağı birden sert bir şekilde aslanın göğsüne indi. Çarpma o kadar şiddetliydi ki aslan geriye doğru düştü ve pençeleri atın etinden kurtuldu. Sırtüstü yuvarlanmıştı, ama aynı hareketle tekrar ayağa kalktı. At ise dörtnala kaçıyordu, bacağındaki ağır yaralardan kan fışkırıyordu. Aslan da peşinden gidecek gibi oldu, ama Fagan'ın hareketleri dikkatini çekti. Hızla yön değiştirip Fagan'a doğru atıldı. Fagan arkasına bakıp acıyla haykırdı.

"Bana doğru gel!" Leon da ona doğru koşuyordu, ama aslan daha hızlıydı. Leon hâlâ ateş edemiyordu, çünkü Fagan aslanla ikisinin ortasındaydı. Bir saniye sonra aslan üstünde olacaktı.

Leon, "Çömel!" diye bağırdı. "Yere yat ki ateş edebileyim."

Belki söz dinlediği için, ama daha çok korkudan dermanı kalmadığı için Fagan yere yığıldı ve toprağın üstünde armadillo gibi top haline gelip, dizlerini çenesine doğru çekti ve ellerini ensesinde birleştirdi. Yüzü bembeyaz bir dehşet maskesine dönüşmüş, gözleri sıkı sıkı kapanmıştı. Neredeyse çok geç olmuştu. Aslan saldırının son ölümcül anlarında sessizce atıldı, ağzı açık, dişleri ortadaydı. Fagan'ın çaresiz bedenini ısırmak üzere boynunu uzatıyordu.

Leon ilk namlusuyla ateş etti ve mermi aslanın alt çenesine isabet etti. Fincanla atılan zarlar gibi beyaz diş parçaları saçıldı. Genişletilmiş mermi büyük bir güçle hayvanın vücudu boyunca, göğüsten anüse kadar ilerlemeye devam etti. Aslan parende atar gibi havaya savruldu. Yine dört ayak üstüne düştü ve öyle durdu. Gövdesi iki yana savruluyor, başı öne sarkıyor, açık çenelerinden kan geliyordu. Leon'un ikinci mermisi omzundan girip kemiği parçalayarak kalbine gitti. Aslan gevşemiş bacaklarıyla geriye devrildi, gözleri sıkıca kapalıydı. Kırılmış, kanlı çenesni oynattı, ama sesi çıkmadı.

Leon sol elinde iki büyük mermi daha bekletiyordu. Bir başparmak ve bilek hareketiyle Holland'ı açıp kovanları yere attı ve yine tek bir seri hareketle tüfeği doldurdu. Holland'ı yeniden omzuna astı. Aslanın göğsüne bir emniyet atışı yaptı ve hayvanın sağlam bacağı son kez çırpındıktan sonra hareketsiz kaldı.

Kibarca, "İşbirliğiniz için teşekkürler Bay Fagan. Artık kalkabilirsiniz," dedi. Fagan gözlerini açıp kendini cennette bulmayı beklermişçesine etrafına bakındı. Sonra acıyla ayağa kalktı.

Yüzü kabuki(*) maskesi kadar beyaz ama terden yapış yapıştı. Bütün vücudu külle kaplanmıştı. Ama yirmi dolarlık Brooks Brothers binici kıyafetinin önü de terden sırılsıklam olmuştu. Leon'a doğru titrek bir adım atınca çizmelerinden şap şap sesler geldi.

Dördüncü kuvvetin korkusuz kahramanı, Amerikan Associated Press'in duayeni, New York Raket Kulübü'nün komite üyesi ve Pennsylvania Golf Kulübü'nün sekiz engelli turnuva kaptanı Andrew Fagan Esquire altını ıslatmıştı.

Leon sevimli bir ifadeyle, "Doğruyu söyleyin efendim, bunu on sekiz delikli golften daha heyecanlı bulmadınız mı?" diye sordu.

Sonunda büyük başkanlık safarisi Ewaso Ng'iro Nehri kıyılarından ayrılmış ve el değmemiş tabiatın içinde ağır ağır kuzeybatıya doğru ilerlemeye başlamıştı. Kermit ve Leon arada uzaklara gidiyor, bol bol avlanıyor, çoğu zaman da kayda değer başarılarla geri geliyorlardı. Leon, Büyük Sihirbaz'ı tamir ettikten sonra Kermit bir daha hiçbir atışında ıskalamadı. Leon, acaba sadece Lusima'nın büyüsünden mi, yoksa Kermit'e azar azar aktarmış olduğu kendi ahlaki değerlerinden, ava saygı ve anlayışla yaklaşmaktan mı diye merak ediyordu. Asıl sihir o büyülerde değildi: Kermit'in

(*) Geleneksel Japon halk tiyatrolarında (kabuki) yüze takılan beyaz maske.

becerikli ve saygılı bir avcı olarak olgunlaşmasında, denge ve özgüven sahibi bir erkek olmasıydı. Sınanıp sınavlardan geçen dostlukları da sağlam ve dayanıklı bir karaktere bürünmüştü.

Ewaso Ng'iro Nehri'ni terk ettikten dört ay sonra safari, Victoria Gölü'nden çıkan ve Victoria Nil'ini oluşturan muazzam kolun başına, Jinja adı verilen bir yere gelmişti.

Percy Phillips'in anlaşması nehre kadardı. Nil'in doğu kıyısında başka bir muazzam kamp vardı: Quentin Grogan görevi Percy'den devralıp, Başkan Roosevelt'i Uganda, Sudan ve Mısır üstünden Akdeniz kıyılarındaki İskenderiye'ye ulaştıracaktı. Oradan da Başkan ve maiyeti New York'a giden gemiye bineceklerdi.

Roosevelt, Nil kıyısında bir veda yemeği düzenledi. Kendisi içmediği halde konuklarına şampanya ikram ettirdi. Neşeli geçen yemek Başkan'ın konuşmasıyla sona erdi. Konuklarının, her biriyle ilgili komik ya da dokunaklı anekdotlar anlatarak herkesi eğlendirdi. Arada, "Dinleyin, dinleyin!" ve "Çünkü o neşeli iyi bir insan!" sözleri duyuluyordu.

Sıra en son Leon'a geldi. Başkan aslan avının ve Andrew Fagan'ın kurtarılışının öyküsünü anlattı. Ondan "Altına Kaçıran Basın" diye söz etmesi herkesi güldürdü. Fagan davette yoktu, aslan kazasından kısa bir süre sonra safariyi izlemekten vazgeçmişti. Sarsılmış olarak Nairobi'ye dönmüştü.

"Bu arada az kalsın unutuyordum. Kermit biz seninle bahse girmemiş miydik? En büyük aslan üstüneydi galiba?" Başkan'ın bu sözleri üzerine konuklardan kahkahalar yükseldi.

"Evet girmiştik baba. Ve evet konusu da oydu."

"Beş dolarına anlaşmıştık diye hatırlıyorum."

"Hayır baba, on dolardı."

"Beyler!" Roosevelt masadakilere döndü. "Beş miydi, on mu?"

Neşeli sesler, "Ondu! Ödeyin efendim! Bahis bahistir!" diye bağırıştı.

Başkan iç geçirip cüzdanını çıkardı, yeşil bir banknot seçip masanın üstünden Kermit'in oturduğu yere uzattı. "Tamamını ödedim, hepiniz de şahitsiniz," dedi. Sonra tekrar misafirlerine döndü. "O ödüllü aslanı öldürdükten sonra iz sürücülerin oğlumu Masai kabilesinin onur üyesi ilan ettiklerini aranızda bilen yoktur."

"Bravo!" sesleri yükseldi.

Başkan susmaları için elini kaldırdı. "Ama ben de bu onura bir karşılık vermeliyim." Leon'a baktı. "Lütfen Manyoro'yla Loikot'u çağırır mısın?" Leon, onlara önceden *Bwana Tumbo*, yani "Efendi Güçlü Karın" tarafından çağırılacaklarını söyleyip uyarmıştı, Başkan Roosevelt'in Swahili adı buydu.

Manyoro ile Loikot çadırın arkasında bekliyorlardı ve hemen geldiler. Kırmızı *shuka*'ları, kırmızı aşıboyası ve yağla süslenmiş saç örgüleriyle göz alıcıydılar. Ellerinde aslan *assegai*'leri vardı.

Başkan, "Leon, lütfen sözlerimi tercüme eder misin bu beylere," dedi. "Oğlum Bwana Popoo Hima'ya kabilenizin büyük onurunu bahşettiniz. Onu bir *morani* olarak kabul ettiniz. Şimdi ben de size ülkem Amerika adına sesleniyorum. Bu belgeler sizin de birer Amerikalı olduğunuzu kanıtlıyor. Dilediğiniz zaman ülkeme gelebilir ve şahsen benim konuğum olabilirsiniz. Sizler *Masai*'siniz, ama artık aynı zamanda Amerikalısınız da." Koltuğunun arkasında bekleyen sekreterine döndü ve kırmızı kurdelelerle bağlı vatandaşlık belgelerini aldı. Belgeleri Masai'lere verip ikisiyle de tokalaştı. Aynı anda Manyoro ile Loikot masanın etrafında aslan dansına başladılar. Kermit de ayağa fırlayıp onlara katıldı, o da zıplıyor, ayak sürtüyor, yüz hareketleri yapıyordu. Masadakiler el çırpıp tezahürat yaparken Roosevelt kahkahadan kırılıyordu. Dans bitince Manyoro ile Loikot büyük bir vakarla çadırdan ayrıldılar.

Başkan tekrar ayağa kalktı. "Şimdi de bugün bizden ayrılacak dostlarımız için, birlikte geçirdiğimiz güzel günlerin anısına birkaç hediyem var." Sekreteri bir daha çadıra geldi, bu sefer elinde çizim defterleri vardı. Başkan defterleri alıp masanın etrafında dolaşarak konuklarına dağıttı. Leon kendininkini açtığında adına ithaf edilmiş olduğunu gördü.

"Sevgili dostum, usta avcı Leon Courtney'e, Afrika'nın Cennet Bahçeleri'nde oğlum Kermit ve benimle geçirdiği güzel günlerin anısına. Teddy Roosevelt."

Defterde bir düzine elle çizilmiş karikatür vardı. Her biri son aylarda yaşanan olayları anlatıyordu. Birinde Kermit atından düşmüştü, altında da, "Oğul ve vâris bir takla atıyor ve Yüce Avcı bu müthiş gösteriyi keyifle izliyor," yazıyordu. Başka birinde Leon aslanın işini bitirirken görülüyordu, Roosevelt bunun altına da, "Büyük gazeteci Yüce Avcı tarafından aslana akşam yemeği olmaktan kurtarılırken ve güzel duygular yaşarken. Oğul ve vâris yukarıda sözü geçen Yüce Avcı'nın cesaretine tanık oluyor." Yazmıştı. Leon hediyeye hem çok şaşırmış, hem de onur duymuştu. Bu güçlü adamın elinden çıkan karikatürlerin paha biçilmez olduğunu biliyordu.

Çok geçmeden yemek sona erdi. Başkanlık ekibini nehrin karşısına geçirecek tekneler hazır bekliyordu. Leon ve Kermit konuşmadan kıyıya indiler. İkisi de duygusal ya da basmakalıp gelmeyecek sözcükler bulmakta zorlanıyordu.

Kıyıya ulaştıklarında Kermit sessizliği bozup, "Lusima'ya benim için bir hediye götürür müsün ortak?" dedi. Leon'a yeşil banknotlardan küçük bir rulo uzattı. "Sadece yüz dolar. O çok daha fazlasını hak ediyor. *Bunduki*'min çok iyi ateş ettiğini ve ona teşekkür ettiğimi söyle."

Tokalaşırlarken Leon, "Cömert bir hediye. Ona on tane güzel inek alır. Bir Masai için de bundan daha değerli bir şey yoktur," dedi.

Kermit, "Hoşça kal ortak. Her şey çok güzeldi," dedi.

"Amerikalıların dediği gibi süperdi müthişti. Hoşça kal ve Tanrı her zaman yanında olsun ahbap."

Kermit, "Sana yazacağım," dedi.

"Bence bütün kızlara da böyle söylüyorsundur."

Kermit, "Göreceksin," dedi ve bekleyen tekneye bindi. Tekne kıyıdan ayrılıp Nil'in hızlı akan, engin sularını geçmeye başladı. Hemen hemen işitme mesafesini geçtikten sonra Kermit kıç tarafında ayağa kalktı ve bağırarak bir şey söyledi. Leon gürültüyle aşağı doğru akan suyun sesinden ancak birkaç kelimeyi duyabildi. "Savaşçı kanı kardeşleri!"

Leon gülüp şapkasını salladı ve o da, "Tüfekler omza!" diye bağırdı.

"Ve şimdi, sevgili dostum, tekrar dünyaya dönme vakti geldi. Senin için eğlence bitti. Yapacak işlerin var. Önce, atları görüp sağ salim Nairobi'ye döndüklerinden emin olmalısın. Sonra yol boyu kamplarda bıraktığımız avları toplayacaksın. Güzelce kurutulup tuzlandıklarından emin olduktan sonra paketleyip Kapiti Düzlüğü'nde trene vermelisin. Derhal, hatta dün, Amerika'ya, Smithsonian'a ulaştırılmaları gerekiyordu. Bütün donanıma ve araçlara, beş öküz arabasıyla, iki otomobil de dahil bakım yapman lazım. Hepsi bir yıldır yollarda ve bazıları harap vaziyette. Sonra her şeyi Tandala Kampı'na geri götürmelisin ki Lort Eastmont için hazır olsunlar, benimle safari anlaşması yapalı iki yıl oldu. Tabii ki Hennie du Rand sana yardım edecek, ama öyle bile olsa bir süre haylazlık yapamayacaksın. Maalesef Nairobi hanımlarına ayıracak fazla vaktin de olmayacak."

Percy, Leon'a göz kırptı. "Bana gelince, her şeyi sana bırakıyorum. Doğruca Nairobi'ye döneceğim. Yaşlı bizon bacağım fena canımı yakıyor ve ancak Doktor Thompson tedavi edebilir."

Birkaç ay sonra Leon otomobillerden biriyle Tandala'ya giriyordu, peşinden de diğeriyle Hennie du Rand geliyordu. Şafaktan bu yana engebeli, tozlu yollarda üç yüz elli kilometre yol yapmışlardı. Leon kontağı kapatınca motor tekleyerek durdu. Hemen yere atlayıp şapkasını aldı, bacağına vurdu ve çıkan toz bulutu yüzünden öksürdü.

"Hangi cehennemdeydin?" Percy çadırından çıkmıştı. "Artık öldüğünü düşünecektim neredeyse. Seninle konuşmak istiyorum, hemen."

Leon, "Ateş nerede?" diye sordu. "Sabahın üçünden beri araba kullanıyorum. Tek kelime edecek halim yok, önce banyo yapıp tıraş olmam lazım ve kimsenin zırvalarını da dinleyemem şimdi, hatta senin bile Percy."

Percy sırıtarak, "Tamam banyo yapman şart. İhtiyacın olduğu her halinden belli. Sonra değerli vaktinin birkaç dakikasını bana ayırmanı istiyorum."

Bir saat sonra Leon, Percy'nin tel çerçeveli okuma gözlüğü burnunun ucunda olarak uzun bir masanın başında oturduğu büyük çadıra girdi. Percy'nin önünde cevap verilmemiş mektuplardan, kasa defterlerinden ve diğer belgelerden oluşan bir yığın duruyordu. Yazı yazdığı parmakları siyah mürekkebe bulanmıştı.

"Özür dilerim Percy. Seninle öyle konuşmamalıydım." Leon pişman olmuştu.

"Aldırmadım bile." Percy kalemini hokkanın içine bıraktı ve karşısındaki sandalyeyi gösterdi. "Senin gibi ünlü adamlar ara sıra kibirli olma hakkına sahiptir."

"Alay, esprinin en düşük seviyesidir." Leon yine köpürmüştü. "Ben buralarda sadece köleliğimle ünlüyüm."

"İşte!" Percy masadaki gazete kupürü yığınını Leon'un önüne itti. "Şunları okusan iyi olur. Çökmüş moraline iyi gelir belki."

İlk kez merakı uyanan Leon sayfaları karıştırmaya başladı. Kupürlerin Kuzey Amerika'yla Avrupa'nın çeşitli yerlerinde çıkan *Los Angeles Times*'tan, Berlin'de yayınlanan *Deutsche Allgemeine Zeitung*'a kadar birçok gazeteden kesildiğini anladı. Almanca yazılmış haberlerin İngilizce olanlardan daha fazla olduğunu görüp şaşırdı. Ama okuldan kalma Almancası yazılanları anlaması için yeterliydi. Bir tanesini okudu: "Afrika'nın En Büyük Avcısı. Amerikan Başkanı'nın oğlu böyle diyor." Altında Leon'un güçlü ve atak göründüğü bir fotoğraf vardı. Onu bir kenara bırakıp sonrakini aldı. Bunda da pırıl pırıl parlayan bir Teddy Roosevelt'le tokalaşırken görülüyordu. Altındaki başlıkta, "Bana akıllıdan çok şanslı bir avcı verin. Roosevelt insan yiyen bir aslanı öldürdüğü için Leon Courtney'i tebrik ederken," diyordu.

Sonrakinde Leon boyunu aşan fildişleriyle birlikte görülmekteydi, altındaki notta da, "Afrika'nın en büyük avcısı rekor düzeyinde fildişleriyle," yazıyordu. Diğer resimler de Leon'u kadrajın dışındaki hayali bir hayvana nişan alırken veya vahşi hayvan sürüleri arasında atıyla dörtnala giderken gösteriyordu, hepsinde de havalı ve keyifliydi. Bir sürü yazı vardı. Leon kırk yedi tane ayrı makale saydı. Sonuncusunun başlığı, "Hayatımı kurtaran adam. Bunu on sekiz delikli golften daha heyecanlı bulmadınız mı? Yazan Andrew Fagan, Kıdemli Editör, Amerikan Associated Pres" şeklindeydi.

Leon hepsine bir göz attıktan sonra kupürleri düzgün bir şekilde toparladı ve masanın üstünde Percy'e doğru itti, o da anında geri itti. "Ben istemem onları. Sadece zırva oldukları için değil, bu kadar yağı midem kaldırmadığı için. İster yak, istersen Penrod Amca'na iade et. O toplamış hepsini. Bu arada, o da seni görmek istiyor, ama sonra. Önce şu diğer mektupları okumanı istiyorum. Çok daha ilginç bunlar." Percy bir zarf tomarı uzattı bu sefer.

Leon tomarı alıp şöyle bir karıştırdı. Hemen hemen tüm mektupların pahalı parşömene veya ağır keten kâğıtlara süslü el yazılarıyla yazılmış olduğunu gördü. Birkaç tane de daha ucuz kâğıda daktiloyla yazılmış olan vardı. "Herr Courtney, Glücklicher Jager, Nairobi, Afrika" veya "M. Courtney, Chasseur Extraordinaire, Nairobi, Afrique de l'Est" ya da kısaca, "Afrika'nın en büyük avcısı, Nairobi, Afrika" şeklinde çeşitli adresler kullanmıştı.

Leon başını kaldırıp Percy'e baktı. "Nedir bu?"

Percy, "Andrew Fagan'ın makalelerini okuyan ve seninle ava çıkmak isteyenlerden gelen mektuplar, zavallı cahil yaratıklar. Ne yapacaklarını bilmiyorlar," diye kısaca açıkladı.

"Bunlar bana gönderilmiş ama sen açmışsın!" Leon sert bir ifadeyle konuşmuştu.

"Açmamı istersin sandım. Acilen cevap vermek gereken bir şey olabilirdi." Percy özür dilercesine omuz silkip, masum bir havayla cevap vermişti.

"Bir beyefendi başkasının mektubunu açmaz." Leon doğruca gözünün içine bakıyordu.

"Ben beyefendi değilim, senin patronunum ve sen de bunu unutmasan iyi olur parlak çocuk."

"Bu durumu yıldırım hızıyla değiştirebilirim." Leon elindeki mektupların ona verdiği yeni otorite ve statüyü hissediyordu.

"Tamam, tamam sevgili Leon, acele etmeyelim. Haklısın. Mektuplarını açmamam gerekiyordu ve özür diliyorum. Kabalık ettim."

"Sevgili Percy, çok gerçekçi özrün koşulsuz olarak kabul edildi."

Leon sonuncu mektubuna bakarken konuşmadılar.

Percy, "Bir tane de bir Alman prensesinden gelmiş, Isabella von Hoherberg mi ne?" diyerek sessizliği bozdu.

"Gördüm."

Percy yardımsever bir havayla, "Fotoğrafını da iliştirmiş," dedi. "Hiç fena değil. Benim yaşımdaki bir adama uyar. Ama sen de olgun kadınları seversin, değil mi?"

"Kes sesini Percy." Sonunda Leon başını kaldırdı. "Geri kalanını sonra okurum."

"Sence ortaklık teklifimi konuşmak için uygun bir zaman mı?"

"Percy, derinden etkilendim. O konuda ciddi olduğunu bir an bile düşünmemiştim."

"Ciddiyim."

"Pekâlâ. Konuşalım."

Yeni anlaşmalarının çerçevesini çizdiklerinde neredeyse akşam olmuştu.

"Son bir şey Leon. Arabayı kendin kullandığın zaman masrafını sen karşılamalısın. Nairobi'deki aşk gezilerinin sponsoru olacak değilim."

"Gayet uygun Percy, ama madem böyle bir şart koşuyorsun, benim de iki şartım var."

Percy kuşkulu ve huzursuz gibi görünüyordu. "Duyalım bakalım neymiş."

"Yeni şirketin adı..."

Percy hemen atılıp, "Phillips ve Courtney Safari olacak tabii ki," dedi.

"Bu alfabeye uymuyor Percy. Courtney ve Phillips ya da kısaca C ve P Safari olsa?"

Percy, "Bu benim gösterim. Ancak P ve C Safari olabilir," diye itiraz etti.

"Artık senin gösterin değil. Şimdi bizim gösterimiz."

"Kendini beğenmiş küçük pislik. Yazı tura atalım." Cebinden gümüş bir şilin çıkardı. "Yazı mı, tura mı?"

Leon, "Tura!" dedi.

Percy parayı havaya fırlattı ve sol elinin tersiyle yakaladı. Üstünü sağ eliyle kapadı. "Tura dediğinden emin misin?"

"Hadi Percy. Bakalım şuna."

Percy elinin altından bakıp içini çekti. Mutsuz bir halde, "İşte genç aslan yulafına göz dikince yaşlı aslan da böyle hissediyor," dedi.

"Aslanlar yulaf yemez. Bakalım ne saklıyorsun orada?"

Percy parayı gösterdi. "Tamam tamam, sen kazandın," dedi. "C ve P Safari olsun. İkinci şartın neydi?"

"Ortaklık anlaşmamızın, Roosevelt Safari'sinin ilk gününden itibaren yürürlüğe girmesini istiyorum."

"İnsaf! Sahiden canıma okumak istiyorsun. Yani Kermit Roosevelt'le avlandın diye tam pay mı vereceğim sana?" Percy duyduklarına inanamıyormuş ve derin bir üzüntü içindeymiş gibi yaptı.

"Kes şunu Percy, kalbimi kırıyorsun." Leon gülümsedi.

"Mantıklı ol Leon. Neredeyse iki yüz sterlin eder bu!"

"Kesin söylersek iki yüz on beş."

"Hasta ve yaşlı bir adam olmamdan istifade ediyorsun."

"Bana gayet dinç ve sağlıklı görünüyorsun. Anlaştık mı?"

"Sanırım başka çarem yok, seni gidi kalpsiz çocuk."

"Bunu evet olarak kabul edebilir miyim?"

Percy gönülsüzce başını salladı, sonra gülümseyip elini uzattı. El sıkıştılar ve Percy muzaffer bir tavırla sırıttı. "Zorlasaydın payını yüzde otuza çıkaracaktım, yüzde yirmi beşte kalmayacaktım."

"Sen de biraz daha uzatsan yüzde yirmiye razı olacaktım." Leon'un tebessümü de aynı şekilde keyifliydi.

"Gemiye hoş geldin ortak. Bence birlikte çok daha iyi iş yapacağız. Sanırım iki yüz on beş sterlini hemen şimdi istersin? Ay sonuna kadar beklemek istemezsin değil mi?"

"Haklısın. Hemen istiyorum, ay sonuna kadar beklememeyi tercih ediyorum. Bir şey daha var. Neredeyse bir yıldır kendime hiç zaman ayırmadım. Birkaç gün izin alıyorum ve arabaya ihtiyacım var. Nairobi'de işlerim olacak, sonra da daha uzaklara gidebilirim."

"Her kimse o hanıma içten selamlarımı ilet."

"Percy, seni uyarmam lazım, pantolon düğmelerin açık kalmış ve aklın beş karış havada."

Leon'un Nairobi'deki ilk durağı, ana cadde üstündeki Büyük Victoria Gölü Ticaret Şirketi oldu. Bay Goolam Vilabjhi Esquire, onu karşılamak üzere dışarı fırladığında Vauxhall'ın motoru hâlâ çalışıyordu. Bay Vilabjhi'nin hemen arkasında da Bayan Vilabjhi ile kuzguni saçlı, kocaman ıslak gözlü, parlak sarilere bürünmüş, kuşlar gibi cıvıldaşan karamel tenli bir çocuk sürüsü vardı.

Leon daha arabadan inmeden Bay Vilabjhi elini tutup hararetle sıktı. "Bin bir kere hoş geldiniz onurlu sahip. Bizi son ziyaretinizden beri gözlerim daha hoş bir çehre görmedi." Elini bırakmadan Leon'u içeri davet etti. Öbür eliyle de çocuk sürüsünü kovalıyordu. "Hadi gidin bakayım! Hadi! Kötü çocuklar. Yaramaz, medeniyetsiz dişi şahsiyetler!" diye bağırdı ama çocuklar elinin uzanabileceği mesafenin dışına çıkmak dışında hiçbir şey yapmadılar. "Lütfen onları bağışlayın ve unutun sahip. Başka çare yok. Ben tam tersini istediğim halde Bayan Vilabjhi sadece dişi şahsiyetler üretiyor."

Leon kibarca, "Hepsi de çok tatlı," dedi. Bu sözler en küçük meleğin, babasının etkisiz bir şekilde savurduğu elinin altından süzülüp parmak uçlarında yükselerek Leon'un elini tuttu. O da babasıyla birlikte Leon'u içeri götürüyordu.

"Buyurun! Girin! Yalvarırım buyurun sahip. On bin kere hoş geldiniz." Bay Vilabjhi ile küçük melek, Leon'u dükkânın arkasına götürdüler. Yeşil yüzlü, çok kollu tanrıça Kali ile fil başlı Tanrı Ganesh ikonları öbür tarafa çekilmiş ve galeriye en son katılan ürüne yol açmışlardı. Bu da, oymalı, altın yaldızla boyanmış süslü bir ahşap plakayla büyük altın bir resim çerçevesiydi. Plakada,

Saygıyla Sahip Leon Courtney Esquire'ye ithaf edilmiştir.
Dünyaca ünlü polo oyuncusu ve shikari.
Amerika Birleşik Devletleri Başkanı, Albay Theodore Roosevelt
Ve
Bay Goolam Vilabjhi Esquire'nin
Saygıdeğer ve çok sevgili dostları.

Çerçevedeki camın arkasında, Amerikan Associated Pres kaynaklı İngilizce gazete kupürleri vardı.

"Ailem ve ben, bu muhteşem yazılardan birini imzalayıp, dostluğumuzun nişanesi olan koleksiyonumdaki mücevher haline getirmenizi umut ediyor ve diliyoruz."

"Hiçbir şey bana daha büyük zevk veremez Bay Vilabjhi." Leon istemediği halde derinden etkilenmişti. Fotoğraflarından birini imzalarken Vilabjhi, kızları başına üşüştü. "*İyi dostum ve Bay Goolam Vilabjhi Esq. İçtenlikle, Leon Courtney.*"

Mürekkebe üflerken Bay Vilabjhi, "Ellerinizle yazdığınız bu yazıyı hayatımın sonuna kadar saklayacağım," dedi. Sonra iç geçirdi. "Sanırım şimdi halen bende duran değerli fildişini konuşmak isteyeceksiniz."

Manyoro'yla Loikot dişi arabaya taşırken, Leon da iki küçük kızı ellerinden tutmuş geliyordu, diğer minikler de pantolonun paçalarına yapışmışlardı. Onlardan güçlükle ayrılıp şoför koltuğuna geçti. Arabayı yeni Muthaiga Şehir Kulübü'ne sürdü. Burası, pembeye boyanmış tuğla ve alçı duvarlarıyla, ana caddeden uzakta bir yerde olan beyaz badanalı kerpiç duvarlı Göçmenler Kulübü'nün yerine geçmişti.

Amcası Penrod, üyelere tahsis edilen barda bekliyordu. Albay onu karşılamak üzere ayağa kalkarken Leon'un ilk dikkatini çeken şey, özellikle de karın bölgesinin biraz daha büyümüş olmasıydı. Görüşmedikleri bir yılı aşkın süre içinde Penrod, uygun kiloda kategorisinden heybetli kategorisine geçiş yapmıştı. Bıyığında da biraz daha grileşme vardı. El sıkışır sıkışmaz Penrod, "Yemeğe geçelim mi?" önerisinde bulundu. "Bugün şefin mönüsünde az pişmiş biftek ve böbrek var. Çok severim. Ayak takımı gidip benden önce bitirsin istemem. Yemek yerken konuşabiliriz." Leon'u terasta mor begonvillerin sardığı bir pergolanın altındaki masaya götürdü, burada konuşmalarına kimsenin kulak misafiri olmasına imkân yoktu. Penrod beyaz peçetesini yakasına sıkıştırırken, "Herhalde Percy Andrew Fagan'ın yazılarını ve onlardan etkilenen önemli insanların mektuplarını göstermiştir?" dedi.

Leon, "Evet, gördüm efendim," diye cevap verdi. "Aslında onları utanç verici buldum. Şamata yapıyorlar. Ben kesinlikle Afrika'nın en büyük avcısı değilim. O Kermit Roosevelt'in şakasıydı ama Fagan ciddiye almış. İşin aslı, ben hâlâ acemiyim."

"Bunu sakın itiraf etme Leon. Bırak ne isterlerse onu düşünsünler. Hem duyduğum kadarıyla çabuk öğreniyormuşsun." Penrod keyifle gülümsedi. "İşin aslı, benim de bu numarada küçük bir katkım oldu. Küçük, zekice bir müdahale iyi olur diye düşündüm."

Leon irkilmişti. "Nasıl bir müdahale amca?"

"İlk makaleler çıktığında Londra'daydım. Bana bir fikir verdiler. Berlin elçiliğimizdeki askeri ataşeye telgraf çekip, bu yazıları Alman basınına, özellikle de kaymak tabakanın okuduğu spor ve avcılıkla ilgili yayınlarda yayınlamasını istedim. İngiltere'de olduğu gibi Almanya'da da o tür insanların çoğu spora hevesli olur ve kendi av şatoları filan vardır. Planım burada seninle safariye çıkmayı istemelerini sağlamaktı. Böylece benim adıma bilgi toplayabilirsin, o da savaş zamanında paha biçilmez bir şey olur."

"Niye bana güvenip sırlarını açsınlar ki amca?"

"Leon, oğlum, kendi özelliklerinden bu kadar habersiz olmana inanamıyorum. İnsanlar, özellikle de Fräulein'lar ve matmazeller senden hoşlanıyor. Safari yaşantısında Doğa Ana ve onun yaratıklarına yakın olmak, en katı insanların bile yumuşamasına, gardını indirmesine ve daha özgürce konuşmasına neden olur. Hanımların korse ve jartiyer bağcıklarını gevşettiğini söylememe gerek bile yok. Ve Kayzer Almanya'sının önemli bir ferdi, belli başlı sanayicilerinden biri veya bunların eşleri neden senin gibi temiz yüzlü, masum birinin alçak bir gizli ajan olduğundan şüphelensin ki?" Penrod parmağını kaldırıp uçuşan beyaz *kanza*'sı, kırmızı kuşağı ve püsküllü fesiyle ortalıkta dolanan başgarsona işaret etti. "Malonzi! Lütfen benim özel mahzenimden bize bir şişe 1879 Chateau Margaux getirin."

Malonzi, beyaz eldivenli ellerinde hafif tozlu bordo şişeyi gereken saygıyla taşıyarak masaya geldi. Penrod, onun törensel bir havayla mantarı çıkarışını, koklayışını, sonra da parlak kırmızı şarabı sürahiye boşaltmasını izledi. Adam ilk birkaç damlayı kristal bir kadehe koydu. Penrod kadehi çevirip içkiyi kokladı. "Mükemmel! Sanırım bunu beğeneceksin Leon. Kont Pillet-Will bu özel mahsulle Premier Grand Cru Ödülü almıştı."

Leon'un da bu soylu şaraba gereken saygıyı sunmasından sonra, Penrod yine Malonzi'ye işaret edip üzeri nar gibi kızarmış, dumanı tüten soslu bifteklerle böbreği getirmesini istedi. Sonra büyük bir iştahla yemeğine girişip, ağzı doluyken, "Mektuplarına, özellikle de Almanya'dan gelenlere iznin olmadan baktım," dedi. "Ağımıza hangi balıkların takıldığını görmek için fazla sabredemedim. Umarım aldırmazsın?"

"Hiç önemli değil amca. Nasıl isterseniz öyle davranın."

"İlgimize layık altı tanesini seçtim, sonra da Berlin'deki askeri ataşemize telgraf çekip belirli bazı konularda görüşlerini istedim."

Leon temkinle başını salladı.

"Mektupların dördü sosyal, siyasi ya da askeri bakımdan önemli ve etkili kişilerden geliyor. Devletin her türlü işine vakıflar ve konseyine üye değillerse o zaman da Kayzer Bill'in sırdaşı konumundalar. Kayzerin Britanya ve imparatorluğumuz da dahil, tüm Avrupa'yla ilgili niyetlerini ve hazırlıklarını bilen kişiler." Leon yine başını salladı ve Penrod devam etti. "Konuyu Percy Phillips'le de tartıştım ve ona senin diğer tüm sorumluluklarının ötesinde, İngiliz Askeri İstihbaratı'nda görev yapan bir subay olduğunu söyledim. O da mümkün olan her şekilde bizimle işbirliği yapmayı kabul etti."

"Anlıyorum efendim."

"Diğerlerinin arasından seçtiğimiz müşteri Prenses Isabella Madeleine Hoherberg von Preussen von und zu Hohenzollern. Kendisi kayzerin kuzeni ve kocası da Alman Yüksek Komuta heyetinden Mareşal Walter Augustus von Hoherberg."

Leon gerektiği şekilde etkilenmiş görünüyordu.

"Bu arada Almancan ne durumda Leon?"

"Eskiden fena sayılmazdı, ama şimdi biraz paslanmıştan daha iyi amca. Okulda hem Almanca, hem Fransızca eğitim almıştım."

"Sicil kayıtlarında gördüm. Belli ki dile karşı özel bir yeteneğin var. Kulağın iyi herhalde. Percy, Kiswahili ve Maa dillerini de anadilin gibi konuştuğunu söyledi. Almanca pratik yaptın mı hiç?"

"Bir tatilimde bilim adamlarıyla Kara Orman'da yürüyüşe katılmıştım. Orada iyi anlaştığım yerlilerle tanıştım. Biri de Ulrike adında bir kızdı."

Penrod, "Dil öğrenmek için en uygun yer," dedi. "Çarşafların altı."

"Oraya hiç varmadık efendim, ne yazık ki."

"Umarım öyle olmuştur, senin gibi iyi yetişmiş bir beyefendiye yakışmazdı." Penrod gülümsedi. "Neyse, dilini güçlendirsen iyi olur. Yakında vaktinin büyük kısmını Almanlarla geçireceksin, üst sınıf Fräulein'lar hakkında duyduklarıma bakılırsa, bunun da büyük kısmı çarşafların altında olabilir. Acaba bu durum senin yüksek ahlaki değerlerini sarsar mı?"

"Koşullara uymaya çalışırım amca." Leon gülmemek için kendini zor tutuyordu.

"İyi çocuk. Bunu kral ve ülken için yapacağını unutmazsın artık."

Leon, "Görev çağırınca biz kimiz ki o çağrıya uymayalım?" dedi.

"Kesinlikle. Ben de bundan iyi ifade edemezdim kendimi. Ve korkma, sana bir lisan hocası ayarladım bile. Adı Max Rosenthal. Alman Doğu Afrika'sına gelmeden önce Wieskirche'deki Meerbach Motor Şirketi'nde mühendis olarak çalışıyormuş. Geldikten birkaç yıl sonra Darüsselam'da bir otel işletmeye başlamış. Orada konyak şişesiyle geliştirdiği yakın ilişki yüzünden işini kaybetmiş. Ama sadece dönem dönem sarhoş. Ayık olduğu zamanlarda da birinci sınıf iş çıkarıyor. Percy'i onu işe alması için ikna ettim, safari kamplarınızda çalışacak ve senin dilini geliştirmene yardım edecek."

Kulüpten ayrılırken Penrod, Leon'un kolunu tutup ciddi bir tavırla, "Casusluk işinde yeni olduğun için sana bir tavsiyem var. Hiçbir şeyi yazma. Gözlemlerini asla kâğıda dökme. Her şeyi kafana kaydet ve yüz yüze geldiğimizde bana anlat."

Leon, Tandala Kampı'nda Max Rosenthal'la tanışınca, bu iriyarı, koca elli, ayaklı, pervasız ve neşeli adamı hemen sevdi.

"İyi günler." dedikten sonra tokalaştılar. "Bundan sonra birlikte çalışacağız. İyi anlaşacağımızdan eminim," dedi.

Max, göbeğini hoplatan sesli bir kahkaha attı. "Ah *zo!* Biraz Almancanız var. Çok iyi."

Leon, "Çok da iyi değil," diye düzeltti. "Ama geliştirmeme yardım edeceksiniz."

Max neredeyse ilk günden çok değerli, yetenekli bir öğretmen ve çalışkan, becerikli bir çalışan olduğunu kanıtlayıp, Leon'u kamp organizasyonu ve erzak temini gibi sıradan işlerden kurtardı. Hennie du Rand'la ikisi iyi bir ekip olup Leon'a da safari işinin gerektirdiği örgütsel ve mali konuları öğrenme fırsatı tanıdılar. Leon, Max'la sadece Almanca konuşma kuralı koydu ve böylece dile hâkimiyeti şaşırtıcı bir hızla güçlendi.

Leon, Prenses Isabella Madeleine Hoherberg von Preussen von und zu Hohenzollern'in Bremerhaven'den kalkan Alman transatlantiği SS *Admiral*'in bir sonraki seferiyle Afrika'ya gelmeyi kararlaştırdığını belirten telgrafı aldığında, Lort Eastmont'un safarisinin başlamasına sadece haftalar kalmıştı. Kraliyetle ilgili sorumlulukları yüzünden Afrika'da ancak altı hafta kalabilecekti. Kendisi geldiğinde her şeyin hazır olmasını istiyordu.

Bu buyurgan telgraf Tandala Kampı'nın altını üstüne getirdi. Percy öfkeyle ortalıkta dolanıp, Leon'la ekibinin Eastmont için yapılmış hazırlıkları değiştirmek için çılgınca koşuşturmalarına destek değil köstek oluyordu. Şimdi aynı anda yürütülmesi gereken iki safarileri vardı ve daha önce hiç böyle bir durum yaşanmamıştı. Hayatı kolaylaştıran tek şey, Lort Eastmont dört aylık bir organizasyon istediği halde prensesin sadece altı hafta kalacak oluşuydu. Leon, prensesi gemiye gönderir göndermez bütün ekibiyle safarinin geri kalanı için Percy'nin yardımına koşacağına söz vermişti.

Buna göre, prenses *Admiral* gemisiyle Kilindini Lagünü'ne vardığında Leon onu karşılamaya gitti. Kadın kamarasından çıkana kadar güvertede bir saate yakın bekledi. Sonunda prenses ana güverteye çıktığında, gemi kaptanıyla dört kıdemli subayı da yaltaklanarak peşinden gelmekteydi. Prensesin sekreteriyle iki güzel oda hizmetçisini de içeren maiyeti de arkalarındaydı.

Prenses gün ışığına çıktığında çarpıcı bir görünüm sergiledi. Leon daha önce fotoğraflarını görmüştü, ama canlı olarak karşısında görmeye hazır değildi. İlk önce uzun boyundan ve ince bedeninden etkilendi. Kadın neredeyse Leon kadar uzundu, ama belini iki eliyle sarabilirdi. Vücudunun üst kısmı erkek çocukları gibiydi ve duruşu otoriterdi. Çelik gibi gözleri insanın içine işliyordu, hatları bıçkı gibi sert ve keskindi. Mükemmel dikilmiş, bileklerine kadar inen yeşil bir binici elbisesi giymişti. Eteğinin altından görünen çizmelerinde pahalı deriye has ışıltılar vardı. Şaşırtıcı bir şekilde belinde 9 mm.'lik bir Luger tabanca ve sol elinde geniş kenarlı safari şapkası vardı. Kül sarısı saçı iki kalın tutam halinde tepede topuz yapılmıştı. Leon, Penrod'dan kadının elli iki yaşında olduğunu öğrenmişti, ama en fazla otuz görünüyordu.

"Majesteleri, hizmetinizdeyim."

Prenses, Leon'un baş selamını kabul etmek zahmetine girmedi ve sanki az önce iğrenç bir şekilde gaz çıkarmış gibi davranmaya devam etti. Sonunda konuştu, sesi buz gibiydi. "Çok gençsiniz."

"Majesteleri, bu uygunsuz kusurum için sizden özür dilemeliyim. Zamanla düzeleceğini umuyorum."

Prenses gülümsemedi. "Gençsiniz dedim. Fazla gençsiniz demedim." Sağ elini uzattı.

Leon tuttuğu eli de kadının ifadesi kadar sert ve soğuk buldu. Kemikli beyaz elin birkaç santim üstünde havayı öptü. Elin üstündeki minik çizgiler kadının gerçek yaşını ortaya koyuyordu.

Leon, "Britanya Doğu Afrika'sı bölge valisi özel trenini Nairobi'ye gitmek için emrinize tahsis etti," dedi.

"*Ja!* Uygun ve beklenen bir davranış."

"Ekselansları ayrıca, sizin için uygun olan zamanda Valilik Sarayı'nda verilecek özel akşam yemeğini onur konuğu olarak şereflendirmenizi istirham ediyor prenses."

"Ben Afrika'ya ikinci sınıf devlet memurlarıyla yemek yemeye gelmedim. Hayvan öldürmeye geldim. Bir sürü hayvan."

Leon tekrar başını eğdi. "Derhal madam. Majestelerinin tercih ettiği özel bir hayvan türü var mı acaba?"

Kadın, "Aslan!" diye cevap verdi. "Ve domuz."

"Birkaç fille bizona ne dersiniz?"

"Hayır. Sadece büyük aslanlar ve uzun dişli domuzlar."

Doğaya açılmadan önce prenses, Leon'un onun için hazırlattığı tüm safkan atları tek tek denedi. Ata erkekler gibi bacaklarını ayırarak biniyordu. Leon, onun küçümser bir edayla ilk ata yaklaşışını, etrafında iki tur attıktan sonra zarafetle eğere tırmanıp hayvanı kendi isteklerine boyun eğdirişini görünce, çok iyi bir binici olduğunu anlamıştı. Aslında onun gibi ata binen başka kadın pek görmemişti.

Tandala'dan ayrılıp vahşi hayvan sürülerinin arasına dalınca prenses sadece aslan ve domuz istediğini unutmuş ve çok daha az seçici biri haline gelmişti. Ferlach'tan Joseph Just tarafından yapılmış nefis, küçük bir 9.3x74 Mannlicher tüfeği vardı, Wilhelm Roöder de tüfeğin üstüne altın varakla birbirleriyle azgınca oynaşan yarı keçi yarı, insan orman tanrıları ve çıplak orman perileri işlemişti. Prenses atından inmeden, koşmakta olan üç Grant ceylanını üç yüz metre mesafeden arka arkaya üç atışla vurunca, Leon muhtemelen tanıdığı kadın ya da erkek en iyi atıcıyla karşı karşıya olduğuna karar verdi.

Kadın Mannlicher'i tekrar doldururken, "Evet, bir sürü hayvan öldürmek istiyorum," dedi. Afrika'ya geldiğinden beri yüzünde ilk kez sıcak bir tebessüm vardı.

Prensesi, Lusima Ana'yla tanıştırmak için Lonsonyo Dağı'na götürdüğünde, Leon iki kadının anında gösterdiği karşılıklı tepkiye hiç hazır değildi. Mecazi anlamda kamburlarını çıkarıp iki kedi gibi atışmaya başlamışlardı. Lusima, Leon'a, "M'bogo, bu kadında birçok karanlık, derin tutku var. Hiçbir erkek onu anlayamaz. Mamba yılanı kadar zehirli. Sana söz verdiğim kadın bu değil. Kendini koru," dedi.

Prenses, "O cadı ne dedi?" diye sordu. İki kadın arasındaki düşmanlık havada statik elektrik gibi kıvılcımlar yaratıyordu.

"Sizin çok güçlü bir hanım olduğunuzu Prenses."

"O ineğe söyle bunu unutmasa iyi olur."

Sıra konsey ağacının altında tüfeklerin kutsanmasına geldiğinde Lusima yine kulübesinin önünde törensel süsleriyle belirdi, ama Mannlicher'in aslan postunda yattığı yere on adım kala durdu. Yüzü kurumuş çamur rengi aldı.

Leon alçak sesle, "Canını sıkan nedir Ana?" diye sordu.

"Bu *bunduki* şeytan işi. Beyaz saçlı kadın benim kadar güçlü bir büyücü. Kendi bunduki'sine beni korkutan bir büyü yapmış." Kulübesine doğru döndü. "Bu cadı Lonsonyo Dağı'ndan gidene kadar kulübemden çıkmayacağım."

Leon, "Lusima hastalanmış. Kulübesine gidip dinlenmek zorundaymış," diye tercüme etti.

"Ja, onun derdini gayet iyi biliyorum." Prenses nadir görülen ince dudaklı tebessümlerinden birini sergiledi.

Yirmi gün sonra, Manyoro'yla Loikot'un aslansız bölge olarak tanımladıkları bir yerde, prenses, yabandomuzu katliamına devam etsin diye şafakla birlikte atlarına binip kamptan ayrıldılar; üçü gerçekten çok uzun dişli olmak üzere, şimdiden elliden fazla aslan vurmuşlardı. Kamptan bir kilometre uzaklaşmamışlardı ki, açık arazinin orta yerinde tek başına duran siyah yeleli dev gibi bir aslanla karşılaştılar. Prenses hiç duraksamadan ve atından inmeden küçük Mannlicher'ini doğrulttu ve bir cerrah hassasiyetiyle mermiyi aslanın beynine gönderdi.

Normal şartlarda iki Masai'nin bu performans karşısında daha coşkulu olmaları gerekirdi, ama hayvanın postunu yüzmeye başladıklarında her ikisi de oldukça durgundular. Tebriklerini sunmak Leon'a kaldı ve prenses de bunu hiç umursamadı. Loikot'un Manyoro'ya, "Bu aslanın burada olmaması gerekirdi. Nereden geldi ki?" diye mırıldandığını duydu.

Manyoro somurtkan bir ifadeyle, "Nywele Mweupe getirtti," diye cevap verdi. Prensese Swahili dilinde. "Beyaz saç" adını vermişlerdi. Manyoro ismin önüne "Memsahib" veya "Beibi" gibi herhangi bir saygı unvanı koymamıştı.

Leon, "Manyoro, senin için bile bu kadarı aptallık," diye çıkıştı. "Aslan yabandomuzu leşlerinin kokusuna gelmiştir." Havada isyan kokusu vardı. Lusima, Manyoro'ya bir şeyler söylemiş olmalıydı.

Manyoro abartılı bir kibarlıkla, "Bwana daha iyi bilir," dedi, ama o arada ne Leon'a bakmış, ne de gülümsemişti. İki Masai postu yüzmeyi bitirdikten sonra prenses için aslan dansı yapmayarak ayrı bir yerde oturup enfiye çektiler. Leon bunu vurgulayınca Manyoro cevap vermedi, ama Loikot, "Dans edip şarkı söyleyemeyecek kadar yorgunuz," diye mırıldandı.

Katlanan yeşil postu sırtlayıp kampa doğru yola koyulduğunda, Manyoro'nun Nandi okuyla vurulan bacağındaki aksama her zamankinin aksine iyice belirginleşmişti. Bu da onun itirazını ya da hoşnutsuzluğunu gösterme yoluydu.

Kampa girince prenses eğerinden atladı ve uzun adımlarla yürüyüp çadırın önündeki katlanır koltuğa oturdu. Binici kırbacını masaya attı, şapkasını çıkarıp çadıra fırlattı, sonra da örgülerini savurup, "Courtney, beceriksiz aşçına söyle bana bir fincan kahve getirsin," dedi.

Leon isteği mutfak çadırına iletti ve birkaç dakika sonra İsmail gümüş bir tepsi üstünde buharları tüten bir kahveyle koşturdu. Tepsiyi masaya bırakıp fincanı prensesin önüne koydu. Sonra da kadının koltuğunun arkasında durup kovalanmayı bekledi.

Prenses fincanı dudaklarına götürüp bir yudum aldı. Yüzünde bir tiksinti ifadesi belirdi ve fincanı çadıra fırlattı. "Siz, beni dişi domuz mu sanıyorsunuz ki önüme bu domuz yemini koyuyorsunuz?" diye bağırdı. Masadan binici kırbacını kapıp ayağa fırladı. "Bana saygılı davranmayı öğreneceksin köle." Kırbacı İsmail'in yüzüne indirmek üzere kolunu kaldırdı. İsmail, kendini korumak için hiçbir şey yapmadı ama dehşet ve şaşkınlıkla kadına bakakaldı.

Kadın kırbacı indiremeden Leon yerinden fırlayıp bileğinden yakaladı. Prensesi kendine doğru çevirdi. "Majesteleri, benim ekibimde kimse köle değil. Bu safariye devam etmek istiyorsanız bunu hiç unutmayın." Kadın boğuşmayı bırakana kadar bileğini tutmaya devam etti. Sonra da, "Şimdi çadırınıza gidip akşam yemeğine kadar dinlenmenizi öneriyorum," diye devam etti. "Belli ki aslan avının heyecanı sizi iyice hırpalamış."

Leon bileğini bırakınca prenses hızla çadıra daldı. İsmail yemek zamanının geldiğini haber veren gongu çalınca da çadırından çıkmadı ve Leon yemeğini yalnız yedi. Yatmaya gitmeden önce gizlice prensesin çadırını kontrol etti ve kandilinin hâlâ yandığını gördü. O da kendi bölümüne gidip av defterini doldurmaya başladı. Çadırda yaşanan olayla ilgili bir şeyler yazacakken aklına Penrod'un uyarısı geldi. O da duygularını yazmak yerine, "Bugün prenses çok iyi bir binici ve atıcı olduğunu bir kez daha kanıtladı," diye yazdı. "Devasa aslanın karşısında sergilediği soğukkanlı tutum olağanüstüydü. Kendisini tanıdıkça avcılık yeteneklerine olan hayranlığım artıyor."

Sayfanın üstünde kurutma kâğıdı gezdirdi ve av defterini tekrar çekmecesine koyarak kilitledi. Sonra, yarım saat boyunca amcası Penrod'un, *Kitchener'le Pretoria'ya* adını verdiği ve Boer Savaşı anılarını anlattığı kitabını okudu. Gözkapakları düşmeye başlayınca da kitabı kenara bırakıp soyundu ve cibinliğin altına girdi. Kandili üfleyip söndürdü ve iyi bir uyku çekmek üzere yatağına yerleşti.

Gözlerini yeni kapamıştı ki, prensesin çadırının bulunduğu yerden gelen tabanca sesiyle irkildi. Aklına ilk gelen, aslan ya da leopar gibi tehlikeli bir hayvanın çadıra girdiğiydi. Cibinlikle biraz boğuştuktan sonra yataktan çıkıp, acil durumlar için her zaman hazırda tuttuğu Holland'ı kaptı. Sadece pijamasının altını giymiş olarak kadının çadırına koştu. Kandilinin hâlâ yandığını gördü.

"Majesteleri iyi misiniz?" diye seslendi. Cevap gelmeyince sinek telini itip tüfeği ateşe hazır durumda içeri daldı. Sonra şaşkınlık içinde durdu. Prenses çadırın ortasında duruyordu. Gümüş saçları dalga dalga beline kadar inmekteydi. Neredeyse şeffaf denecek pembe bir gecelik giymişti. Kandil arkasında durduğu için uzun, ince bedeninin hatları tamamen ortadaydı. Ayakları çıplaktı ve şaşılacak kadar küçük ve biçimliydi. Bir elinde binici kırbacı, diğerinde 9 mm.'lik Luger tabancası vardı. Havada hâlâ barut kokusu hissediliyordu. Öfkeyle çarpılmış yüzünde alev alev yanan safir gibi gözlerle Leon'a baktı. Luger'i kaldırıp branda tavana bir daha ateş etti. Sonra da silahı, neredeyse çadırın yarısını kaplayan devasa yatağın üstüne fırlattı.

"Seni aşağılık herif! Bütün hizmetkârlarının önünde bana pislik muamelesi yapabileceğini mi sanıyorsun?" Bunu söylerken kırbacını hırsla sallayarak Leon'a doğru birkaç adım atmıştı. "Senin de yanında çalışan o yaratıklardan hiçbir farkın yok."

Leon, "Lütfen kendinize hâkim olun madam," diye uyardı.

"Sen benimle böyle konuşmaya nasıl cüret edersin? Ben Hohenzollern Sarayı'na mensup bir prensesim. Sense avam tabakasından bir zavallısın." Kadın çok iyi İngilizce konuşuyordu. Soğuk bir gülümsemeyle, "Ah, zo! Sonunda kızabildin demek köle! Kavga istiyorsun, ama cesaretin yok. Karnın fazla yumuşak. Benden nefret ediyorsun ama tüm aşağılamalarıma katlanmak zorundasın," dedi.

Kırbacını Leon'un ayaklarına doğru fırlattı. "Kaldır o tüfeği. Onunla yumuşak erkekliğini kurtaramazsın. Kırbacı al yerden!" Leon, Holland'ı çadırın girişindeki paspasın üstüne bıraktı ve kırbacı yerden kaldırdı. Öfkeden titriyordu. Kadının hakaretleri sinirlerini bozmuş ve patlama noktasına getirmişti. Kırbaçla ne yapacağından emin değildi, ama sağ elinde tutmak iyi geliyordu.

"M'bogo, her şey yolunda mı? Silah sesleri duyduk. Bir sorun mu var orada?" Manyoro çadırın dışından alçak sesle bunları sorunca prenses birkaç adım geri çekildi.

Leon, "Git Manyoro, ötekileri de götür. Ben seslenene kadar da hiçbiriniz gelmeyin," diye bağırdı.

"*Ndio,* Bwana."

Uzaklaşan ayak seslerini duydu ve prenses yüzüne güldü. "Yardım onlardan istemeliydin. Benim karşımda tek başına duracak cesaretin yok." Tekrar güldü. "*Ja,* şimdi yine kızdın. Bu iyi işte. Beni kırbaçlamak istiyorsun ama cüret edemiyorsun." Yüzleri arasında birkaç santim kalana kadar eğildi. "Elinde kamçı var. Niye kullanmıyorsun? Benden nefret ediyorsun ama korkuyorsun da." Hiç beklenmedik bir şekilde Leon'un suratına tükürdü. Leon içgüdüsel olarak kırbacı savurdu ve darbe kadının yanağına geldi. Prenses elini kırmızı izin üstüne kapatıp acıklı bir sesle, "Evet! Bunu hak ettim. Kızınca güçlü oluyorsun." Sonra Leon'un ayaklarına kapanıp dizlerine yapıştı. Leon davranışından dolayı kendinden iğrenmişti titriyordu ve kamçıyı çadırın bir köşesine fırlattı.

"Size iyi geceler dilerim majesteleri." Dönüp çıkmaya çalıştı, ama kadın ondan beklenmeyecek bir güçle bacağından çekti. Leon dengesini kaybedince de bütün ağırlığıyla sırtına abandı ve Leon altta prenses üstte yatağa devrildiler. Leon, "Deli misiniz?" diye sordu.

Kadın, "Evet," dedi. "Deliriyorum senin için."

Prenses, Leon'u bıraktığında şafağın sökmesine bir saat kalmıştı. Kendi çadırına dönerken onca gürültüye, kadının inlemelerine rağmen sekreteriyle hizmetçilerin çadırlarında ışık olmadığını fark etti. Hepsi de prensesin kaçamaklarına çoktan alışmış olmalıydı.

Ertesi sabah kahvaltıda prenses hiçbir şey olmamış gibi davrandı. Hizmetçilerine çıkıştı, sekreterine zalim şakalar yaptı ve ikinci fincan kahvesini bitirene kadar Leon'u görmezden gelip, kibar selamına bile karşılık vermedi. Sonra ayağa kalkıp, "Courtney, bugün domuz öldürmek için içimde büyük bir istek var," dedi.

Leon'un ayarladığı küçük av hayvanlarını öldürmek prensese sonsuz zevk verdi. Leon'la iz sürücüler gür çalıların arasında bir yabandomuzunu kıstırıp, prensesin bulunduğu açık alana doğru sürüyorlardı. Hayvan çalıların arasından fırlar fırlamaz da kadın Mannlicher'le onu deviriyordu. Hizmetçilerinden güzel olan Heidi'ye yedek şarjörleri doldurmasını öğretmişti. Her biriyle altı atış yapıyordu ve boşalan anında değiştirebiliyordu. Hazneyi açıp boşalan şarjörün düşmesini sağlıyordu ve Heidi çocukluğundan beri yapmak zorunda olduğu dikiş işleriyle ustalaşmış pembe parmaklarıyla havada yakalıyordu. Sonra prenses dolu şarjörü yerine yerleştirip neredeyse hiç durmadan ateş etmeye devam ediyordu. Saniyeler içinde yirmi atış yapıyordu. Yabandomuzları sık sık avcıları şaşırtıyor, beklenmedik yerlerden kaçıyor veya majestelerine ateş etme fırsatı vermeden Leon'la adamlarına doğru koşuyordu. Bu gibi durumlarda prenses ya soğuk bir öfke nöbetine kapılıyor Leon'la adamlarına sövüyor ya da biraz daha kan döktükten sonra buz gibi bir sessizliğe bürünüyordu.

Akşam üzerine doğru safları Max Rosenthal, İsmail ve post yüzücülerle sıklaşan Leon ve iz sürücüler, safarinin en muhteşem sürek avını gerçekleştirmeyi başardılar. Prensesle yardımcısının önüne yirmi üç tane erkek, dişi ve yavru yabandomuzu sürmüşlerdi. Kadın yirmi ikisini öldürmeyi başardı. Kurtulan, tam o ateş ettiği sırada yön değiştiren yaşlı bir dişiydi. Mermi üstünden geçerken hiç beklemediği bir anda prensesin bacaklarının arasına dalıp kadını düşürmüştü. Eteği dizlerinin üstünde, şapkası gözlerine inmiş olarak doğrulup oturan prenses, "Seni küçük pis hilekâr!" diye bağırdı. Domuz ise flama gibi dimdik tuttuğu kuyruğuyla çalıların arasına dalıvermişti.

O gece yemekte prenses adeta cana yakın ve içtendi, ama tamamen değil. Leon'dan o enfes Krug'dan bir kadeh daha koymasını istedi ve uzun beyaz parmaklarıyla bir üzüm soyup Heidi'nin dolgun dudaklarının arasına koydu.

"Ye canım! Bugün iyi iş çıkardın," diye zorladı. Fakat hemen ardından sekreterine bağırdı ve kendisinden özür dilemeden domuz pirzolasını eliyle yedi, diye masayı terk etmesini istedi. Bağırması sona erince de tek kelime daha etmeden kalkıp çadırına gitti.

Uzun, sıcak ve zor bir gün olmuştu; Leon iyi bir uyku çekmeyi umuyordu. Dişlerini fırçalayıp pijamasının önünü iliklerken yine o ölümcül silah sesini duydu.

"Kral ve ülkem için," diye homurdanarak çadırdan çıktı, ama bu gece için prensesin ne tür bir eğlence hazırladığını da merak ediyordu.

Kadın, koca yatakta bitkin bir şekilde uzanıyordu. Ancak yalnız değildi. Hizmetçisi Heidi çadırın ortasında diz çökmüştü. Sırtındaki minik eğer ve ağzındaki altın gem dışında çıplaktı. Başını savurup kişnediğinde dizginlerindeki altın çanlar ötüyordu.

Prenses, "Küheylanın seni bekliyor Courtney," dedi. "Binip küçük bir tur atmak ister misin?"

Bu fanteziden sıkılınca Heidi'yi gönderdi, ama Leon da kızın peşinden çıkmak üzereyken onu durdurdu. "Gidebilirsin demedim Courtney." Yanında yer gösterip, "Biraz daha kal da sana Berlin'deki arkadaşlarımla yaptığımız yaramazlıkları anlatayım."

Kaz tüyü şilte yumuşak ve sıcaktı. Leon, kadının yanına uzandı. Başta anlattıklarını ilgisizce dinledi. O kadar inanılmaz şeylerdi ki gerçek olmasa gerekti, ancak cehennem zebanilerinin yapacağı işlerdi. Cadılık ve şeytana tapma üzerine müstehcen ve günahkâr eylemlerdi.

Sonra ensesindeki tüyleri diken diken eden bir duyguyla, kadının Alman aristokrasisinin ve ordusunun üst düzey insanlarından söz etmekte olduğunu anladı. Prensesin eğlenceli skandallar olarak nitelendirdiği olaylar, siyasi bombalardı... insanı terleten inanılmaz bombalardı. Penrod böyle bir bilgiyle ne yapacaktı? Acaba tek kelimesine inanır mıydı?

Ertesi gece, yine zorlu bir av gününün ardından av defterine o günün gelişen olaylarını yazarken prensesin sözünü ettiği tüm isimleri hatırlamaya çalıştı. Sayfalardan birinin arkasına isimleri yazdı. Bitirdiğinde on altı isme ulaşmıştı. Bir huzursuzluk hissettiğinde defteri kaldırıp kilitlemek üzereydi.

Bunu Penrod'dan ve benden başka kimse okumayacak. Fakat uyumaya hazırlanırken bir huzursuzluk beynini kemiriyordu. Sonunda çekmeceyi açıp usturasını çıkardı. İsimlerin yazılı olduğu sayfayı dikkatlice kesti. Sonra kandilin alevine tutarak yaktı. Yere dökülen külleri ayağıyla ezip müşterisinin emirlerini beklemek üzere yatağına girdi. Ama o gece tabanca sesini duymadan uyumuştu.

Şafağın ilk ışıkları çadırına süzülürken yedi saat kesintisiz uyumanın keyfi ve zindeliğiyle uyandı.

Grup kahvaltısını bitirmeden Manyoro, ana çadıra gelip sadece Leon'un görebileceği şekilde eşiğe çömeldi. Leon'la göz göze gelir gelmez de kalkıp uzaklaştı. Leon izin isteyerek Manyoro'nun peşinden gitti. Manyoro hizmetkârlara ait bölümde bekliyordu.

Leon, "Canını sıkan nedir kardeşim?" diye sordu.

"Swalu'yu yılan sokmuş."

Swalu baş post yüzücüydü. Leon endişeyle, "Ne tür bir yılan olduğunu görmüş mü?" diye sordu.

"*Futa* yılanı M'bogo."

"Emin misin?" Leon inşallah Afrika'nın en zehirli yılanı olan siyah mamba değildir diye düşünüyordu.

"Yatağına gelmiş. Soktuktan sonra post bıçağıyla üç kez öldürmüş. Yılanı gördüm. *Futa*."

"Swalu hayatta mı?"

"Evet M'bogo. Atalarına kavuşmadan önce senin kutsamanı istiyor."

"Hemen ona götür beni." Çabucak kamp alanındaki saz kulübelerden birine gittiler ve Leon alçak kapıdan girebilmek için eğildi. Swalu şiltesinin üstünde yatıyordu. Diğer üç post yüzücü daire şeklinde etrafına oturmuşlardı. Yılanın cesedi de yanlarındaydı. Parçalanmış olduğu halde Manyoro'nun haklı olduğu ilk bakışta anlaşılıyordu. Fazla büyük olmayan siyah bir mambaydı, sadece yüz yirmi santim kadardı, ama tek bir ısırığıyla yirmi kişiyi öldürebilecek kadar zehir salgılıyordu. Swalu'yu üç kez sokmuştu.

Swalu peştamalı dışında çıplak, sırtüstü yatıyordu. Başı kavisli tahta bir yastıkla desteklenmişti. İkisi göğsünde, biri yanağında üç diş izi vardı. Gözleri açıktı, ama ferleri sönmüştü. Ağzından ve burun deliklerinden beyaz köpükler çıkıyordu.

Leon yanına çömelip elini tuttu. Eli soğuktu, ama parmakları kıpırdamıştı. Leon kulağına, "Huzur içinde git Swalu," diye fısıldadı. "Ataların seni karşılayacak." Swalu'nun parmakları belli belirsiz Leon'un elini sıktı. Sonra hafifçe gülümsedi ve can verdi. Leon bir süre yanında oturduktan sonra uzanıp gözlerini kapattı.

Öteki post yüzücülere, "Mezarını derin kazın," dedi. "Üstüne de taş koyun ki sırtlanlar ulaşamasın."

Manyoro belli birine hitap etmeden, "Kadın niye Swalu'yu öldürmek istedi ki?" diye sordu.

"Yeter artık," diye çıkışan Leon ayağa kalktı. *"Futa* sadece *futa'*dır, bunun cadılıkla ilgisi yok!"

Manyoro zorlama bir kibarlıkla, "Bwana öyle diyorsa öyle olsun," dedi ama Leon'un yüzüne bakmadı.

Leon ana çadıra döndü. Prenses kahvesini bitirmek üzereydi. Leon'u soğuk bir şekilde selamladı. "Ah zo! Nihayet müşterinle ilgilenmek aklına geldi. Minnettarım."

"Bağışlayın majesteleri, ilgilenmem gereken küçük bir mesele vardı. Sizin için ne yapabilirim?"

"Altın madalyonumu kaybettim. İçinde annemin saçından bir tutam vardı. Benim için çok değerlidir."

Leon, "Buluruz," diye söz verdi. "En son nerede ve ne zaman görmüştünüz?"

"Dünkü büyük avdan sonra. Sen ve adamların hayvanları doğrarken ağacın altında oturup bekledim. Madalyonumla oynadığımı hatırlıyorum o sırada. Orada düşürmüş olmalıyım."

"Hemen gidip getiririm." Leon başıyla selam verdi. "Öğleden önce dönmüş olurum." Kadın bir el hareketi yapınca çadırdan çıkıp seyisten atını istedi.

Leon'la iz sürücüler yabandomuzu avlanan bölgeye varınca iri ve muhteşem benekleri olan bir erkek leoparın leşlerden kalanları yediğini gördüler. Hayvan koşarak kaçtı ve uzun otların arasında kayboldu. Leon'la iz sürücüler, prensesin oturmuş olduğu yere gidip her tarafı aradılar.

"Hapana." Manyoro sonunda yenilgiyi kabullenmişti. "Burada hiçbir şey yok." Kampa döndüler.

Prensesin hizmetçileri ana çadırın önünde oturmuş el işi yapıyor, kahve içip fısıldaşıyor, gülüşüyorlardı.

Leon, "Hanımınız nerede?" diye sorunca bakışıp biraz daha kıkırdaştılar ve omuz silktiler, ama cevap vermediler. Leon onları orada bırakıp kendi çadırına gitti, sinekliği kaldırıp içeri girdi ve prensesi yatağında otururken buldu. Çalışma masası dağınıktı ve üzerindekiler yatağın üstüne dağılmıştı. Av defteri de kadının kucağında açık olarak duruyordu.

"Prenses." Hafifçe başını eğdi. "Maalesef mücevherinizi bulamadık."

Kadın boynunda asılı olan madalyona dokundu. Çadırın ışığında madalyonun üstündeki iri elmas parlıyordu. "Hizmetçilerimden biri yatağın altında buldu. Orada düşürmüş olmalıyım."

"Bunu duyduğuma sevindim." Kasıtlı olarak av defterine baktı. "Özellikle bakmak istediğiniz bir şey mi var majesteleri?"

"Yok aslında. Sen yokken sıkıldığım için vakit geçiriyordum. Benim..." durup Leon'un gözüne baktı. "...avcılığım hakkında yazdıkların dikkatimi çekti de." Defteri kapatıp ayağa kalktı. "Eee Courtney, bugün nasıl eğlendireceksin beni? Ne öldüreceğim?"

"Size hatırı sayılır bir leopar buldum."

"Beni ona götür!"

Leopar ölüyken bile güzel ve genç görünüyordu. Yanık altın rengi olan postu bakıra dönüyor, karnının altında yumuşacık bir krem oluyordu. Üzerindeki simsiyah benekleri sanki av tanrıçası Diana'nın parmak uçları yapmış gibiydi. Bıyıkları sert ve parlak beyaz, dişleri ve pençeleri kusursuzdu. Çok az kan akmıştı. Prensesin tek atışı, yabandomuzu leşinden kaçarken kalbinde temiz bir delik açmıştı. Hayvanı katırın sırtına yüklerken Manyoro, Loikot'a Leon'un da duyabileceği şekilde, "Bu gece de *futa*'nın eşini bizi öldürmeye mi yollayacak?" diye fısıldadı.

Leon duymazdan gelmiş gibi yaparak aldırmadı. Manyoro abartılı şekilde aksayan bacağıyla katırın ardından yürümeye başlamıştı.

O gece yemekte prenses, Leon'a kendi stokundan bir şişe 1903 Louis Roederer Cristal mahsulü şampanya açmasını emretti. Yemeğini yerken de daha önce hiç yapmadığı şekilde masanın altından iki kere bacağına dokunmuştu. Leon istemediği halde bedeni, kadının hünerli parmaklarına karşılık verdi. Prenses bunu hissedince gülümseyip Leon'u bıraktı. Sonra Heidi'nin kulağına, Leon'un duyamadığı bir şeyler fısıldadı, her iki hizmetçi de kıkır kıkır güldüler.

Gece, Leon av defterine leopar avıyla ilgili bir şeyler yazmaya fırsat bulamadan Luger'in sesini duydu. Defteri bir kenara bırakan Leon, kadının sapıkça tahriklerine kapılmaktan kendini alıkoyamadığını hissetti. Bu kadın herkesi baştan çıkarabilir, diye düşünerek kadının arzusunu yerine getirmeye gitti.

Ertesi sabah yabandomuzu avına devam etmek üzere giderlerken prenses, Leon'un atına yaklaşıp genç bir kız gibi keyifle sohbet etti. Leon onun ruh halindeki bu ani değişim karşısında yine bocalamış ve arkasından ne geleceğini merak etmişti. Öğrenmek için fazla beklemesi gerekmedi.

Prenses, "Ah, domuzları öldürmeyi çok seviyorum," dedi. "Afrika yabandomuzları da çok eğlenceli, ama bizim Alman yabandomuzları kadar değil."

Leon, "Bizim de daha büyük ve daha tehlikeli domuzlarımız var," diye itiraz etti. "Aberdare Dağlarındaki ormanlarda yaşayan dev yabandomuzları en az beş yüz kilo gelir."

"Hıh!" Kadın bu sözleri elini sallayarak geçiştirdi.

"Beni her türlü avdan daha çok heyecanlandıran tek bir tür vardır."

Leon ilgiyle, "Nedir o?" diye sordu. "Nadir bulunan bir tür mü?"

Kadın keyifli bir şekilde güldü.

"Hiç de değil. Polinezya Adaları'nda onlara 'uzun domuz' diyorlar." Leon gözlerine inanamayarak kadına baktı. "Ah zo! Sonunda anlayabildin." Tekrar güldü. "Bir sürü öldürdüm, ama heyecanı hiç azalmıyor. Sana ilkini anlatayım mı, Courtney?"

"Nasıl arzu ederseniz." Sesi hissettiği dehşetten dolayı boğuk çıkmıştı. "Kraliyet arazilerinden birinde genç bir avlak bekçisiydi. Ben de on üç yaşındaydım. Bakire olduğum halde onu istedim, ama evliydi ve karısını seviyordu. Bana güldü. Ormanda çalıhorozu avlarken ikimiz yalnız kalınca, vurduğum bir kuşu alması için yolladım. On adım gitmişti ki tüfeğimin iki namlusuyla birden bacaklarının arkasından vurdum. Kemikleri parçalandı ve bacaklarında sadece sinir ve et kaldı. Çok fazla kan kaybediyordu. Kan kaybından ölene kadar yanına oturup konuştum. Neden onu öldürmek zorunda olduğumu anlattım. Merhamet diledi, kendisi için değil, pasaklı karısı ve karnında taşıdığı sümüklü çocuğu için olduğunu söyledi. Ağlayıp bir doktor getireyim diye yalvardı. Ona güldüm, tıpkı kendisinin bir süre önce bana yapmaya cüret ettiği şekilde. Ölmesi neredeyse bir saat sürdü." Kadın rüyada gibiydi. Bir süre sessizce ilerlediler ve sonra masum bir tavırla, "Sen asla o avlak bekçisi gibi hayal kırıklığına uğratmazsın beni değil mi, Courtney?" diye sordu.

"Umarım etmem madam."

"Ben de öyle olmasını umuyorum Courtney. Eee... artık birbirimizi gayet iyi anladığımıza göre, bana avlayacak iki ayaklı domuzlar bulmanı istiyorum. Benim için bunu yapar mısın?"

Leon midesinin bulandığını hissetti ve cevap verirken sesi titredi. "Majesteleri, bu hiç beklemediğim bir şey. Düşünmek için biraz zamana ihtiyacım var. Benden istediğinizin suç olduğunu biliyorsunuz değil mi?"

"Ben bir prensesim. Ceza almana engel olurum. Kimse bana ne o avlak bekçisini, ne de diğerlerini sormadı. Ben sıradan biri değilim. Kraliyet ailesinin bir üyesiyim. Seni korurum. Birkaç kölenin kaybolduğunu kimse fark etmez bile." Atından uzanıp Leon'un kaslı kolunu okşadı. Leon, kadının elini itip suratına bir yumruk indirmemek için kendini zor tutuyordu. Kadının sesi alçak ve baştan çıkarıcıydı. "Courtney, denemeden o özel avın tadını bilemezsin."

Leon sakinleşmek için derin bir nefes aldı, ama bu iğrenç şehvet arzusu ve zulüm karşısında tüm duyguları harekete geçiyordu. Sağlıklı düşünemiyordu. Kadının boğazını sıkmak için neredeyse karşı konulmaz bir istek vardı içinde. Daha sonra bu içgüdüsel davranışın göreviyle taban tabana zıt olacağını fark etti, kendisine ve etrafındakilere ne olursa olsun, alabileceği son bilgi kırıntısına kadar almak zorundaydı. Ondan sonra da o bilgilerle kadının çevresindekilere ulaşıp aynı şeyi onlara uygulaması gerekiyordu. Alman aristokrasisine ulaşmak için bu kadın tesadüfen ele geçirdiği bir anahtardı. Kendisi yargıç ya da cellat değildi. O sadece İngiliz Askeri İstihbaratı'nı oluşturan büyük makinenin minik bir dişlisiydi.

Sonunda görevi baskın çıktı. Büyük bir çaba harcayarak ellerini kontrol altına alabildi. Kadının gırtlağına sarılmak yerine ellerini tutup sıktı. Sonra gülümseyip, "Tabii ki majesteleri," diye fısıldadı. "Arzunuzu yerine getireceğim. Ancak, bazı düzenlemeler yapmak için zaman tanımalısınız bana."

"On altı gün sonra, safari bittikten sonra Almanya'ya dönmek zorundayım. Beni hayal kırıklığına uğratırsan kızarım... çok kızarım." Sesinde soğuk bir tehdit vardı ve bu Leon'un o genç Alman avlak bekçisini hatırlamasına yol açtı.

Kampa döndüklerinde henüz erkendi. Prenses banyo yapmak için çadırına gitti, Leon da kendi çadırına koşup av defterine amcası için acil bir not yazdı:

Amca, yeni arkadaşım ve onun üst düzeydeki eski ahbapları konusunda saçlarınızı bembeyaz edecek hikâyelerim var.

Ancak, şu anda bu canavarın elindeyim. Eğlenmek için benden ağza alınmayacak bir şey yapmamı istiyor. Hem kendi vicdanım, hem de yasalar bunu yapmama engel oluyor. Fakat onu reddetmek zorunda kalırsam da çok kızacak. Özenle hazırladığınız bilgi kapısını kapatacak. Bu olay gerçekleşmeden diplomatik bir yolla onu İngiliz

Güney Afrika'sından gönderecek bir çare bulmanızı rica ediyorum. Saygılarımla. Yeğeniniz.

Sayfayı koparıp katladıktan sonra safari ceketinin göğüs cebine koyarak ilikledi. Çadırından çıkıp ana çadıra gitti, giderken kraliyet çadırının yakınından geçtiği için prensesin Heidi'yi azarlamasını ve hizmetçinin boğuk hıçkırıklarını duydu. Yola devam edip hizmetkârlar bölümüne gelince Manyoro'yla Loikot'u kulübelerinin önünde oturmuş enfiye çekerken buldu. Onun yaklaştığını görünce susmuşlardı.

Kimsenin bakmadığından emin olmak için çabucak etrafı kolaçan edip katlanmış kâğıdı Manyoro'ya uzattı. "Loikot'u da yanına al. Gidebildiğiniz kadar hızlı bir şekilde Nairobi'ye gidin. Bu kâğıdı KAR Karargâhı'nda amcam Albay Ballantyne'a verin. Yolda oyalanmayın. Hemen gidin. Bu konuda da amcam dışında kimseyle konuşmayın."

Hemen kalktılar ve kulübenin kapısının önünde yere saplanmış olan mızraklarını aldılar.

Leon sözlerini pekiştirmek için Manyoro'yu kolundan yakaladı. "Kardeşim," dedi. "Hızlı koşarsanız cadı yakında gitmiş olacak."

"*Ndio, M'bogo.*" Manyoro haftalardır ilk kez gülümsemişti ve Loikot'la birlikte Nairobi'ye doğru koşarak kamptan çıkarken bacağı aksamıyordu.

O gece prensesin çadırına çağrıldığında, "Her iki iz sürücümü de uzun domuz avı için gereken düzenlemeleri yapmak üzere yolladım," diyebildi. "Yelkenlileri Victoria Gölü'nde cirit atan bir Arap tanıyorlar. Adam aslında fildişi ve post işindeymiş, ama gizlice başka tür mallar da temin ediyormuş."

"Çok heyecanlı, sana güvenebileceğimi biliyordum Courtney." Prenses koltuğunda kalçasını kaşırmışçasına kıvrandı. "Düşüncesi bile beni heyecanlandırıyor. Adamların ne zaman döner sence?"

"Beş altı güne kadar burada olacaklarını düşünüyorum, böylece gitmeden önce sizi bu yeni sporla tanıştıracak bol bol vaktim olur."

"O zamana kadar kendimizi elimizden geldiğince oyalamamız gerekiyor." Kadın arkasına yaslandı ve binici elbisesinin eteklerini dizlerine kadar çekti. "Eminim sen, beni oyalayacak bir şeyler bulursun."

Dört gece sonra Leon, yabandomuzlarının peşinde geçen günün ardından prensesi kampa getirdi. Kadın karamsar ve öfkeliydi. Leon dört tane yabandomuzu avı ayarlamış, ama hiçbirinde başarılı olamamıştı. Her seferinde hayvanlar beklenmedik bir yerden ortaya çıkıp onları gafil avlamışlardı. Prenses gün boyu bu en sevdiği av hayvanlarına tek el bile ateş edememişti. Dönüş yolunda öfkesini ağaç tepesindeki bir grup babuna yöneltmiş, maymunlar dehşet çığlıkları atarak kaçışmadan önce beş el ateş etmişti.

Kampa yaklaşırken Leon haki renge boyanmış iki tane Ford araç görünce şaşırdı, post yüzme kulübesinin önüne park etmişlerdi. Onlar geçerken bir avuç asker hizaya geçip tüfeklerini kaldırdılar ve selam durdular. Leon, çavuşla ekibini tanımıştı. Karargâhın muhafız birliğindendiler. Selamlarını alırken keyfi yerine geldi. "Rahat Çavuş Miomani."

Çavuş, Leon'un kendisini hatırlamasına sevinip sırıttı ve abartılı bir hareketle kolunu yana indirdi. Adamlarına, "Tüfek aşağı! Rahat! İleri marş. Bir, iki..." diye bağırdı.

Kampın içinde yürümeye başladılar.

Prenses, "Kim bu insanlar ve burada ne arıyorlar Courtney?" diye sordu.

Leon, "İngiliz askerleri majesteleri, ancak bu kadarını söyleyebilirim. Buraya niye geldikleri konusundaysa hiçbir fikrim yok," diye yalan söyledi. "Yakında öğreniriz diye umuyorum." Ama içinden Manyoro'yla Loikot'un ceylan gibi koştuklarını ve Penrod Ballantyne'ın da beklediğinden daha erken buraya varmak için acele ettiğini tahmin etmişti.

Leon'la prenses ana çadırın önünde atlarından indiler ve Leon, İsmail'e kahve getirmesi için bağırdı. "Ve dikkat et, mutlaka sıcak olsun!" Sonra prensesi serin çadıra davet etti.

Penrod kamp koltuklarından birinden kalktı ve Leon bir şey diyemeden lafa girdi. "Sanırım beni burada görünce şaşırmışsınızdır." Leon'un sağ elini tutup salladı ve prensese döndü. "Beni majesteleriyle tanıştırmak lütfunda bulunur musunuz?"

Leon, "Majesteleri, size Albay Penrod Ballantyne'ı takdim edebilir miyim?" dedikten sonra, Penrod'un apoletlerindeki tacı ve üç yıldızı fark etti. Son görüşmelerinden bu yana amcası terfi etmiş olmalıydı, hemen atılıp hatasını düzeltti. "Affınızı dilerim prenses. Tuğgeneral Penrod Ballantyne demeliydim, majesteleri kralın İngiliz Doğu Afrika'sındaki kuvvetlerinin komutanı." Penrod selam verdikten sonra ileri doğru üç adım atıp elini uzattı.

Prenses uzatılan eli görmezden gelip soğuk bir tavırla yüzüne baktı. Penrod'un yanından geçip her zamanki koltuğuna otururken, "Ah zo!" dedi. "Courtney, aşçına söyle kahvemi hemen getirsin. Susadım." Almanca konuşmuştu. Sonra tekrar Penrod'a baktı. "Ne işiniz var burada? Bu özel bir safari. Keyfimi kaçırıyorsunuz," dedi kusursuz bir İngilizceyle.

Penrod masada kadının karşısındaki koltuğa oturdu. "Majesteleri, rahatsız ettiğim için özür dilerim, ancak buraya ekselansları İngiliz Doğu Afrika'sı valisi adına geldim."

Prenses, "Oturabilirsiniz demedim," deyince Penrod hemen ayağa fırladı.

Yüzü mosmor olmuştu ama sesinde bir değişiklik yoktu. "Affınızı dilerim madam."

"Bu İngilizler nerede, nasıl davranacaklarını bilmiyorlar." Başının üstündeki boşluğa bakarak konuşmuştu. "*Ja,* zo? Valiniz ne istiyormuş benden peki?"

"Rift Vadisi'ne özgü bulaşıcı bir hastalık salgını başladığını ve bölgeyi kasıp kavurduğunu bildirmem için gönderdi beni. Şimdiden binden fazla yerli, hastalığa yakalandı ve her gün daha da fazla kişi ölüyor. En son gelen ölüm raporu buraya yakın bir köyden. Majesteleri, ölümcül bir tehlike içindesiniz." Prensesin azametli duruşu çabucak değişivermişti. Dehşet içinde Penrod'a baktı. "Nedir bu bulaşıcı hastalık?"

"Sanırım Almancada *Tollwut*(*) deniyor madam."

"*Tollwut? Mein Gott!*"(**)

"Evet majesteleri. Bu özellikle hızlı yayılan ve bulaşıcı bir tür. Çok kötü, kaçınılmaz bir ölümle son buluyor. Kurbanlar acı içinde kıvranıp su diye haykırarak kendi salyasında boğularak can veriyor."

Kadın alçak sesle, "*Mein Gott!*" diye tekrarladı.

"Vali hastalığın yayıldığı bölgede kalmanıza izin vermemesi gerektiğini düşündü, ama karar vermeden önce Berlin'e telgraf çekti. Sekreteri kayzer hazretlerinin, buradan hemen ayrılıp Almanya'ya dönmenizi emrettiğini belirten bir telgraf gönderdi. Ekselansları vali de *Roma* adlı transatlantikte sizin için bir kamara ayırttı. Ayın on beşinde Kilindini Lagünü'nden kalkıp Cenova'ya gidiyor. Oradan yataklı ekspresle Berlin'e geçebileceksiniz. Size *Roma*'ya kadar eşlik etmeye geldim, beş güne kadar Kilindini'ye gelmiş olacak. Gemiye yetişmek için acele etmeliyiz."

Prenses, "Ne zaman gitmek istiyorsunuz?" deyip ayağa kalktı.

"Bir saat içinde hazır olabilir misiniz madam?"

(*) Kuduz.

(**) Aman Tanrım!

"*Jawohl!*"(*) Kadın hizmetçilerine bağırarak dışarı çıktı. "Heidi! Brunhilde! Valizlerimi toplayın! Sandıklarla uğraşmayın. Bir saat içinde gidiyoruz!" O çıkınca Penrod'la Leon az önce büyük bir haylazlık yapmış okul çocukları gibi karşılıklı sırıttılar.

"Demek Rift Vadisi kuduzu ha! Bunu da nasıl uydurdunuz Hain Albion?"

"Kesinlikle ölümcül bir hastalık!" Penrod belli belirsiz göz kırptı. "Yalnız, anlaşıldığı kadarıyla tarihte ilk kez görüldü."

"Majestelerini nasıl buldunuz?"

"Çok çekici, dizimin üstüne yatırıp beş altı tane indirmek istedim."

"Bunu yapsaydınız muhtemelen size âşık olurdu."

"Demek öyle ha?" Penrod gülümsemeyi kesti. "Anlatacak ilginç hikâyelerin olmalı."

"Saçlarınızı beyazlatacak hikâyeler, inanın. Hayatınızda böyle şeyler duymamışsınızdır. Ama burada olmaz, şimdi hiç olmaz."

Penrod başını salladı. "Oyunu çabuk öğreniyorsun. Tatlı prensesi Kilindini'de tekneye atar atmaz, Muthaiga Şehir Kulübü'nde öğle yemeğimizi yerken hikâyelerini dinleyeceğim."

Leon, "Yemeğin yanında 1979 Margaux da olacak mı?" diye sordu.

Penrod, "Erkeksen iki tane de olur," dedi.

"Tam bir beyefendisiniz amca."

"Hiç önemli değil sevgili çocuk."

Prenses bir saat içinde, peşinde elleri kolları ipek elbiseleriyle, ceketleriyle dolu sekreteri ve iki hizmetçisiyle çadırdan içeri girdi. Penrod ara-

---

(*) Elbette.

balardan birini çadırın önüne çektirmişti, araç çalışır durumda hazır bekliyordu. Leon öndeki yolcu koltuğuna yerleşen prensese elini uzattı. Kadın parmaklarıyla Leon'un kasıklarını okşadı. Ve sadece onun duyabileceği bir sesle, "Büyük dostuma selamlarımı ilet," dedi.

"Teşekkürler madam. Gittiğiniz için ağlıyor."

"Yaramaz çocuk!" Öyle bir çimdik attı ki Leon'un soluğu kesildi ve gözleri yaşardı.

"Lütfen küstahlığımı mazur görün majesteleri. Kendimi terk edilmiş hissediyorum. Ama söyler misiniz, bıraktığınız eşyaları, mobilyaları, tüfekleri ve şampanyaları ne yapacağım? Paketletip size göndereyim mi?"

"*Nein*! İstemem. İstersen sende kalsın, istersen yak."

"Çok cömertsiniz. Ama benimle avlanmaya gelmeyecek misiniz tekrar?"

Prenses, "Asla!" dedi. "Kuduz. Hayır, teşekkürler!"

"Peki arkadaşlarınızı da mı yollamayacaksınız prenses?"

"Ancak gerçekten nefret ettiklerimi." Leon'un yüzündeki ifadeyi görünce hafifçe yumuşadı. "Ama merak etme Courtney. Gerçekten nefret ettiğim dostlarımın sayısı gerçekten sevdiklerimden fazladır." Arkada oturan Penrod'a döndü. "Şoförünüze söyleyin, beni bir an önce bu hastalıklı yerden uzaklaştırsın."

"*Auf wiedersehen*(*) prenses!" Leon şapkasını çıkarıp salladı ama araç bozuk yolda hoplaya zıplaya giderken prenses arkasını dönüp bakmadı bile.

İki hafta sonra Penrod gri aygırıyla Tandala Kampı'na geldi ve İsmail, onu yeni demlenmiş Lapsang Souchong çayı ve bir tabak zencefilli kurabi-

(*) Hoşçakal.

yeyle karşıladı. İsmail o kurabiyeleri, sadece sevdiği konuklara ikram ederdi. Penrod bir şeyler söyledikten sonra Leon'la ikisi atlarına binip on beş kilometrelik Muthaiga'ya doğru yola çıktılar.

Penrod, "At binmeyi gerçekten çok özlemişim," dedi. "Bugünlerde masamdan kalkmıyorum." Leon'a göz attı. "Diğer yandan sen oldukça zinde görünüyorsun sevgili çocuğum."

"Prensesin sayesinde. Yüzden fazla yabandomuzu vurduğunu anlattı mı size, canavar gibi siyah yeleli bir aslanla, güzelim leoparı saymıyorum bile?"

"O zarif hanımla ben yolculuk boyunca on kelime ya ettik ya etmedik. Her şeyi senden duymak istiyorum. O yüzden gelip aldım seni. Burada gizli kulaklar olmadan rahatça konuşabiliriz." Eliyle çevredeki ormanı ve yeşil tepeleri gösterdi. "Bu kadar büyük göz ve kulak yoktur. Eee... Leon, anlayışlı amcana her şeyi anlat bakalım."

"Binici başlığınızın tokalarını sıkıca bağlasanız iyi olur efendim, yoksa anlattıklarımdan sonra uçup gidebilir."

"En baştan başla ve hiçbir şeyi atlama." Ağır ağır gittikleri için Muthaiga Şehir Kulübü'ne ulaşmaları neredeyse bir buçuk saat sürdü ve Leon da raporunu ancak bitirebildi. Penrod arada, bir ismi doğrulatmak veya bazı ayrıntıları tekrarlatmak dışında hiç sözünü kesmemişti. Sık sık nefesi kesiliyor, yüzünde derin bir tiksinti ifadesi oluşuyordu. Leon, "İşte böyle amca," diyebildiğinde kulübün özel yolunda ilerliyorlardı.

Penrod ciddi bir tavırla, "Yeter, fazla bile," diye cevap verdi. "Başka biri anlatsa inanmazdım. Bazıları o kadar gerçekdışı ki. Beklediğimden çok daha fazlasını yapmışsın."

"Bütün bunları yazmamı ister misiniz efendim?"

"Hayır. Yazmış olsan kadın çadırını karıştırırken bulacaktı hepsini. Ben hatırlarım, hatta muhtemelen ölene kadar unutmam." Özel yolun sonuna gelip, atlarını kulüp binasının önüne bağlayana kadar Penrod konuşmadı.

"Ben de unutamayacağım efendim. Kadını sırtlanlara atabilirdim."

"Hadi gidip yemeğimizi yiyelim. Bugün şefin mönüsünde ilikle güveçte pişmiş mısırlı biftek var. Umarım tüyler ürpertici hikâyelerin iştahımı kaçırmamıştır."

"Hiçbir şey bunu yapamaz efendim."

"Dikkatli ol dostum. Ağarmış saçıma ve omzumdaki yıldızlara saygı göster biraz."

"Bağışlayın general. Kötü bir niyetim yoktu. Sadece mükemmel bir yemek zevkinize hayran olduğumu söylemek istemiştim."

Penrod'un salonda yemek yiyen herkesi tek tek selamlayıp, her masada birkaç saniye duraklamasının ardından nihayet terasa çıkıp begonvilin altına yerleşebildiler. Malonzi şarabı açıp kadehlere koyduktan sonra üzerine ilik ve kızarmış ekmekten oluşan ordövrlerini servis edip saygıyla çekildi.

"Sen vahşi doğada kraliyet mensupları ve yabandomuzlarıyla uğraşırken, daha büyük dünyada neler oluyor anlatayım biraz." Penrod kızarmış ekmeğine yağlı ilikten bolca sürdükten sonra Avrupa'da yaşananları özetlemeye başladı: "En çarpıcı dedikodu, son seçimlerde Sosyal Demokratik Parti'nin tarihinde ilk kez, Alman Reichstag'ındaki birinci parti haline gelmesi. 1907 seçimlerindeki toplam sandalye sayısının iki katından fazlasını aldılar. Çok sancılı bir süreç başlıyor orada. Yönetim kadrosundaki Alman askeri elitleri otoritelerini yeniden kazanmak için bir şeyler yapmak zorunda kalacaklar. Küçük şirin bir savaş gibi mesela." İlikli ekmeği ağzına atıp büyük bir iştahla çiğnedi. "Ve Sırbistan kesinlikle Avusturya'ya yürümek isteyecek. Hadi küçük bir savaş daha. Tabii savaş demişken Türkiye'yi de unutmamak gerek. Türkler, Bulgarları Konstantinapol kapısından kovdu, ama yirmi bin kayıp verdiler..." Son ilikli lokmasını da ağzına atıp bir kadeh Margaux ile midesine indirdi.

Malonzi'nin güveç servisini yapmasını beklerken, "Şimdi, hazır bize yaklaşmışken, sana yine birçok mektup geldi, on on iki tanesi de avcılık hizmetinden yararlanmak isteyenlerden. Postaneden alıp sen yorulmayasın diye hepsini okudum."

"Daha önce de demiştim. Amca siz çok iyi bir dostsunuz."

Penrod iltifata zarif bir çatal hareketiyle karşılık verdi.

"Mektupların çoğu önemsiz kişilerden, onları eledim. Ancak, en sevdiğimiz ülke olan Almanya umut vaat ediyor. Bir tanesi hükümetin tutucu bir bakanından, biri İmparatorluk Şansölyesi Theobald von Bethmann-Hollweg'in danışmanı olan Kont Bauer, diye birinden, üçüncüsü de ordunun en büyük ve tek tedarikçisi olan bir sanayi kuruluşunun başkanından. Tabii ki üçü üzerinde de çalışmak istiyoruz. Ancak, şu anda en cazip görünen sanayici. Adamın adı Graf Otto Kurt Thomas von Meerbach. Meerbach Motor Şirketi'nin sahibi."

"Onları tanıyorum." Leon etkilenmişti. "Uçaklar için Meerbach devir motorunu geliştirmişlerdi. Hava gemileri alanında Kont Zeppelin'le rekabet halindeler. Kan gövdeyi götürüyor. O adamla tanışmayı çok isterim. Gökyüzünü ele geçirme fikri beni büyülüyor, ama şimdiye kadar bırakın binmeyi, o inanılmaz uçan makineleri yakından görme fırsatım bile olmadı."

Penrod, onun çocukça hevesine gülümsedi. "Her şey planlandığı gibi giderse, yakında fırsat bulabilirsin. Percy sayesinde, von Meerbach'a senin adına acil bir telgraf gönderdim. Safaride neler sunduğunu, olası tarihleri ve standart ücretleri bildirdim. Bu arada güveci tatmadın daha. Harika olmuş. Ha, bir de Kermit Roosevelt'ten mektup gelmiş."

"Onu da açtınız tabii ben yorulmayayım diye?"

"Yüce Tanrım, hayır." Penrod dehşete düşmüştü. "Aklımdan bile geçirmedim. O senin özel mektubun."

Leon, "Oysa diğerleri kamu malıydı değil mi amca?" diye sorunca Penrod pişkin bir tavırla gülümsedi.

"Görev icabı sevgili oğlum." Sonra konuyu değiştirdi. "Prensesi başından savdığına göre bir an önce Eastmont Safarisi için ortağın Percy'e yardım etmen gerek."

"Doğru. Yarın sabah erkenden gidiyorum. Percy, Alman Bölgesi'ndeki Manyara Gölü'nün batı kıyısında avlanıyor. Tandala'ya benim için bir not bırakmış. Lort Eastmont'un çok büyük bir bizon avlamak istediğini, bunun için en uygun yerin de Manyara olduğunu söylemiş."

"Nairobi'den geçerken beni de Lort Eastmont'la tanıştırdı. Burada Percy, ben ve iki lort hazretleri, Eastmont ve Delamere'le birlikte akşam yemeği yedik."

"Eastmont hakkında ne düşündüğünüzü sorabilir miyim efendim?"

"Sorabilirsin tabii. Aslında, ben de bilmeniz gerekenleri -yani Percy'le senin- anlatmak istiyordum. Daha ilk görüşte adamın garip bir balık olduğunu düşündüm. Onda beni rahatsız eden bir şey vardı. Ama Percy'le ikisi Manyara'ya gittikten sonra her şey hızla ve kükreyerek aklıma üşüştü, şiirsel dilimin kusuruna bakma."

"Ne demek efendim. Devam edin lütfen. Bütün dikkatimle sizi dinliyorum."

"'99'da, Güney Afrika seferberliğinde küçük, pis bir kaza olduğunu hatırladım. Güçlü bir Boer Birliği'ne saldırı yapıldığı sırada, Yeomanry Süvari Alayı'ndan Bertie Cochrane isimli genç bir yüzbaşı, müfrezesiyle birlikte Slang Nek denen yerde keşif görevine gönderilmişti. İlk ateş açıldığında genç Cochrane kaçmış. Çavuşunu Boer'lerle savaşırken bırakıp evine, annesinin yanına dönmüş. Daha sonra orada bir katliam yaşanmış. Yirmi kişilik müfrezeden geriye beş kişi kalmıştı. Cochrane düşman karşısında korkaklık ettiği için yargılanıp suçlu bulundu ve ordudan atıldı. Yüksek mevkilerde dostları olmasa kurşuna dizilebilirdi. Bütün bunları hatırlayınca Harp Dairesi'nde bir tanıdığıma telgraf çekip kontrol etmesini istedim. Cevapta kuşkularımda haklı olduğum ortaya çıktı. Cochrane ile Eastmong aynı kişiydi, ama birkaç ufak bilgi kırıntısı daha vardı. Şerefsizce ordudan ihraç edildikten sonra genç Bertie Cochrane, Amerikalı zengin bir petrol vârisçisiyle evlenmiş. Aradan iki yıl geçmeden de Bayan Cochrane, Cumberland'daki Göller Bölgesi'nde, Ullswater'da bir tekne kazasında boğulmuş. Cochrane, karısını öldürmekle suçlanmış ama delil yetersizliğinden beraat etmiş. Kadının mirasına konmuş ve iki yıl sonra kendi amcası da ölünce Eastmont kontu olup, Westmorland'daki Appleby yakınlarında beş bin hektarlık arazinin sahibi olmuş. Böylece bizim sade vatandaş Bertie Cochrane Eastmont Kontu Bertram oluvermiş."

"Yüce Tanrım! Percy bunları biliyor mu?"

"Henüz bilmiyor, ama eminim sen verirsin bu güzel haberleri."

Leon, Tandala'ya dönerken düşünceli bir ruh hali içindeydi. Kampta Manyoro'yla Loikot, onu bekliyorlardı. Ertesi sabah erkenden yola çıkıp, Manyara Gölü kıyısındaki kampta Percy'e katılmak için gereken talimatları verdi ve mektuplarını okumak üzere çadırına gitti.

Annesinden üç tane sevgi dolu ve eğlenceli mektup vardı. Her biri yirmi sayfaydı ve birer ay arayla gönderilmişti, ama Nairobi postanesi hepsini birlikte teslim etmişti. Babasının her zamanki gibi sağlıklı ve zengin olduğunu öğrendi. Annesinin son kitabının adı *Afrika Yansımaları*'ydı ve Londra'daki Macmillan tarafından yayınlanacaktı. Leon'un en büyük ablası Penelope altı hafta önce çocukluk aşkıyla evlenmişti. Ona güzel bir düğün hediyesi göndermesi gerekiyordu. Annesinin üç mektubunu daha sonra cevaplamak üzere kenara koydu, New York damgalı, Kermit'in kırmızı mührüyle kapatılmış zarfı açtı.

Kermit sözünü tutmuştu. Mektubu coşkulu ve keyifliydi. Quentin Grogan'la Nil kıyılarında, Sudan ve Mısır'da yaptıkları büyük safarinin son aylarını anlatıyordu. Büyük Sihirbaz, av hayvanlarını öldürmeye devam etmişdi. İskenderiye'den New York'a dönerken yine âşık olmuş, ama kız sorun çıkarmıştı. Kermit'in bu geri çevrilişi iyi yanından aldığı anlaşılıyordu. Sonra büyük başkanlık safarisini finanse eden çelik milyarderi Andrew Carnegie'nin evinde verilen daveti anlatarak devam ediyordu. Konuklardan biri de Bavyera Wieskirche'den bir Alman sanayicisiydi. Kermit yemekte onun karşısına oturmuştu ve birbirleriyle hemen kaynaşmışlardı. Yemekten sonra hanımlar çekilince de şarap ve puro içmişlerdi.

Otto olağanüstü biri, bütün o düello yaralarıyla filan hayatı kalın bir roman olabilir.

Dağ gibi bir adam, özgüveni ve enerjisi etrafa yayılıyor, insan ondan hoşlanmasa da hayranlık duymaktan kendini alamıyor. Meerbach Motor Şirketi'nin sahibi. Eminim duymuşsundur. Sanırım seninle o şirketten söz etmiştik. Tüm Avrupa'nın en büyük ve başarılı kurumlarından biri, otuz binden fazla çalışanı var. MMW zeplinler ve uçaklar için devir motorunu icat eden şirket. Alman Ordusu için otomobil ve kamyon da üretiyor, hava kuvvetleri için de uçak. Fakat Otto'nun en ilginç yanı usta bir avcı oluşu. Bavyera'da geyik ve yabandomuzu avladığı muazzam arazilere sahip. Kışın Schloss'*unda, yani dağ şatosunda ünlü av partileri veriyor. Günde iki yüz yabandomuzu avlanması sıradan bir olay sayılıyor. Avrupa'ya bir dahaki gidişimde ben de bu av partilerine katılacağım. Bizim safariyi anlatınca çok ilgilendi. O da yıllardır Afrika'da safariye çıkmayı düşünüyormuş. Adresini istedi, tabii ki verdim ben de. Umarım sakıncası yoktur?*

Leon yüksek sesle, "Demek von Meerbach, beni bu şekilde bulmuş," dedi. "Teşekkürler Kermit." Mektup birkaç sayfa daha sürüyordu.

Otto'nun karısı ya da metresidir belki, aralarındaki ilişkiyi tam olarak bilmiyorum, gerçekten hayatımda gördüğüm en güzel kadınlardan biri. Adı Eva von Wellberg. Çok zarif ve sessiz bir kadın, ama yüce Tanrım, o gözlerini bana çevirdiği zaman kalbim tereyağı gibi eriyor. Otto'yla onun için düello etmeye bile hazırdım, ki adam Avrupa'nın en iyi kılıç ustalarından biriymiş. Yani o tatlı eşi beni bu kadar etkiledi.

Leon güldü. Tam Kermit'e göre bir durumdu. Arkadaşının sözlerinden Eva'nın muhtemelen orta halli bir güzelliği olduğunu tahmin ediyordu. Kermit, Leon'dan da hemen bir cevap beklediğini belirterek mektubunu bitiriyordu. Leon'un yaptıklarını anlatmasını ve Kermit'in İngiliz Doğu Afrikası'nda edindiği yeni dostlarından, özellikle de Manyoro ve Loikot'tan havadisler vermesini istiyordu. En alta da, *"Salaams ve Waidmanns Heil" (bunu Otto öğretti, avcı selamı demekmiş), EİD."* yazıyordu. Leon bir süre bu harflerin ne anlama geldiğini düşündükten sonra tekrar gülümsedi. "Benden de sana en iyi dilekler savaşçı kan kardeşim Kermit Roosevelt."

Leon, annesiyle Kermit'e cevap yazmak için seyyar masasını açtı, ama kalemini mürekkebe batıramadan İsmail yemek gongunu çaldı. Leon inledi. Daha Penrod'la yediği öğle yemeğini hazmedememişti. Fakat İsmail'in yemeklerine katılmak isteğe bağlı değil mecburiydi.

Manyara Gölü'ne giden yolun ilk üç yüz kilometresi çok kötüydü. Vauxhall bunun bedelini gaddarca ödetti ve en azından on iki kere durup patlayan lastikleri onarmak zorunda kaldılar. Manyoro ile Loikot lastiklerin patlamasına yol açan dikenleri bulup çıkarmakta ustalaşmışlardı. Kumlu kısımlarda da motor düzenli olarak su kaynatıyordu ve radyatörü yeniden doldurmak için soğumasını beklemek mecburiyetinde kalıyorlardı.

İngiliz ve Alman Doğu Afrikalarını ayıran sınırda ne işaret, ne de nöbetçi vardı. Yol kenarındaki ağaçlara yapılan işaretlerle sırığa dikilip ağarmış birkaç hayvan kafatasından başka yol tabelası da yoktu. Genelde hislerine ve semavi güçlere güvenerek nihayet Makuyuni Nehri kıyısında Hintli bir tüccar tarafından işletilen sazdan yapılmış minik dükkâna ulaştılar. Percy, onun için iki tane güzel at bırakmıştı.

Leon arabayı dükkânın arkasındaki tropikal ağacın altına park edip atlardan birini eğerledi. Buradan Percy'nin av kampına en az seksen kilometre vardı. Kamp göl kıyısındaki bir buruna kurulmuştu.

Leon'la Masai'ler ertesi gün karanlık çöktükten bir saat sonra kampa vardılar. Henüz Percy de soylu müşterisi de kampa dönmemişlerdi. Percy'nin aşçısı Leon'a ızgara hipopotam yüreğiyle kabak ezmesi ve kalın bir parça gravyerden oluşan bir akşam yemeği hazırladı.

Yemekten sonra Leon ateşin başına oturup karanlıkta aya doğru dalga dalga uçan flamingoları seyretti. Gölün karşı kıyısında bir çalı yangını vardı. Karanlık tepelere doğru alevlerden bir yılan gibi kıvrılıyordu ve Leon yanık kokusunu alabiliyordu. Karanlıkta yaklaşan nal seslerini duyup gelenleri karşılamaya gittiğinde saat onu geçmişti.

Percy kazık kesilmiş bir halde ağrılar içinde attan inerken gölgelerin arasında bekleyen Leon'u gördü. Omuzları dikleşti ve yüzünde bir hoş geldin tebessümü belirdi. "Nihayet kavuştuk!" Diye seslendi. "Zamanlaman muhteşem Leon. Ateşin başına gel de seni lort hazretleriyle tanıştırayım. Sana bir miktar Talisker bile ikram edebilirim."

Eastmont uzun boylu, leylek gibi bir adamdı. Koca koca elleri, ayakları vardı ve kafası karpuz gibiydi. Uzun, ince kol ve bacakları kalıplı gövdesine hiç uymuyordu. Percy bir seksen boyundaydı ve Masai iz sürücü ondan iki üç santim daha uzundu, ama Eastmont yine de onlara tepeden bakıyordu. Leon en az bir doksan olduğunu tahmin etmişti. Tokalaşırken Leon'un eli adamın avucunun içinde çocuk eli gibi kalmıştı. Titreşen alevlerin ışığında yüz hatları kuru ve kemikli, ifadesi karanlık ve somurtkandı. Çok az konuşup, konuşma işini Percy'e bırakıyordu. Kadehler doldurulduktan sonra Percy o günkü av maceralarını anlatırken Eastmont'da gözünü ateşe dikmiş oturuyordu.

"Lort hazretleri büyük bir bizon istiyordu ve şanslıymış ki bu sabah bir tane bulduk. Yaşlı bir erkekti ve tüm kutsal şeyler üstüne yemin ederim dişleri bir metre otuz santimden az değildi."

"Percy, inanılır gibi değil! Ama ben, sana inanıyorum tabii ki. Kafayı göstersene bana. Adamların bu gece mi getiriyor, yoksa yarın post yüzücüler mi getirecek?"

Garip bir sessizlik oldu ve Percy ateşin üstünden müşterisine baktı. Eastmont konuşulanları duymamış gibiydi. Gözünü alevlerden ayırmıyordu.

Percy, "Şey," deyip tekrar duraksadı. Sonra hızlı hızlı konuşmaya başladı. "Küçük bir sorun var. Hayvanın kafası gövdesine yapışık ve gövdesi de hâlâ canlı."

Leon ensesinde bir ürperti hissetti ama temkinli bir şekilde, "Yaralandı mı?" diye sordu.

Percy gönülsüzce başını salladıktan sonra, "Evet ama çok kötü yaralandı sanırım," diye itiraf etti.

"Ne kadar kötü Percy? Neresinden yaralandı? Çok mu fazla kan kaybetti?"

Percy, "Arka bacağından," dedikten sonra alelacele. "Arka uyluk kemiğinin kırıldığına inanıyorum," diye ekledi. "Yarın sabaha katılaşıp tutmaz hale gelir."

"Kan Percy? Ne kadardı?"

"Biraz."

"Atardamardan mı toplardamardan mı?"

"Söylemek zor."

"Percy bunları birbirinden ayırmak güç değil ki. Bana sen öğretmiştin, bilmen gerekir. Birinde kan parlak kırmızı olur, diğerinde koyu. Aradaki farkı söylemek bu kadar zor mu?"

"Çok kan yoktu."

"Ne kadar gittin peşinden?"

"Hava kararana kadar."

"Percy, ne zamana kadar değil, ne kadar dedim?"

"Birkaç kilometre."

Leon, "Bok!" dedi ve gerçekten de onu kastetmişti.

"Bu kelimenin kibarcası 'merde'dir." Percy ortamı biraz neşelendirmeye çalışıyordu.

"Ben Anglo-Sakson dilime sadık kalayım." Leon gülümsememişti.

Uzun süren bir sessizlikten sonra Leon, Eastmont'a baktı. "Kaç kalibrelik tüfek kullanıyordunuz lordum?"

"Üç yedi beş." Eastmont konuşurken de başını kaldırmamıştı.

Leon bir daha bok, diye düşündü ama dile getirmedi. Kahrolası bezelyeler atan bir tüfekti demek ki. "Sığındığı yerde bitki örtüsü yoğun muydu Percy?"

Percy, "Evet," diye itiraf etti. "Sabahın ilk ışıklarıyla birlikte takibe çıkarız. Bacağı katılaşmış ve acıyor olacağından bulmamız uzun sürmez."

"Benim daha iyi bir fikrim var. Siz ikiniz burada kalıp sakin bir gün geçirin. Sen bacağını dinlendir Percy. Ben gidip hayvanın işini bitireyim."

Lort hazretleri çiftleşme mevsimindeki bir boğa gibi böğürdü. "Böyle bir şey yapacak değilsin ukala delikanlı. O benim bizonum, işini de ben bitireceğim."

"Saygısızlık etmek istemem, ama birden fazla tüfek ölümcül bir tehlike yaratabilir lordum. İzin verirseniz ben gideyim. Bize bunun için para ödüyorsunuz." Leon inandırıcı olmayan diplomatik bir edayla gülümsüyordu.

"Senin de dediğin gibi size çuvalla para ödedim ahbap." Leon'un ifadesi sertleşti. Başını sallamakta olan Percy'e baktı.

Percy, "Tamam Leon," dedi. "Muhtemelen yarın şafak vakti bulmuş oluruz hayvanı."

Leon ayağa kalktı. "Nasıl isterseniz. Günün ilk ışıklarıyla ben hazır olurum. İyi geceler lordum." Eastmont cevap vermedi ve Leon tekrar Percy'e döndü. Alevlerin ışığında yaşlı ve hasta görünüyordu. Yumuşak bir ifadeyle, "İyi geceler Percy," dedi. "Merak etme. İçimde iyi bir his var. Şafakta bulacağız onu, biliyorum."

Leon yamacın kenarında Manyoro ve Loikot'la birlikte duruyordu. Güneş daha doğmamıştı ve suyun üstüne sis inmişti. Hiç rüzgâr yoktu ve göl kalaylanmış gibi parlıyordu. Parlak, pembe flamingolar sürü halinde alçaktan uçarken, gri sular mükemmel bir ayna görevi görmekteydi. Çok güzel bir manzaraydı.

Leon gözünü flamingolardan ayırmadan, "Bwana Samawati arka bacağının kırıldığını düşünüyor," dedi. "Belki bu onu biraz yavaşlatır." Loikot siyah lav kalıntısının üstüne sümkürdü ve Manyoro işaret parmağıyla aldığı kalıntıyı büyük bir dikkatle inceledi. İkisi de yorum yapmamıştı ama kırık bir bacağın kızgın bir erkek bizonu yavaşlatmayacağını onlar da biliyordu.

Leon devam etti. "Bwana Mjiguu önden gitmek istiyor. Onun bizonu olduğunu söylüyor. Kendisi vuracakmış." Masai'ler, Eastmont'a "Bay Koca Ayak" adını takmışlardı ve bu son bilgiyi yakın bir arkadaşlarının ölüm haberini almış gibi karşıladılar.

Manyoro, "Belki öbür bacağına ateş eder, böylece hayvan yavaşlar," deyince Loikot ikinci bir gülme krizine tutuldu. Leon da kendini tutamadı. Hep birlikte kahkahalarla gülmek keyiflerini biraz yerine getirmişti.

O sırada Percy çadırından çıktı ve Leon, Masai'leri onu karşılamaya yolladı. Percy'nin suratı gölün rengiyle aynıydı ve bacağındaki aksama daha belirgindi.

"Günaydın Percy. Gece uyuyabildin mi?"

"Kahrolası bacak uyutmadı beni."

Leon, "Ana çadırda kahve var," dedi ve birlikte o tarafa doğru yürüdüler. "Nairobi'de Penrod Amca'mı gördüm. Sana anlatmamı istediği bir şeyler var."

"Anlat."

"Eastmont Güney Afrika'da ordudan kaçmış. Düşman karşısında korkakça davranmış." Percy durup Leon'un yüzüne baktı. "Sonra zengin karısını öldürmekle suçlanmış ama delil yetersizliğinden beraat etmiş."

Percy bunları bir süre düşündükten sonra, "Biliyor musun?" dedi. "Hiç şaşırmadım. Dün bizona ateş ederken çok yakınındaydım. Hayvanla aralarında yirmi metre vardı. İki santim bile fazlası yoktu. Arka bacağına ateş etti çünkü korkmuştu."

"Bugün önde gitmesine izin verecek misin?"

"Dün gece söylediklerini duydun. Fazla seçeneğimiz yok, öyle değil mi?"

"Arkasından destek olmamı ister misin?"

"Sence ben artık beceremez miyim?" Percy sevdiği bir şeyden yoksun kalmış gibi görünüyordu.

Leon söylediğinden pişman oldu. "Kesinlikle hayır! Hâlâ dinamit gibisin."

"Teşekkürler. Bunu duymaya ihtiyacım vardı. Fakat Eastmont hâlâ benim müşterim. Ona, ben destek vereceğim, ama sen de arkamda olursan çok sevinirim." O sırada Eastmont çadırından çıkıp paytak paytak yürüyerek yanlarına doğru gelmeye başlamıştı. Zincirle bağlanmış, gösteri yapan ayı gibi hantaldı. Percy neşeli bir tavırla, "Günaydın lordum," dedi. "Bizonunuzu avlamaya hazır mısınız?"

Percy'nin önceki gece kan izinin sürmeyi bıraktığı noktaya varana dek bir saat geçti. Kötü bir yerdi. Dikenli çalılar çok sık ve alçaktı. Aralarda gergedanların, fillerin ve bizon sürülerinin oluşturduğu geçitler vardı.

Percy'nin otuz yıldır birlikte olduğu iz sürücüsünün adı Ko'twa'ydı. Gece boyunca gelip geçen diğer iri hayvanlar tarafından neredeyse tamamen bozulan eski izi gösterdi ve Manyoro'yla Loikot da onunla birlikte koşarak izi takip etmeye başladılar.

Üç avcı da atla arkadan geliyordu. Çalılar sık, toprak yumuşak ve kumlu olduğu halde ilk üç dört kilometreyi rahat geçtiler. Sonra toprağın yapısı değişti, bizon toynaklarının iz çıkarmadığı sert ve çakıllı bir hal aldı. Çok az kan izi vardı; o da kuruyup karardığı için yerdeki ölü yaprakların ve kurumuş dalların arasında bulmak neredeyse imkânsızdı. Atlılar, üç iz sürücü küçük mucizelerini rahatça sergileyebilsin, diye geride duruyorlardı. Bir saat daha geçtikten sonra güneş tepeye çıkmış ve ortalığı kavurmaya başlamıştı. Hiç rüzgâr yoktu ve boğucu bir hava vardı. Kuşlarla böcekler bile ses çıkarmıyorlardı. Ortamdaki sessizlikte bir uğursuzluk var gibiydi ve dikenli çalılar giderek sıklaşmış, neredeyse geçit vermez olmuştu. İz sürücüler aralardan zorlukla geçiyordu. At sırtından bakınca bile önünü görmek zordu.

Sonunda Leon hayvanını dizginleyip Percy'e, "Çok fazla ses yapıyoruz," diye fısıldadı. "Bizon gelişimizi bir kilometre öteden duyacak. Onu zorlayıp uyarmamız iyi olmaz. Yarasını azdırır. Atları bırakmak zorundayız." Eğerlerden inip bağladılar, oyalansınlar diye de yem torbalarını taktılar.

Mataralarından son yudumlarını alırlarken Percy, Eastmont'a son brifingi verdi: "Bizon gelirken ve eğer gelirse demiyorum, gelirken burnunu havaya dikmiş olacaktır. Muhtemelen karşınızdan gelir. Yavaş geldiğini ve size doğru gelmediğini düşünebilirsiniz. Sakın kendinizi kandırmayın. Çok hızlı ve doğruca size gelir. Gözünüze çok iri görüneceği için neresine ateş edeceğinizi bilemezsiniz. Gövdesine nişan alabilirsiniz, ama bunu sakın yapmayın. Onu durdurmak istiyorsanız ateş etmeniz gereken tek bir yer var. Beyni. Unutmayın, burnu havada olacak. Burnuna nişan alın. Islak ve parlak olduğu için rahatça nişan alabilirsiniz. Eğer düşmez, üstünüze doğru gelmeye devam ederse kendinizi sola atın. Sağ dirseğinizin dibinde ben olacağım ve rahat ateş edebilmem için bana yer açmanız gerekecek. Sol! Kendinizi sola atın. Anladınız mı?"

Lort hazretleri sert bir tavırla, "Çocuk değilim ben Percy," dedi. "Benimle bir çocukla konuşur gibi konuşma."

Leon acı acı, doğru çocuk değilsin, diye düşündü. Müfrezesini başında komutanı olmadan Boer'ler tarafından bir katliama uğrasın, diye terk eden cesur bir beyefendisin. Bugün seninle biraz eğlensek iyi olur lordum.

Percy, "Affınızı dilerim," diye cevap verdi. "Harekete geçmeye hazır mısınız?" Savaş düzeni aldılar. Eastmont önde, Percy hemen sağ dirseğinin dibinde ve Leon da arkayı tutar vaziyetteydi. Hepsinin tüfeği dolu ve emniyeti kapalıydı. Leon sol elinde iki tane yedek .470 şarjörü de hazır tutuyordu. Kimse söylemeden ne yapacaklarını gayet iyi bilen iz sürücülerin peşine düştüler. Bu onlar için günlük bir işti. Bizon ortaya çıkar çıkmaz onlar kenara çekilecek ve hayvanı vursun, diye Eastmont'a yer açacaklardı. Kendi aralarında işaret diliyle konuşarak sessizce, ağır ağır ilerliyorlardı.

Güneş tepedeydi. Hava cehennem gibiydi. Eastmont'un sırtından ter akıyordu. Leon damlaların saçlarının dibinden ensesine inişini görebiliyordu. Astımlılar gibi kesik kesik soluduğunu da duyabiliyordu. Son bir saatte ancak iki yüz adım atabilmişlerdi ve havadaki elektrik gözle görülecek gibiydi.

Aniden tam karşıdan iki kuru dal birbirine sürtünüyormuş gibi bir ses geldi. İz sürücüler heykel gibi durdular. Loikot'un bir ayağı havada kalmıştı.

Eastmont, "O da neydi?" diye sordu. Sessizliğin içinde onun sesi sis düdüğü gibi ötmüştü.

Percy susturmak için adamın omzunu kuvvetlice sıktı. Sonra neredeyse dudakları Eastmont'un kulağına değecek kadar yaklaştı. "Bizon geldiğimizi duydu. Oturduğu yerden kalktı. Boynuzu bir dala sürtündü. Yakınımızda. Çok sessiz olun."

Başka kimse konuşmadı ve kimse kıpırdamadı. Loikot hâlâ tek ayak üstünde duruyordu. Hepsi de balmumundan bir heykel gibi durmuş dinliyordu. Bu bekleme süresi herkese sonsuz gibi gelmişti. Sonra Loikot ayağını yere indirdi ve Manyoro arkasına bakmak için başını çevirdi. Sağ eliyle Leon'a zarif ve anlamlı bir hareket yaparak bizon ilerlemeye başladı, demek istemişti. "Takip edebiliriz."

İhtiyatla yürümeye devam ettiler, ama ne bir şey duyuyor, ne de görüyorlardı. Artık ortam, iyice gerilmiş çelik tellerin tıngırdaması gibiydi. Leon'un başparmağı Holland'ın emniyet kilidindeydi ve tüfeğin dipçiği sağ kolunun altına kıstırılmıştı. Aynı anda kaldırıp, nişan alabilir ve ateş edebilirdi. O sırada, otlara yağan yağmurun sesi gibi yumuşak, uyuyan bebeğin nefesi gibi hafif bir ses duydu. Sola baktı ve bizonun geldiğini gördü.

Hörgüçlüydü ve pusu kurmuş gibi sık gri dikenlerin arasında bekliyordu. İz sürücülerin geçmesine izin vermişti ve şimdi kömür kadar kara, granit bir kaya kadar heybetli bir şekilde ortaya çıkmıştı. İri bir adamın kolu kalınlığındaki kıvrık boynuzları pırıl pırıl parlıyordu. Uçları hançer gibi sivriydi ve ikisinin arasındaki çıkıntı dev bir ceviz kabuğu gibi eğri büğrü, tek parça obsidiyen(*) gibi iriydi.

Leon avazı çıktığı kadar, "Percy! Solunda! Geliyor!" diye haykırdı. Rahatça ateş edebilmek için bir adım öne çıktı, ama o tüfeği omzuna alırken bizon bir çalının arkasından dörtnala fırladı. Leon'un atışı isabetli olmamıştı.

"Sende Percy! Hakla onu!" diye tekrar bağırdı, gözucuyla Percy'nin sola döndüğünü ve pozisyonunu almak için hareket ettiğini gördü. Fakat sakat bacağı hızını kesiyordu. Kendini zorlayarak tüfeğini kaldırdı ve saldıran erkek bizona nişan aldı. Leon bu mesafeden Percy'nin bizonun beynini vurabileceğini biliyordu. Percy bu işin kurduydu. Iskalamazdı, ne şimdi ne de başka bir zaman.

Fakat Lort Eastmont'u unutmuşlardı. Percy'nin işaret parmağı tetikte gerilirken Eastmont'un sinirleri boşaldı. O panik içinde tüfeğini düşürdü ve arkasına dönüp kaçmaya başladı. Hayvan bütün ağırlığıyla Percy'e bindirdiğinde lordun onu gördüğü bile kuşkuluydu. Percy yere düştü ve sert bir şekilde kafasının arkasını yere çarparken tüfek elinden fırlayıp gitti. Eastmont hiç aldırmadan Leon'un üstüne doğru koşmaya devam etti. Leon'un kaçacak yeri yoktu. Tüfeğini ters çevirip, dipçik kısmını Eastmont'u durdurmak için kullanmak istedi.

Fakat işe yaramadı. Eastmont dev gibi bir adamdı ve korkudan çıldırmıştı. Hiçbir şey durduramazdı onu. Leon tüfeğin dipçiğini göğsüne in-

(*) Doğal yollarla oluşan volkanik kökenli bir cam türüdür.

dirmesine rağmen Eastmont sarsılmamıştı bile. Leon'un üstüne çıktı. Leon çarpışmanın etkisiyle yana savruldu. Eastmont koşmaya devam etti. Leon sağ omzunun üstüne düştü. Kırılan tüfeği sol eliyle tutarken sağ eline abanarak kendini itti. Çaresizce Percy'nin düştüğü yere baktı.

Percy dizlerinin üstünde debeleniyordu. Tüfeğini kaybetmişti ve başını çarptığı için sersemlemişti. Leon bizonun arkasından geldiğini gördü. Kan çanağı olmuş küçük gözleri Percy'e kilitlenmişti. Koca kafasını öne eğmiş ve Percy'e çevirmişti. Kırık arka bacağı cansız vaziyette sürükleniyordu, ama diğer üç bacağıyla sanki yaz fırtınası gibi hızlı ve kapkara yaklaşmaktaydı.

Leon kırık tüfeğini doğrulttu. Dipçik gitmişti ama tabanca gibi kullanarak ateş edebilirdi. Geri tepme yüzünden bileğinin kırılabileceğinin farkındaydı. "Percy, yere yat!" diye bağırdı. "Yere iyice yapış! Bana bir şans ver." Fakat Percy uzun boyuyla ayağa kalkmış görüşünü kapatıyordu. Şaşkın şaşkın başını sallıyor, sarhoş gibi yalpalıyor ve boş boş etrafa bakınıyordu. Leon bir daha bağırmaya çalıştı, ama dehşetten sesi kısıldı ve hiçbir şey diyemedi. Bizonun kafasını yana yatırıp boynuzunu kanca gibi yaparak Percy ile aralarındaki son birkaç metreyi aşmasını izledi. Hayvanın boynu ağaç gövdesi kadar kalındı ve kasları boğum boğumdu. Bütün gücünü yarımay şeklindeki koca boynuzlarına vermişti.

Boynuzlardan birinin ucu Percy'nin sırtına saplanmıştı. Bizon kafasını yukarı doğru savurdu ve Percy kazığa geçmiş gibi oldu. Leon gözlerine inanamayarak uzun, kıvrık boynuzun ucunun arkadaşının karnından çıktığını gördü. Hayvan üstündeki yükten kurtulmak için başını sağa sola sallıyordu. Percy'nin bedeni kukla gibi savruldu, ama boynuz hâlâ karnında duruyordu. Leon, Percy'nin derisinin ve etinin yırtılan ipek gibi bir ses çıkararak parçalandığını duyabiliyordu. Percy, bizonun gözünün önüne düşmüş görüşünü kapatmıştı. Leon tüfeğinin emniyetini açarken onlara doğru koştu. Fakat o ulaşamadan bizon başını eğmiş ve Percy'i yere fırlatmıştı. Serbest kalır kalmaz da koca cüssesiyle üstüne çıkıp Percy'i çiğnemeye başladı. Leon,

Percy'nin kaburgalarının kuru dallar gibi kırılışını duydu. Bizonun kafasına ateş edemiyordu, çünkü mermi doğruca Percy'e saplanacaktı.

Bizonun omzunun yanında tek dizinin üstüne çöktü ve Holland'ın çifte namlusunu o muazzam boyunda omurgayla gövdeyi birleştiren noktaya dayadı. Geri tepmenin bileklerini kırmasını bekliyordu, ama o korkunç mücadele yüzünden pek bir şey hissetmedi ve silahın patlamadığını sandı. Fakat bizon atışın etkisiyle geriye savrulmuş ve sağrılarının üstünde oturur pozisyona girmişti, ön bacakları birbirine dolanmış durumdaydı. Başı öne eğik olduğu için Leon nihayet beynine ulaşabilecekti. Ayağa fırladı ve ölümcül boynuzların menzilinden uzak durmaya çalışarak tekrar atıldı. Ateş etmediği namluyu arkadan boynuzların ortasına dayayıp bir daha tetiğe asıldı. Mermi hayvanın kafatasını parçalamıştı. Önce öne fırlayan bizon daha sonra yana devrildi. Sağlam arka bacağı havada çırpındı, ağzından uzun, acı bir böğürtü çıktı ve hareketsiz kaldı.

Leon kırılmış tüfeğini atıp, Percy'nin yattığı yere koştu. Yanına diz çöktü. Percy çarmıha gerilmiş gibi sırtüstü yatıyordu. Gözleri kapalıydı. Karnındaki yara korkunç görünüyordu. Bizonun vahşi hareketleri yüzünden yara o kadar genişlemişti, ki bağırsakları dışarı fırlamış ve içindekiler dışarı akmıştı. Akan kanın bulanıklığından böbreklerinin de kanadığı belli oluyordu.

Leon, "Percy!" diye bağırdı. Daha fazla zarar verme korkusuyla ona dokunmak istemiyordu. "Percy?"

Ortağı gözlerini açtı ve büyük çaba harcayarak Leon'a baktı. Yüzünde pişman ve üzgün bir tebessüm vardı. "Eh, ikinciyi atlatamadım," dedi. "İlkinde bacağımı kaybettim ama bu sefer işim bitti."

"Böyle saçma sapan konuşma." Leon'un sesi boğuktu, gözleri bulanık görüyordu. Yanağının ıslandığını hissetti ve terden olmasını diledi. "Yaranı sardıktan sonra seni kampa götüreceğim. İyileşeceksin." Gömleğini çıkarıp top haline getirdi. "Biraz acıtabilir, ama yaranı kapatmam gerek." Gömleği Percy'nin karnındaki deliğe soktu. Yara büyük ve derin olduğu için rahatça girmişti.

Percy, "Bir şey hissetmiyorum zaten," dedi. "Bu iş sandığımdan çok daha kolay olacak gibi."

"Kes sesini ihtiyar." Leon, ortağının artık gölgeler belirmeye başlayan gözlerine bakamıyordu. "Şimdi. Seni kaldırıp atına götüreceğim."

Percy, "Hayır," diye fısıldadı. "Bırak burada olsun. Sen de yardım edersen, ben hazırım."

Leon, "Ne istersen yaparım," dedi. "Ne istersen Percy. Bunu biliyorsun."

"O zaman elini ver bana." Percy elini uzattı ve Leon o eli sıkıca tuttu. Percy gözlerini kapadı. Yumuşak bir sesle, "Hiç oğlum olmadı," dedi. "Çok istedim ama olmadı."

Leon, "Bunu bilmiyordum," dedi.

Percy gözlerini açtı. "Herhalde seni bekliyormuşum." Gözlerinde o eski parıltı vardı. Leon cevap vermeye çalıştı, ama boğazını tıkayan bir yumru vardı sanki. Öksürüp başını öbür yana çevirdi. Konuşabilmesi için aradan bir süre geçmesi gerekti. "Ben o iş için yeterince iyi değilim Percy."

"Hayatta kimse benim için ağlamamıştı." Percy'nin sesinde şaşkınlık ifadesi vardı.

Leon, "Bok!" dedi.

Percy, *"Merde,"* diye düzeltti.

Leon da, *"Merde,"* diye tekrarladı.

"Şimdi dinle beni." Percy'nin sesinde bir telaş vardı. "Bunun olacağını biliyordum. Bunu önceden hissetmiştim. Tandala'daki yatağımın altında duran teneke kutuda senin için bir şey var."

"Seni seviyorum Percy, seni aksi ihtiyar."

"Bunu söyleyen de hiç olmamıştı." Mavi gözlerindeki parıltı giderek azalıyordu. "Hazır ol. Şimdi olacak. Öbür tarafa geçmemi kolaylaştırmak için elimi sık." Uzun bir süre gözlerini kapalı tuttu, sonra sonuna kadar açtı. "Sık elimi oğlum. İyice sık!" Leon iyice sıktı ve ihtiyar adamın da aynı güçle karşılık vermesine şaşırdı.

"Tanrım, günahlarımı affet. Ah, sevgili bağışlayıcı babamız! İşte sana geliyorum." Percy son kez nefes aldı. Bedeni katılaştı ve sonra Leon'un avucundaki el gevşedi. Leon uzun bir süre Percy'nin yanında oturdu. İz sürücülerin de gelip arkasında çömeldiklerinden habersizdi. Uzanıp Percy'nin gözlerini şefkatle kapatırken Ko'twa ayağa fırladı ve *assegai*'sini sallayarak patikada koşmaya başladı.

Leon, Percy'nin kol ve bacaklarını özenle toparlayıp uyuyan bir çocukmuş gibi kucağına aldı. Percy'nin başı omzuna dayanmış vaziyette atları bıraktıkları yere doğru yürümeye başladı. Vahşi çığlıklar duyduğunda elli adım ya gitmiş ya gitmemişti.

"Bwana çabuk gel! Ko'twa Mjiguu'yu öldürüyor!" Leon, Manyoro'nun sesini tanımıştı. Percy'i kucağından bırakmadan koşmaya başladı. Dar patikada son dönemeci döner dönmez de kötü bir manzarayla karşılaştı.

Eastmont yolun ortasında cenin pozisyonunda kıvrılmış yatıyordu. Dizlerini çenesine doğru çekmiş, koca elleriyle de başını korumaya çalışıyordu. Ko'twa *assegai*'sini kaldırmış etrafında dans ediyordu. Bir yandan da yerde büzülmüş olan adama bağırıyordu. "Domuz oğlu domuz! Samawati'yi öldürdün! Onu insan yerine koymadın! Ölsün diye bıraktın! O adam gibi bir adamdı ve sen değersiz yaratık, öldürdün onu. Şimdi de ben seni öldüreceğim." *Assegai*'sini Eastmont'un sırtına saplamaya çalıştı, ama Manyoro'yla Loikot mızrak tutan kolunu yakaladılar.

"Ko'twa!" Leon'un sesi tüfek sesi gibi patladı ve acı çekmekte olan iz sürücüye kadar ulaştı. Başını kaldırıp Leon'a baktı ama öfke ve kederden gözü bir şey görmez olmuştu.

"Ko'twa, Bwana'nın sana ihtiyacı var. Gel, onu evine götür." Kucağındaki cansız bedeni uzattı. Ko'twa, ona bakakalmıştı. Yavaş yavaş kendine gelmeye başladı ve gözlerindeki öfke parıltıları söndü. *Assegai*'si elinden düştü ve omuz silkip diğer iki Massai'nin elinden kurtuldu. Gözyaşları içinde Leon'a yaklaştı. Leon, Percy'i onun kollarına bıraktı. "Dikkatli taşı onu Ko'twa." İz sürücü konuşmadan başını salladı ve kucağında Percy ile atların beklediği yere doğru yürüdü.

Leon, Eastmont'un yattığı yere dönüp çizmesinin burnuyla adamı dürttü. "Ayağa kalk. Her şey bitti. Kurtuldun. Ayağa kalk." Eastmond ağlıyordu. "Ayağa kalk dedim, korkak herif!"

Eastmont rahatlayarak Leon'a baktı. "Ne oldu?"

"Kaçtın lordum."

"Benim suçum değildi."

"Bu herhalde Percy Phillips'in ve Slang Nek'te kaderine terk ettiğin askerlerin suçu. Ya da Ullswater'de boğduğun kadının suçu."

Eastmont bu suçlamaları anlamamış gibiydi. "Böyle olsun istemedim," diye sızlandı. "Kendimi kanıtlamak istedim. Ama yine aynı şeyin olmasını engelleyemedim. Lütfen anlamaya çalış olur mu?"

"Hayır lordum, çalışmayacağım. Ama sana bir tavsiyem var. Benimle bir daha konuşma. Hiç. Sızlanmalarını bir daha duyarsam kendimi tutamayabilirim. O koca kafanı gövdenden ayırıveririm." Leon arkasını dönüp Manyoro'yu çağırdı. "Bu adamı kampa götürün." Onlardan ayrılıp bizon leşinin yattığı yere gitti. Çalıların arasından tüfeğinin parçalarını buldu. Atların yanına vardığında Ko'twa, onu bekliyordu. Percy hâlâ kucağındaydı.

"Kardeşim, lütfen almama izin ver, çünkü o benim babamdı." Leon cesedi acı içindeki iz sürücüden alıp atına götürdü.

Leon kampa döndüğünde Max Rosenthal'ın diğer arabayla Tandala'dan gelmiş olduğunu gördü. Eastmont'un eşyalarının hazırlanıp yüklenmesi için gereken düzenlemeleri yapmasını söyledi. Manyoro eşliğinde kampa dönen Eastmont ürkmüş ve içine kapanmış haldeydi.

Leon soğuk bir tavırla, "Seni Nairobi'ye yolluyorum," dedi. "Max, seni Mombasa'dan trene bindirecek ve bir sonraki Avrupa seferi için kamara ayırtacak. İşlemleri biter bitmez bizon başıyla diğer avladıklarını göndereceğim. Bizonunun büyüklüğüyle övünebilirsin artık. Yarım kalan safariden de alacağın var. Tutarı hesaplar hesaplamaz onu da iade edeceğim. Şimdi arabaya bin ve gözümün önünden çekil. Öldürdüğün adamı defnetmem gerek."

Percy için göle bakan bir tepede yaşlı bir baobab ağacının altına derin bir mezar kazdılar. Naaşını çarşafına sarıp çukurun içine bıraktılar. Mezarı yeniden toprakla doldurup üstünü de taşıyabildikleri ağır taşlarla döşediler. Manyoro diğerlerinin aslan dansına başlamasını sağlarken, Leon da mezarın başında bekledi.

Leon herkes kampa döndükten sonra uzun bir süre mezarın başından ayrılmadı. Baobab ağacından düşmüş kuru bir dalın üstüne oturup göle baktı. Suya güneş vurduğu için, Percy'nin gözleri kadar mavi görünüyordu şimdi. Sessizlik içinde son vedasını yaptı. Eğer Percy'nin ruhu oralardaysa Leon'un düşüncelerini dile getirmeden de anlardı.

Percy'e ebedi uykusu için seçtiği yer içine sinmişti. Zamanı geldiğinde kendisi de böyle bir yere gömülmek istiyordu. Sonunda mezardan ayrılıp kampa döndüğünde, Max'in Eastmont'la birlikte Nairobi'ye döndüğünü gördü.

Acıyla, en azından hâlâ onun viskisini içiyorum, diye düşündü. Bunlar, feci şekilde kötü giden bir safari için Percy'nin sarf edeceği sözlerdi.

Leon bozuk yoldan Arusha'daki Alman Doğu Afrika'sı hükümet merkezine gitti. Percy'nin ölümüne yol açan koşullar hakkında yeminli ifade verdi. Yargıç ölüm sertifikasını imzaladı.

Birkaç gün sonra Tandala Kampı'na döndüğünde, Max ile Hennie du Rand'ı endişe içinde buldu. Percy'nin ölümünden sonra kendi kaderlerinin ne olacağını merak ediyorlardı. Leon şirketin durumunu netleştirir netleştirmez onlarla konuşacağını söyledi.

Boğazındaki tozu temizlemek için bir demlik çay içti daha sonra tıraş olup yıkandı ve İsmail'in yeni ütülediği temiz kıyafetleri giydi. Percy'nin bungalovuna gitme işini özellikle geciktiriyordu. Percy mahremiyetine düşkün bir insandı ve Leon, onun şahsi eşyalarını karıştırıp saygısızlık etmekten çekiniyordu. En sonunda bunun, Percy'nin arzusu olduğunu düşünerek kendini ikna edebildi.

Tepeyi tırmanıp Percy'nin son kırk yıldır yuvası olan saz damlı bungalova gitti. Hâlâ içeri girmekte çekindiği için bir süre küçük verandada oturup, ikisinin tik ağacından, fil derisi minderli, kolçaklarına bardak koyma yeri oyulmuş, o rahat koltuklara oturup şakalaştıkları günleri hatırladı. Sonunda ayağa kalkıp ön kapıya gitti. İtince kapı ardına dek açıldı. Onca yıl boyunca Percy hiç kilitlemek zahmetinde bulunmamıştı.

İçerisi serin ve loştu. Ön odanın duvarlarındaki raflar yüzlerce kitapla doluydu. Percy'nin kütüphanesi Afrika kültürü ve tarihi açısından bir hazineydi. Leon içgüdüsel olarak ortadaki rafa gitti ve Percy "Samawati" Phillips tarafından yazılmış olan *Afrika Üstünde Muson Bulutları* adlı kitabı aldı. Bu kendi otobiyografisiydi. Leon birkaç kere okumuştu. Sayfaları çevirip bazı çizimlere baktı. Sonra kitabı yerine koyup Percy'nin yatak odasına gitti. Daha önce buraya hiç girmemişti ve çekingen bir tavırla etrafına bakındı. Duvarda bir haç asılıydı. Leon gülümsedi. "Percy, seni ihtiyar tilki, hep iflah olmaz bir ateist olduğunu düşünürdüm ama gizli bir Katolikmişsin demek ki."

Sade duvarlarda bir süs daha vardı. Elle renklendirilmiş eski usul fotoğrafta kazık gibi oturmakta olan bir çift kadının kucağında cinsiyeti belli olmayan küçük bir çocuk vardı. Favorilerine rağmen adam, Percy gibi kızıl saçlıydı. Belli ki onlar da anne babasıydı ve Leon, o çocuğun Percy mi yoksa kardeşlerinden biri mi olduğunu merak etmişti.

Yatağın kenarına oturdu. Şilte beton gibi sertti ve battaniyeler el dokumasıydı. Yatağın altına uzanıp eskimiş çelik sandığı çekmeye çalıştı, ama sandık bir şeye takılıyordu. Dizlerinin üstüne çöküp neye takıldığını görmeye çalıştı.

"Hey Tanrım, ben de bunu ne yaptığını merak ediyordum," diye mırıldandı. Ağır nesneyi çekip çıkarmak için bayağı uğraşması gerekti. Daha sonra topuklarının üstünde doğruldu. Bay Goolam Vilabjhi Esquire'e rehin bıraktığı fildişinin eşine bakıyordu. "Sattın sanıyordum Percy, ama onca zamandır saklıyormuşsun."

Tekrar yatağın kenarına oturup ayaklarını kendi malı gibi fildişine dayadıktan sonra sandığın kapağını açtı. Sandığın içinde düzgün bir şekilde yerleştirilmiş Percy'nin hazineleri duruyordu. Pasaportundan banka hesaplarıyla çek defterine, kol düğmelerinin durduğu küçük mücevher kutularından elbise düğmelerine, eski vapur biletlerinden solmuş fotoğraflara kadar her şey buradaydı. Ayrıca kurdeleyle bağlanmış birkaç tomar evrak vardı. Leon ilk büyük safarisiyle ilgili gazete kupürlerini görünce tekrar gülümsedi. Bütün bunların üstünde kırmızı balmumuyla mühürlenmiş, üzerine, "ÖLÜMÜMDEN SONRA SADECE LEON COURTNEY TARAFINDAN AÇILACAKTIR," yazılmış katlanmış bir belge duruyordu.

Leon belgeyi eline alıp kemerindeki avcı bıçağını kınından çıkardı. Balmumu mührü dikkatle çıkarıp ağır kenevir kâğıdı açtı. Üzerinde, "Son Arzu ve Vasiyetname" yazıyordu. Leon sayfanın altına göz attı. Percy tarafından imzalanmıştı ve Tuğgeneral Penrod Ballantyne ile 3. Baron Hugh Delamere bu olaya tanıklık etmişti.

Leon, mükemmel, diye düşündü. Percy daha güvenilir iki tanık bulamazdı. Tekrar sayfanın başına dönüp el yazısı belgeyi dikkatle okumaya başladı. İçerik sade ve netti. Percy bütün mal varlığını ortağı ve sevgili dostu Leon Ryder Courtney'e bırakmıştı.

Leon'un Percy'nin ona bıraktıklarını kavraması biraz zaman aldı. Sindirebilmek için kâğıdı üç kez daha okudu. Percy'nin toplam mal varlığı hakkında hâlâ en ufak bir fikri olmasa da ateşli silahlarıyla safari ekipmanı en az beş yüz sterlin ederdi, şu anda Leon'un ayağını dayadığı fildişini bile saymamıştı. Fakat bıraktıklarının değeri Leon'u ilgilendirmiyordu, onun için asıl hazine Percy'nin sevgisini ve güvenini kazanmış olmasıydı.

Sandıktaki diğer belgeleri incelemek için acelesi olmadığından bir süre oturup vasiyeti düşündü. Sonunda ışık daha iyi olduğu için sandığı alıp verandaya gitti ve Percy'nin en sevdiği koltuğa oturdu. Özür dilercesine, "Senin için ısıtıyorum ihtiyar," diye mırıldandıktan sonra sandıktakileri boşaltmaya başladı.

Percy düzenli kayıt tutma konusunda titiz davranmıştı. Leon banka cüzdanını açtı ve Percy Phillips adına Barclays Bankası'nın çeşitli şubelerindeki hesapları görünce hayretle gözlerini kırpıştırdı. Toplam beş bin sterlinden fazlaydı. Percy, sayesinde zengin biri olmuştu.

Ama hepsi bu da değildi. Hem Nairobi ve Mombasa'da, hem de doğduğu yer olan İngiltere Bristol'de arazileri, evleri vardı. Leon onların değerini tahmin dahi edemiyordu.

Büyük Britanya Hükümeti'nin çıkardığı, hamiline süresiz faiz ödemeli beş sentlik tahvillerde tomar halinde duruyordu. Onların değeri de on iki bin beş yüz sterlin ediyordu. Sadece bu senetlerin yıllık faiz geliri altı yüzden fazlaydı. Prenslere layık bir gelirdi. "Percy, hiç bilmiyordum! Bu kadar büyük bir serveti nereden edinmiştin?"

Hava kararınca Leon ön odaya gidip kandilleri yaktı. Gece yarısını geçene kadar belgeleri düzenledi, içeriklerini okudu. Gözkapakları kapanmaya başlayınca da küçük, sade yatak odasına geçip Percy'nin yatağındaki cibinliğin altına uzandı. O kadar yer dolaştıktan sonra kendini yuvasında hissedeceği bir yer bulmuştu.

Şafak vakti pencerenin altındaki ardıçkuşunun serenadıyla uyandı. Tepeden aşağı indiğinde Max Rosenthal'la Hennie du Rand ana çadırda endişeli bir şekilde onu bekliyorlardı. İsmail kahvaltıyı hazırlamıştı, ama ikisi de elini sürmemişti. Leon masanın başındaki yerini aldı.

"Rahatlayabilirsiniz, koltuklarınızın kenarına ilişmeyi de bırakın. Soğutup da İsmail'in kıyameti koparmasına meydan vermeden şu yumurtalarınızla pastırmalarınızı da yiyin. C ve P Safari yoluna devam ediyor. Hiçbir şey değişmedi. İşinize kaldığınız yerden devam edebilirsiniz."

Kahvaltısını bitirir bitirmez Vauxhall'a gitti. Manyoro'nun krank kolunu çevirip motoru çalıştırmasından sonra Loikot'la birlikte arkaya atladılar ve Leon kente doğru yola çıktı. İlk durağı hükümet binasının arkasında, tapu dairesi olarak bilinen saz damlı yapıydı. Memur, Percy'nin ölüm sertifikasıyla vasiyetini onayladı ve Leon deri kaplı devasa kayıt defterine imzasını attı.

Memur, "Bay Percy'nin vasisi olarak mal bildirimi yapmak için bir ay süreniz var," dedi. "Sonra veraset vergisini ödeyeceksiniz ve miras vârislere devredilecek."

Leon şaşırmıştı. "Ne demek istiyorsun? İnsan öldüğünde vergi mi ödüyor yani?"

"Evet Bay Courtney. Veraset vergisi. Yüzde iki buçuk."

Leon, "Ama bu açıkça soygun," diye bağırdı. "Ya ödemeyi kabul etmezsem?"

"Mirasa el konur ve muhtemelen hapis cezası alırsınız."

Leon, KAR Karargâhı'na girerken hâlâ bu haksızlığa köpürüyordu. Arabayı komutanlık binasının önüne park etti ve nöbetçilerin selamını alıp yukarı çıktı. Yeni yaver generalinkine bitişik olan odasında oturuyordu. Leon şaşkınlık içinde bunun Bobby Sampson'ın ta kendisi olduğunu gördü. Apoletlerinde artık yüzbaşı rütbesi vardı. Kapıda durup, "Anlaşılan en alt canlı türleri de dahil buralardaki herkes terfi etmiş," dedi.

Bobby bir an boş boş ona baktı, sonra masasından fırlayıp sevinçle Leon'un eline sarıldı ve sallamaya başladı. "Leon, eski dostum! Güzel şeyler her zaman neşe kaynağıdır! Ne diyeceğimi bilemiyorum. Hiç bilemiyorum."

"Zaten söyledin ya Bobby."

Bobby, "Söylesene," dedi. "Son karşılaşmamızdan beri neler yaptın?"

Bir süre heyecanlı bir şekilde konuştular, sonra Leon, "Generali görmek istiyordum," dedi.

"Generalin bunu zevkle kabul edeceğinden hiç kuşkum yok. Sen bekle de hemen gidip haber vereyim." Birkaç dakika sonra geri gelip Leon'u generalin ofisine aldı.

Penrod ayağa kalkıp masasının üstünden Leon'la tokalaştıktan sonra oturması için karşısındaki koltuğu gösterdi. "Bu biraz beklenmedik bir ziyaret oldu Leon. Daha bir ay Nairobi'ye dönmezsin sanıyordum. Ne oldu?"

"Percy öldü efendim." Bu acı gerçeği ifade ederken Leon'un sesi boğuklaşmıştı.

Penrod nutku tutulmuş halde Leon'a bakakaldı. Sonra masasından kalkıp pencerenin önüne gitti, ellerini arkasında kavuşturup tören alanına bakmaya başladı. Bir süre sessiz kaldılar. Sonunda Penrod tekrar dönüp koltuğuna oturdu. "Neler olduğunu anlat," dedi.

Leon anlattı ve o sözünü bitirince Penrod, "Percy bunun olacağını biliyordu," dedi. "Kentten ayrılmadan önce beni vasiyetnamesine tanıklık etmem için çağırdı. Vasiyetname yaptığını biliyor muydun?"

"Evet amca. Nerede bulacağımı söyledi. Kaydını yaptırdım bile."

Penrod ayağa kalkıp şapkasını taktı. "Henüz erken, daha güneş batmadı ama Percy'e ödenecek bir borcumuz var. Gel."

Barmen dışında lokalde kimse yoktu. Penrod içkileri ısmarladı ve genelde komutanla konuklarına ayrılan sessiz köşeye yerleştiler. Bir süre sohbetleri Percy ve ölümü üstüne devam etti. Sonunda Penrod, "Şimdi ne yapacaksın?" diye sordu.

"Percy her şeyini bana bırakmış efendim, o yüzden ben de, başka hiçbir şey için değilse de Percy'nin anısına hürmeten şirketin başında durmaya devam edeceğim."

"Bunu duyduğuma sevindim, bildiğin sebeplerden dolayı." Penrod kararı yürekten onaylamıştı. "Ancak, sanırım adını değiştirirsin."

"Çoktan değiştirdim bile amca. Yeni adını bu sabah kayıt bürosuna tescil ettirdim."

"Courtney Safarileri mi?"

"Hayır efendim. Phillips ve Courtney. P ve C Safarileri."

"Onun adını çıkarmamışsın. Aksine bu sefer önceliği ona vermişsin!"

"Eski isme yazı tura atarak karar verilmişti. Percy aslında böyle olmasını istiyordu. Benim için yaptıklarına karşılık ben de saygımı böyle ifade etmek istedim."

"Aferin oğlum. Şimdi, sana güzel bir haberim var. P ve C Safarileri harika bir başlangıç yapacak. Prenses Isabella Madeleine Hoherberg von Preussen von und zu Hohenzollern şirketin için olumlu referans vermiş. Anlaşılan aile dostu olan Graf Otto von Meerbach, Almanya'ya dönünce onunla konuşmuş ve kadın hiç düşünmeden seni tavsiye etmiş. Von Meerbach, Percy'nin ağzından benim yolladığım anlaşmayı kabul etti ve avansı senin hesabına yatırdı. Önümüzdeki yılın başında altı aylık bir safari için bütün maiyetiyle geleceğini de bildirdi."

Leon suratını buruşturup kadehindeki buzu döndürdü. "Percy gittikten sonra bana hiçbir şey o kadar önemli gelmiyor."

"Neşelen oğlum. Von Meerbach uçan makinelerinden de birkaç prototip getiriyor. Belli ki tropikal koşullarda test etmek istiyor. Normalde onları posta uçağı olarak geliştiriyor, ama bu safaride avları havadan tespit etmek için kullanmayı düşünüyor. Her neyse, kendi ifadesi böyle ama Alman Ordusu'yla olan bağlantıları yüzünden tüm gerçeğin bundan ibaret olmadığını düşünüyorum. Bence Alman Doğu Afrika'sıyla olan sınırlarımızı olası bir savaş için iyice tanımak istiyor. Ama bu senin için, bir yandan benim adıma bilgi toplarken, bir yandan da bulutların arasında uçma hayalini gerçekleştirmek için bir fırsat olabilir. Şimdi, içkin bittiyse ofisime dönebiliriz. Meerbach'ın gönderdiği onay belgesinin bir kopyasını da sana vereyim. Hayatımda gördüğüm en uzun telgraf, safaride istediği her şeyi tam yirmi üç sayfada anlatmış. Bunu göndermek adama bir servete mal olmuş olmalı."

Tarifesiz Alman buharlı gemisi SS *Silbervogel* limana demir attığında Leon da Kilindini Lagünü'nün kıyısında bekliyordu. İlk mavnayla gemiye gitti. Yukarı çıktığında arka güvertede bekleyen beş kişi vardı, bunlar Graf Otto von Meerbach'ın öncü kuvvetlerinden, fabrika mühendisleri ve teknisyenleriydi.

Sorumlu olan kişi kendini Gustav Kilmer olarak tanıttı. Ellili yaşların başında, iriyarı, becerikli bir adam gibi görünüyordu, büyük bir çenesi ve kısa tıraş edilmiş demir grisi saçları vardı. Ellerinin içine işlemiş yağ lekeleri göze çarpıyordu, tırnakları da ağır aletlerle çalışmaktan örselenmişti. Gemiden inmeden önce Leon'u bir bira içmek üzere yolcu salonuna davet etti.

Ellerinde büyük bira bardaklarıyla yerlerine yerleşince Gustav, *Silbervogel*'in ambarlarında bulunan eşyaları anlatmaya başladı, yük; elli altı tane devasa sandıktan oluşuyordu ve toplam ağırlığı yirmi sekiz tondu. Ayrıca iki yüz yirmi litrelik iki bin adet fıçıda özel uçak yakıtı ile toplam bir tonluk da makine yağı vardı. Bunlara ek olarak arka güvertede büyük brandalarla sarılıp korumaya alınmış üç tane Meerbach motora ait makine vardı. Gustav iki tanesinin büyük nakliye kamyonları, birinin de kendisi ve Graf Otto tarafından tasarlanan, Wieskirche fabrikasında üretilen açık bir av arabası olduğunu söyledi. Türünün tek örneğiydi.

Mavnaların muazzam yükü karaya taşıması üç gün sürdü. Max Rosenthal ile Hennie du Rand iki yüz siyah hamaldan oluşan grubun başındaydı, onlar da fıçıları ve sandıkları mavnalardan alıp Kilindini demiryolu hattında bekleyen yük vagonlarına aktarıyorlardı.

Üç büyük makine karaya çıkarılıp brandaları açılınca Gustav yolda herhangi bir hasar olup olmadığını kontrol etti. Leon, adamın her hareketini büyülenmiş gibi izliyordu. Kamyonlar büyük ve sağlamdı, Leon şimdiye kadar böyle bir teknoloji görmemişti. Bir tanesine motor yakıtları için dört bin beş yüz litrelik bir tank monte edilmişti ve şoför mahalli aynı zamanda eksiksiz bir alet deposu ve atölye gibiydi. Gustav o atölye sayesinde canının istediği yerde üç araçla uçağın bakımını yapabileceğini söylemişti.

Leon bütün bunlardan etkilenmişti ama en çok da o açık av arabasını merak ediyordu. Hayatında hiç böyle güzel bir makine görmemişti. Deri kaplı koltuklarından, kokteyl barına, tüfekliklerinden, uzun, parlak kaputun altında yatan devasa altı silindirli yüz beygir gücündeki motoruna kadar, mühendislik harikası gibiydi.

Artık Gustav, Leon'un çocuksu heyecanını anlamış, onun eserlerine duyduğu ilgi ve hayranlıktan dolayı koltukları iyice kabarmıştı. Nairobi'ye yapacakları uzun yolculukta Leon'u da kendileriyle gelmeleri için davet etti.

Son eşyalar da yük vagonlarına yerleştirildikten sonra Leon onları Hennie'yle Max'a emanet etti. Tren kıyıdaki tepelere doğru dumanlar bırakarak ilerlemeye başlar başlamaz da Gustav'la teknisyenleriyle birlikte üç Meebach aracına binerek motorları çalıştırdılar. Leon av arabasının ön koltuğuna geçti ve Gustav da kamyonlara yola çıkmaları için işaret verdi. Yol Leon'a çok kısa gelmişti, her anı ayrı bir zevkti. Muthaiga Şehir Kulübü'nün terasındaki şezlonglardan bile çok daha rahat olan deri koltuğa gömüldü ve Meerbach patentli süspansiyonun üstünde salınarak gitmenin tadını çıkardı. Nispeten düzgün bir yolda Gustav büyük makineyi neredeyse saatte yüz on kilometre hıza çıkarınca göstergeye hayretle bakakaldı.

Gustav rahat bir tavırla, "Daha, yakın bir zamana kadar insan vücudunun böyle bir hıza dayanıp dayanamayacağı tartışılıyordu," dedi.

Leon, "Nefesimi kesiyor," diye itiraf etti.

Gustav yüce gönüllülük edip, "Biraz sen kullanmak ister misin?" diye sordu.

Leon, "Böyle bir fırsat uğruna katil olabilirim," dedi. Gustav neşeyle gülerek arabayı yolun kenarına çekti.

Nairobi'ye giden yük trenini neredeyse beş saatte geçtiler ve tren düdüğünü çalarak istasyona girdiğinde platformda hazır bekliyorlardı. Makinist onlara ait vagonları sabahleyin boşaltılmak üzere kullanılmayan bir raya bıraktı. Leon önceden bütün yükü nihai hedefine götürecek bir araç ayarlamıştı.

Wieskirche'deki Meerbach genel merkezinden telgrafla gönderilmiş isteklerden biri de depo ve atölye olarak kullanılmak üzere yanları açık, üstü branda kaplı geniş bir yer hazırlanmasıydı. Atölye Percy'den miras kalan arazinin boş kısmına inşa edilmişti. Polo alanına bitişikti ve Leon orayı da hali hazırda sandıklarda monte edilmeyi bekleyen uçağa pist olarak düşünmüştü.

Leon o günleri bir hayli yoğun geçirmişti. Graf Otto von Meerbach, telgrafında kendisi ve hanım konuğu için ayrıca hazırlanmasını istediği konaklama yerinin ayrıntılarını da vermişti. Her avlanma merkezinde, Leon'un çiftin kalacağı birbirine bitişik bölümleri de hazırlatması gerekiyordu; bu kullanışlı ve lüks suitlerin ayrıntıları telgrafta bildirilmişti. Mobilyalar sandıklardan birindeydi ve ayrıca yataklar, gardıroplar, yatak takımları da vardı. Ayrıca akşam yemeği düzenlemelerinin nasıl yapılacağıyla ilgili de talimatlar verilmişti. Graf Otto bütün çanak çömlekleriyle gümüş takımlarını göndertmişti, bunların yanında her biri on kilo ağırlığında kollu iki şamdan da vardı; ayrıca şamdanların üstüne geyik ve yabandomuzu avlarından sahneler oyulmuştu. Güzelim porselen yemek takımlarına ve kristal bardak takımlarına altın varakla Meerbach'ın arması işlenmişti: kılıç sallayan zırhlı bir yumruk ve altında, *"Durabo!"* yazısı. Leon bunu Latinceye, "Baki kalacağım," şeklinde çevirdi. Zarif keten peçete ve örtülerde de aynı amblem vardı.

En seçkin şampanyalar, şaraplar ve viskilerle dolu iki yüz yirmi sandık bulunuyordu, ayrıca elli sandık da konserve edilmiş ve şişelere konulmuş: soslar ve baharatlar vardı; safran gibi ender bulunan ürünler, Lyon'dan kaz ciğeri, Westphalian salamı, tütsülenmiş istiridye, Danimarka turşuları, zeytinyağında Portekiz sardalyesi, salamura deniz tarağı ve Rus morina havyarı. Bunları ilk gördüğünde Max Rosenthal'ın aklı başından gitmişti.

Bütün bunların dışında üzerinde, "Fräulein Eva von Wellberg. SAHİBİ GELMEDEN AÇILMAYACAK." Etiketleri bulunan altı tane devasa sandık bulunuyordu. Ancak bir tanesi patlamıştı ve ortalığa şahane kadın giysileriyle her duruma uygun şık ayakkabılar saçılmıştı. Leon, Max tarafından kırılan sandığın yarattığı sorunla başa çıkmak üzere çağrılınca merakla bu şık çamaşırlara bakmış, özellikle de her birinin ayrı ayrı pelür kâğıda sarılmış olması dikkatini çekmişti. Tüy gibi uçuşan ipek yumaklarından birini eline aldı ve çamaşırdan yükselen erotik kokuyla mest oldu. Zihninde şehvet uyandıran görüntüler canlanmıştı. Hemen kendini topladı ve çamaşırı yerine bırakıp Max'a sandığı tamir ettirip içindekileri geri koyduktan sonra mühürlemesini söyledi.

Leon bundan sonraki haftaları, bir yandan Max ve Hennie ile birlikte ince ayrıntılarla uğraşırken, ilk bulduğu fırsatta da polo sahasına gidip Gustav'la ekibinin iki uçağı monte edişini izleyerek geçirdi. Gustav gayet bilinçli ve sistemli çalışıyordu. Sandıkların üzerinde içeriği yazılı olduğu için sırasıyla açıyorlardı. Ağır ağır, günbegün, yapbozun parçaları birleşti ve motor parçaları, donanım kabloları ve destekleri, kanat ve gövde bir uçağı andırmaya başladı. Gustav sonunda montajı bitirince Leon ebatları karşısında çok şaşırdı. Gövdeleri yirmi metre uzunluğunda, kanat açıklıkları ise otuz üçer metreydi. İskeletleri, çelik gibi sağlam ve güçlü olsun diye bir selüloz türeviyle işlem görmüş brandayla kaplanmışlardı. Gövdeleri çok güzel bir şekilde uçucu renk ve desenlerle boyanmıştı. Birinde göz alıcı parlak kırmızı ve siyah karelerden oluşan satranç tahtası deseni vardı ve burnuna da *Das Schmetterling-Kelebek* yazılmıştı. İkinci uçak ise altın sarısı ve siyah çizgilerle süslenmişti. Graf Otto bunu da *Das Hummel-Arı* adıyla vaftiz etmişti.

Montaj işleri bitince sıra motorların takılmasına gelmişti. Her birinde dörder tane iki yüz elli beygir gücünde yedi silindirli on dört devirli Meerbach motor vardı. Gustav motorları tik ağacından yapılmış deneme yuvalarına yerleştirdikten sonra çalıştırdı. Gürültüleri ta Muthaiga Şehir Kulübü'nden bile duyulacak gibiydi ve kısa zamanda Nairobi'de işi gücü olmayan herkes, ölü köpeğin başına üşüşen sinekler gibi hangarın etrafında toplanmaya başlamıştı. Çalışmaları ciddi şekilde engellediklerinden, Leon, Hennie'ye arazinin etrafına dikenli tel çektirtti ve kalabalığı uzak tutmayı başardı.

Gustav motor ayarlarını da yapınca iki uçağın kanatlarına monte etmeye hazır olduğunu açıkladı. Motorlar teker teker palangayla yukarı kaldırıldı ve kanatların üstündeki kızaklara yerleştirildi. Daha sonra Gustav'la teknisyenleri her kanada ikişer motor yerleştirip, yuvalarına monte ettiler.

İşe başlamalarından üç hafta sonra makinelerin montajı bitmişti. Gustav, Leon'a, "Şimdi bunları denememiz gerekiyor," dedi.

"Onlarla uçacak mısın?" Leon heyecanını bastırmakta güçlük çekiyordu, ama Gustav başını iki yana sallayınca hayal kırıklığına uğradı.

"*Nein!* Deli değilim ben. Bu acayip aletlerle sadece Graf Otto uçar." Leon'un yüz ifadesini görünce biraz teselli etmeye çalıştı. "Ben sadece yerde sürüş denemesi yapacağım, sen de gelebilirsin."

Ertesi sabah erkenden Leon biniş merdivenini tırmanıp *Kelebek*'in rahat kokpitine girdi. Uzun siyah deri bir pardösü, ona uygun siyah deri bir başlık ve tüm göz bölgesini kaplayan gözlüğüyle Gustav da peşinden gelmiş ve kokpitin arkasındaki pilot mahalline yerleşmişti. Önce Leon'a kendini nasıl bağlayacağını gösterdi. Leon bulunduğu yerden dikkatlice Gustav'ın kumanda koluyla irtifa dümenini ve kanatçıkları oynatışını, sonra da aynısını dümen pedalıyla yapışını izledi. Mekanizmaların düzgün çalıştığından emin olunca yerde bekleyen yardımcılarına işaret verdi ve adamlar kalkış rutinini tamamlamaya başladılar. Sonunda dört motor da düzgün çalışır hale geldi ve Gustav tekerlek takozlarını kenara çekmekte olan ekibe başparmaklarını kaldırdı.

Gustav kumanda kollarıyla orgu tuşuymuş gibi oynarken, *Kelebek* haşmetli bir edayla hangardan ayrılıp parlak Afrika güneşine çıktı. Dikenli tellerin arkasındaki birkaç yüz kişilik kalabalıktan tezahüratlar yükseldi. Gustav'ın adamları hoplayıp zıplayarak ilerleyen uçağın kanat uçları boyunca koşup dönmesine yardımcı oldular ve *Kelebek* polo sahasında dört ağır tur attı.

Gustav, Leon'un heveslendiğini görmüş ve yine acımıştı. Motorların gürültüsünde sesini duyurabilmek için, "Gel, kumandayı al!" diye bağırdı. "Bakalım kullanabiliyor musun bu kızı?"

Leon sevinçle pilot mahalline yerleşti ve kumanda kollarını ondan gördüğü gibi idare etmeye başlayınca Gustav başını sallayarak onay verdi. "*Ja,* motorlarım onlara saygı ve sevgi duyduğunu hissedebiliyor. Yakında iyice ustalaşırsın bu işte."

Sonunda hangara döndüler ve Leon merdivenden iner inmez *Kelebek*'in kırmızı siyah damalı burnunu okşamak üzere parmak uçlarında yükseldi. Heyula gibi yükselen makineye, "Bir gün seni, ben uçuracağım güzelim," diye fısıldadı.

Gustav da aşağı indi ve Leon bir süredir kafasını meşgul eden meseleyi sorma fırsatı buldu. Gövdenin her iki yanında kanatların altına tutturulmuş olan kanca ve askıları gösterdi. "Bunlar ne işe yarıyor Gustav?"

Gustav lafı çevirmeden, "Bombalar için," diye cevap verdi.

Leon mantıklı bir meraktan fazlasını belli etmemek için gözlerini kıstı. "Tabii ya," dedi. "Kaç bomba taşıyabiliyor?"

"Çok!" Gustav gururlu bir şekilde konuşmuştu. "Çok güçlüdür. Dur sana İngiliz rakamlarıyla anlatayım, belki öyle daha iyi anlarsın. Bu uçak bin ton bomba artı beş kişilik mürettebat ve dolu tanklarıyla havalanabilir. Saatte yüz seksen kilometre hızla, dokuz bin fit yükseklikte uçarak sekiz yüz kilometre gidip üssüne geri dönebilir."

"Müthiş bir şey!"

Gustav yeni doğan çocuğuna bakan gururlu bir baba gibi uçağını okşayarak, "Dünyada ona denk başka hiçbir makine yok," diye gururlandı.

Ertesi gün öğle vakti, Penrod Ballantyne, Meerbach Mark III deneme uçağı hakkında bütün bilgileri Londra'daki Harp Dairesi'ne ulaştırmıştı.

Leon'un bir sonraki görevi, her biri konuğunu ava çıkarmayı düşündüğü yerlerde olmak üzere, dört tane doğal iniş pisti bulmaktı. Graf Otto ayrıntılı talimatlar yollamış, gereken ebatları ve rüzgâr yönünden hangi konumda olmaları gerektiğini belirtmişti. Uygun yerleri bulduktan sonra yanına bir yer ölçüm aleti alarak pistleri adımladı. Bu arada Hennie du Rand da ağaçların kesilip zeminin düzleştirilmesi için civar köylerden yüzlerce adam bulmuştu. Bazı yerlerde akkarınca yuvalarını dinamitlemek zorunda kalmış, kimi zaman da sayısız karınca yiyen yuvasıyla kuru dere yatağını doldurtmuştu. İşi biten pistin iki yanına havadan görülebilsin, diye sönmüş kireçle çizgiler çekiyordu. Sonra da Gustav'ın verdiği rüzgâr hortumunu dikiyordu. Hortum, ham kütükten yapılma direğin üstünde rüzgârla şişip gururla salınıyordu.

Hennie bu işlerle uğraşırken, Max Rosenthal da Graf Otto'nun tarif ettiği şık kampların binalarını inşa ediyordu. Leon her şeyin konuklar gelmeden hazır olması için iki adamı da çok sıkıştırmaktaydı. Sonunda başardılar, ama Graf Otto von Meerbach'ı taşıyan transatlantiğin Kilindini açıklarına demirlemesinden ancak birkaç gün önce.

Leon, Alman yolcu transatlantiği SS *Admiral* ufukta belirir belirmez karşılamak üzere yola çıkan kılavuz teknenin kaptanını kandırmış ve kendisi de tekneye binmişti. Deniz sakin olduğu için kılavuz tekneden gemiye geçmek kolay oldu. Merdivenden yukarı çıkarken dördüncü kaptan tarafından durduruldu. Müşterisinin adını verince adamın tutumu hemen değişti ve Leon'a köprüye kadar eşlik etti.

Leon, Kermit'in tarifinden Graf Otto von Meerbach'ı görür görmez tanıdı. Adam köprü üstünde durmuş, Cohiba purosunu içerek ona çok saygılı davranan kaptanla sohbet ediyordu. Devasa transatlantik yanaşmak üzere manevra yaparken köprü üstüne çıkmasına izin verilen yegâne yolcu Graf Otto'ydu. Leon birkaç dakika inceledikten sonra yanına gidip kendini tanıttı.

Graf Otto şık, krem rengi tropikal bir takım giymişti. Kermit'in dediği gibi meşe ağacı kadar iri ve sıkıydı. Sadece kastan ibaretmiş gibi görünse de, sınırsız güç ve para sahibi insanlara has bir duruşu ve aşırı özgüveni vardı. Klasik anlamda yakışıklı sayılmazdı; aksine hatları sert ve inatçıydı. Ağzı büyüktü, ama köşesinden sağ kulağına kadar uzanan buruşuk beyaz düello yarası izi yüzünden çarpık bir küçümseme tebessümüyle donup kalmış gibiydi. Mat yeşil gözlerinde uyanık ve zekice bir parıltı vardı. Sol elinde bir Panama şapkası tutuyordu, ama o an için başı açıktı. Kafası biçimli ve orantılıydı; gür, kısa kesilmiş saçları parlak kızıl renkteydi.

Leon hemen kararını verdi. Sıkı ve zorlu bir adamdı karşısındaki. "Graf Otto von Meerbach'la konuşmak şerefine mi nail oluyorum?" Hafif bir baş selamı vererek.

"*Jawohl,* evet. Siz kimsiniz, sorabilir miyim?" Kontun sesi gür, tınısı diktatörceydi.

"Ben Leon Courtney efendim, av rehberiniz. İngiliz Doğu Afrika'sına hoş geldiniz."

Graf Otto tepeden bakan bir tebessümle sağ elini uzattı. Leon elin güçlü aynı zamanda tersinin altın rengi çillerle ve kıvırcık kızıl kıllarla kaplı olduğunu gördü. Orta parmağına üstünde koca bir elmas bulunan altın bir yüzük takmıştı. Leon kendini tokalaşma için kastı. Ezici olacağını biliyordu.

"Bay Kermit Roosevelt ve Prenses Isabella von und zu Hohenzollern'le konuştuğumdan beri sizinle tanışmayı bekliyordum Courtney." Leon bu kıllı koca elle baş edebileceğini anlamıştı, ama bunun için bütün gücünü toplaması gerekiyordu. "Her ikisi de sizden övgüyle bahsetti. Umarım bana da güzel avlar yaşatırsınız, *ja?*" Adamın İngilizcesi mükemmeldi.

"Elbette efendim. Ben de öyle olacağını umuyorum. Her tür hayvan için lisans çıkarttırdım. Fakat en çok hangileriyle ilgilendiğinizi söylemeniz gerek. Aslanlarla mı? Fillerle mi?" Sonunda Graf Otto elini bıraktı ve kan dolaşımı tekrar normale dönünce eli o kadar çok acıdı ki ovuşturmamak için Leon'un tüm iradesini kullanması gerekti. Mat yeşil gözlerde bir saygı belirtisi hisseder gibi olmuştu. Canının acıdığını hiç belli etmese de onun elinin de uyuşmuş olduğunu biliyordu.

Graf Otto aynı dilde, "Almancanız çok iyi, ama zaten bana da öyle söylenmişti. "Sorunuza gelince, o hayvanların her ikisiyle de ilgileniyorum, ama özellikle aslanlarla. Kitchener'in Mehdi'yle yaptığı savaş sırasında babam Kahire'de elçiydi. Bu sayede Etiyopya ve Sudan'da avlanma imkânı buluyordu. Kara Orman'daki av köşkümde pek çok aslan postu var, ama artık eskidiler ve bazılarını güveler, kurtlar yedi. Burada siyahların aslanı mızrakla avladığını duymuştum. Bu doğru mu?"

"Öyle efendim. Masai'ler ve Samburular için genç savaşçıların cesaretlerini ve erkekliklerini kanıtlama törenidir."

"Bu şekilde yapılan bir ava tanık olmak isterdim."

"Sizin için ayarlarım efendim."

"Güzel, fakat büyük fildişleri de istiyorum. Söylesenize Courtney, size Afrika'daki en tehlikeli vahşi hayvan hangisi? Aslan mı, yoksa fil mi?"

"Graf Otto, yaşlı Afrikalılar en tehlikeli hayvan sizi öldüren hayvandır der."

"*Ja,* anladım. Tipik bir İngiliz esprisi." Kıkırdadı. "Ama sizin fikriniz ne Courtney? Hangisi?"

Leon'un gözünün önüne Percy'nin boynuzun ucunda havalanışı geldi ve gülümsemesi kesildi. Ciddi bir sesle, "Bizon," dedi. "Benim oyum sık çalıların içindeki yaralı bir bizona."

"Yüz ifadenizden içinizden geleni söylediğinizi tahmin edebiliyorum. Bu bir İngiliz esprisi değildi, *nein?* Demek ki fil ve aslan avlayacağız, ama en çok da bizon."

"Bu hayvanları bulabilmek için elbette elimden gelenin en iyisini yapacağım efendim, ama vahşi hayvanlar olduklarını ve çoğu zaman şans gerektiğini de anlıyorsunuzdur sanırım?"

Graf Otto, "Ben hep şanslı bir erkek olmuşumdur," diye cevap verdi. Böbürlenmiyor, bir gerçeği dile getiriyordu.

"Bu en saf insanlar için bile, çok açık bir gerçek efendim."

"Ve sizin öyle biri olmadığınız da çok açık Bay Courtney."

İlk raunda birbirlerini tartan iki ağır sıklet boksörü gibi gözlerini birbirine kenetlenmiş olarak gülümsediler, ikisi de gardını indirmiyor, seri değerlendirmeler yaparak aralarındaki elektriğin durumuna göre pozisyon değiştiriyorlardı.

Sonra beklenmedik bir şekilde Leon sıcak tropikal havaya karışan parfüm kokusunu algıladı. Hafif ve etkileyici bir kokuydu, kırılan sandıktan düşen o ipek çamaşırı eline aldığı zaman duyduğu kokunun aynısıydı. Sonra Graf Otto'nun gözünün arkasında bir yere çevrildiğini gördü. Leon da onun bakışlarını takip ederek arkaya baktı.

Kadın oradaydı. Kermit'in mektubunu okuduğundan beri bu tanışmayı bekliyordu, ama yine de bu ana hazır değildi. Göğsünde, kafese kapatılmış bir kuşun kanat çırpışı gibi bir hareket oldu. Nefesi kesildi.

Kadının güzelliği arkadaşının tarifini yetersiz kılıyordu. Kermit sadece bir konuda yanılmamıştı: gözleri. Derin mavi gözleri vardı. Çok iriydiler ve kapattığı zaman birbirine değen uzun, sık kirpiklerle çevrelenmişlerdi. Alnı geniş ve yüksek, çene kemiği zarifti. Dolgun dudakları bir tebessümle aralandığında küçük, bembeyaz dişleri parlıyordu. Samur gibi siyah saçları da pırıl pırıldı. Saçını arkaya doğru toplamıştı, ama küçük şık şapkasının altından kaçan bir bukle tek gözünü kapatıyor, birkaç yumuşak bukle de minik pembe kulaklarına iniyordu. Neredeyse Leon'un omzuna gelecek kadar uzundu, ama Leon belini iki eliyle sarabilirdi.

Fitilli kadife ceketinin kabarık kolları dirsekten aşağısını açıkta bırakıyordu. Göründüğü kadarıyla kolları biçimli ve binicilere yakışır şekilde hafifçe kaslıydı. Biçimli, uzun, uçlara doğru incelen parmaklarıyla çok zarif sanatçı elleri vardı. Uzun eteğinin altından yılan derisi binici çizmelerinin sivri uçları görünüyordu. Leon o pahalı derinin içindeki ayakların da eller kadar biçimli olduğunu düşündü.

Otto, "Eva, seni Herr Courtney'le tanıştırabilir miyim? Bu küçük Afrika maceramızda bizimle ilgilenecek olan avcı kendisi. Herr Courtney, Fräulein von Wellberg'le tanıştırayım," dedi.

Leon, "Enchanted Fräulein," diye cevap verdi. Kadın da gülümseyerek öpmesi için sağ elini uzattı. Leon'un tuttuğu el sıcak ve diriydi. Başını eğip dudaklarını kadının eline yaklaştırdı, sonra bıraktı ve bir adım geri çekildi. Kadın gerekenden sadece bir an daha uzun bakmıştı yüzüne. Leon o gözlerin derinliklerine bakınca esrarengiz ve imalarla dolu olduklarını fark etti. Sanki gizli derinliklerini tamamen kavrayamayacağı bir havuza bakar gibi olmuştu.

Kadın, Graf Otto'yla konuşmak üzere başını çevirince, Leon o güne kadar hiç bilmediği karmaşık garip bir duyguya kapıldı. Sanki göz açıp kapayana kadar sınırsız değerde bir şey keşfetmiş ve neredeyse aynı anda elinden kaçırmış gibiydi. Graf Otto kocaman çilli elini Eva'nın narin beline koyup kadını kendine çektiğinde ve Eva da ona gülümsediğinde, Leon ağzına yanık barut tadı veren bir duyguyla adamdan nefret etti.

Graf Otto'yla güzel arkadaşının yanlarında fazla eşya olmadığı için kıyıya transfer işlemleri çabuk bitti. Sadece on, on iki tane büyük sandık ve Graf Otto'nun tüfekleriyle cephanelerinin bulunduğu konteynerlar vardı. Diğer her şey önceden gönderilmişti. Bütün eşyalar kıyıda hazır bekleyen büyük Meerbach kamyonuna yüklenince Graf Otto kendisini karşılamak üzere dizilmiş olan Wieskirche personelini selamladı. Adamlarına karşı bir babanın küçük çocuklarına davrandığı gibi davranıyordu: her birine tek tek adıyla hitap etmiş, her birine küçük, kişisel espriler yapmıştı. Adamları da onun bu lütuflarına kuklalar gibi eğilip bükülerek, kıkırdayarak şükranla karşılık verdi. Leon, adamlarının Graf Otto'ya Tanrı'ymış gibi taptıklarını gördü.

Sonra Leon'a döndü. "Yardımcılarınızı tanıtabilirsiniz." Leon, Hennie ile Max'i yanına çağırdı. Graf Otto onlara da aynı rahat, lütufkâr tavırla davrandı ve Leon onların da neredeyse anında adamın büyüsüne kapılışlarını izledi. İnsanların gönlünü almakta ustaydı, ama Leon ona karşı çıkan ya da hayal kırıklığına uğratan birine karşı merhametsiz ve kindar olacağını da tahmin ediyordu.

"*Sehr gut, meine Kinder.* Çok güzel çocuklar. Artık Nairobi'ye gidebiliriz," dedi. Meerbach teknisyenleriyle birlikte Hennie, Max ve İsmail de bekleyen kamyonun arkasına tırmandılar, Gustav direksiyona geçti ve dev araç kükreyerek Nairobi'ye doğru yola çıktı.

Graf Otto, "Courtney, av arabasında sen de bizimle olacaksın," dedi. "Fräulein von Wellberg yanımda oturur, sen de arkada oturur yolu tarif edersin, görülmesi gereken yerleri gösterirsin." Kadını özenle ön koltuğa yerleştirdi, kucağına moher bir şal örttü, rüzgâra karşı gözlük taktı, kusursuz ellerini güneşten korumak için oğlak derisi eldiven giydirdi ve şapkası uçmasın diye de ipek eşarbını güzelim çenesinin altından bağladı. Nihayet koltuğunun arkasındaki askıda duran üç tüfeği de kontrol ettikten sonra direksiyonun başına oturup gözlüğünü taktı, motoru çalıştırdı ve kamyonun peşinden hızla yola koyuldu. Arabayı çok hızlı, ama rahat ve ustaca sürüyordu. Leon, Eva'nın hızla alınan bir virajda, araba lastiklerini öttürerek savrulduğunda veya art arda gelen tümseklerde hopladığında kapı koluna eklemleri beyazlaşacak kadar yapıştığına birkaç kez tanık oldu, ama kadının yüz ifadesi hiç değişmemişti.

Kıyıdan uzaklaşıp yükseklere ulaşınca vahşi doğaya girmiş oldular; ceylan ve antilop sürülerinin arasından hızla geçmeye başladılar. Eva arabanın hızını unutmuştu, hayvanları ve onların korkuyla kaçıştıklarını görünce gülerek ellerini çırptı.

"Otto!" diye bağırdı. "Şu küçük şirin hayvanlar nedir, hani şu keyif-li keyifli hoplayıp zıplayanlar?"

Graf Otto rüzgârın sesini bastırmak için bağırarak, "Fräulein'ın sorusuna cevap verin Courntey," diye bağırdı.

"Onlar Thomson ceylanı Fräulein. İleriki günlerde binlercesini göreceksiniz. Bu ülkedeki en yaygın türdür. Öyle hoplayıp zıplamaları da bölgedeki diğer ceylanlara tehlikede olduklarını haber verme yollarıdır."

"Otto arabayı durdur lütfen. Onları resmini yapmak istiyorum."

"Nasıl istersen güzelim." Graf Otto keyifle omuz silkip arabayı kenara çekti. Eva çizim defterini kucağına yerleştirdi. Kömür kalemi sayfada hareket etmeye başladı ve Leon belli etmeden uzanıp bakınca kusursuz bir çizim gördü. Zıplayan hayvan sırtı kavislenmiş, dört bacağı dümdüz aşağı uzanmış olarak mucizevi bir şekilde kâğıtta belirivermişti. Eva von Wellberg yetenekli bir sanatçıydı. Önceden gönderilmiş olan şövaleyi, pastel ve yağlıboya kutularını hatırladı. O sırada pek dikkat etmemişti, ama şimdi önemli olduklarını anlıyordu.

O andan itibaren yolculuk Eva'nın çizim istekleri doğrultusunda sık sık kesilir oldu: bir akasya ağacının üst dallarında tünemiş olan kartal, yanında üç sevimli yavrusuyla güneşli bozkıra sere serpe yatmış olan dişi çita. Her ne kadar kadına ayak uydursa da, ilerleyen zamanlarda Graf Otto'nun bunlardan sıkılmaya başladığı ortaya çıktı. Son durdukları yerde arabadan inip tüfeklerden birini aldı. Arabanın yanında durarak beş atışta beş tane ceylan vurdu. İnanılmaz bir erkeklik gösterisiydi. Leon bu tür gereksiz katliamlardan hoşlanmadığı halde medeni bir ses tonuyla, "O ölü hayvanları ne yapmamızı istersiniz efendim?" diye sordu.

Graf Otto tüfeği yerine yerleştirirken aldırmaz bir tavırla, "Bırakın öylece kalsınlar," dedi.

"Yakından bakmak istemez misiniz efendim? Bir tanesinin çok güzel boynuzları vardı."

"*Nein*. Daha çok var diyorsunuz. Bırakalım bunları akbabalar yesin. Ben sadece tüfeğimi kontrol ediyordum. Hadi gidelim artık."

Leon, Eva'nın renginin kaçtığını, dudaklarının büzülmüş olduğunu fark etti. Bunu durumu onaylamayışına verdi ve kadın hakkındaki olumlu düşünceleri biraz daha arttı.

Graf Otto'nun dikkati yoldaydı ve Eva da köprü üstündeki ilk karşılaşmalarından beri bir daha doğrudan Leon'a bakmamıştı. Hatta konuşmamıştı da, bütün sorularını, düşüncelerini Graf Otto aracılığıyla iletiyordu. Leon bunu merak etti. Belki kadın doğal olarak aşırı çekingendi veya adam onun başka erkeklerle konuşmasını istemiyordu. Ama sonra Eva'nın Gustav'la dostça konuştuğunu ve Kilindini'de tanıştırıldıkları zaman Max ve Hennie ile gayet rahat sohbet ettiğini hatırladı. O zaman neden Leon'a karşı bu kadar uzak ve mesafeliydi? Arka koltuktan belli etmeden onu rahatça inceleyebiliyordu. Eva bir iki defa koltuğunda rahatsız olup dönmüş ya da farkında olmadan eşarptan kurtulan birkaç saç buklesini geri itmişti ve Leon'a dönük olan yanağı her seferinde onun ilgisinin farkında olduğunu gösterecek şekilde pembeleşiyordu.

Vakit öğleyi geçtikten sonra başka bir tozlu virajı daha geçtiler ve Gustav'ın kenarda onları beklediğini gördüler. Adam eliyle durmaları için işaret etti ve Graf Otto kenara çekince koşarak gelip, "Affedersiniz efendim, ama yemeğiniz hazır, buyurmak ister miydiniz?" dedi. İki yüz metre ötede kamyonun park ettiği ağaçlıklı yeri gösteriyordu.

Graf Otto, "Güzel. Açlıktan ölüyordum," diye cevap verdi. "Marşpiyere atla Gustav, seni de götüreyim." Gustav da arabanın yanındaki çıkıntıya tırmandı ve yoldan çıkıp kamyonun durduğu yere gittiler.

İsmail dört ağacın arasına bir tente germiş ve altına bir masayla kamp iskemleleri yerleştirmişti. Kar beyazı keten örtünün üzeri gümüş ve porselen servis takımlarıyla donatılmıştı. Onlar arabadan inip tutulan kaslarını açarken İsmail kırmızı fesiyle beyaz entarisinin içinde sırayla hepsine sıcak su dolu bir leğen, lavanta kokulu sabun ve kolundaki beyaz havluyu uzattı.

Yıkandıktan sonra Max hepsini sofraya buyur etti. Sofrada tabaklar dolusu salamla peynir çeşidi, sepet sepet siyah ekmek, tereyağı çömlekleri ve gümüş bir servis tabağında da bol bol Rus havyarı vardı. Max servis masasında bekleyen şarap şişelerinden birini aldı ve canlandırıcı sarı Gewürztraminer'i uzun ayaklı kadehlere koymaya başladı.

Eva zarif bir şekilde bir şeyler yedi. Birkaç yudum şarap içti ve bir bisküvinin üzerine bir kaşık havyar sürdü, ama Graf Otto'nun iştahı yerindeydi. Yemeğini bitirdikten sonra iki şişe Gewürztraminer'i kendi başına devirdi, salamla peynir tabaklarının altından girip üstünden çıktı. Tekrar direksiyon başına geçip Nairobi'ye doğru yola koyulduğunda şarapların kötü bir etkisi olmuş gibi görünmüyordu, ama hızı adamakıllı artmış, kahkahası zapt edilemez olmuş ve espri anlayışı bayağılaşmıştı.

Yolun kenarında tek sıra halinde, başlarında saz balyalarıyla yürümekte olan bir grupla karşılaşınca Graf Otto arabayı onların hızına uydurdu ve kızların çıplak göğüslerini açıkça seyretmeye başladı. Tekrar hızlandığında da sağ elini sahiplenici ve samimi bir tavırla Eva'nın kucağına koydu. Eva bileğinden tutup elini tekrar direksiyona bıraktı. İfadesiz bir sesle, "Yol tehlikeli Otto," dedi ve Leon, adamın Eva'ya yaptığı hakaret yüzünden öfkeyle doldu. Kadını korumak için araya girmek istiyordu, ama şarabın Graf Otto'yu ne yapacağı bilinmez ve tehlikeli bir hale soktuğu belliydi. Eva'nın hatırı için kendini frenledi.

Fakat sonra bütün kızgınlığı Eva'ya yöneldi. Neden kendisine böyle davranmasına izin veriyordu. Fahişe değildi. Sonra, birden aslında öyle olduğunu fark etti. Üst düzey bir fahişeydi. Graf Otto'nun oyuncağıydı ve birkaç gereksiz süse, ucuz mücevhere ve muhtemelen bir orospu ücretine karşı bedenini ortaya koymuştu. Leon, onu küçümsemek istedi. Ondan nefret etmek istedi, ama bir anda aklına gelen bir düşünceyle bundan vazgeçti: kadın fahişeyse kendisi de öyleydi. Kendini ve hizmetlerini pazarladığı prensesle diğer kadınları hatırladı.

Kendine ve Eva'ya karşı adil olmaya çalışarak, hepimiz bir şekilde canımızı kurtarmak zorundayız, diye düşündü. Eğer Eva fahişeyse hepimiz öyleyiz demektir. Fakat bunların hiçbirinin konuyla ilgisi olmadığını biliyordu. Eva'dan nefret etmek veya onu hor görmek için zaten çok geçti, çünkü ona umutsuzca âşık olmuştu bile.

Güneş batarken Tandala Kampı'na ulaştılar ve Graf Otto, Eva ile birlikte kendileri için hazırlanan lüks kısımda gözden kayboldu. İsmail ile mutfak personelinden üç kişi akşam yemeğini de özel yemek salonlarına taşıdı. Çift ertesi sabah kahvaltıya kadar bir daha ortada görünmedi.

"*Guten Tag*(*) Courtney. Bu mektuplar hemen postaya verilsin." Graf Otto, Leon'a kırmızı balmumuyla mühürlenmiş ve üzerlerinde Berlin'deki Alman Dışişleri Bakanlığı'nın çift başlı kartal kabartması bulunan bir tomar zarf uzattı. Zarflar, koloni valisiyle, Lort Delamere ve majesteleri kralın İngiliz Doğu Afrika'sı komutanı Tuğgeneral Penrod Ballantyne da dahil olmak üzere Nairobi'deki belli başlı kişilere gidecekti. "Bunlar kayzer hükümetinin benim için hazırladığı tanıtım mektupları," diye açıkladı. "Ve mutlaka bugün gönderilmesi gerekiyor, *ja?*"

"Elbette efendim. Derhal halledeceğim." Leon, Max Rosenthal'ı çağırttı ve Graf Otto'nun huzurunda mektupları yerine ulaştırmakla görevlendirdi. "Arabalardan birini al Max. Hepsi teslim edilmeden de dönme."

(*) Günaydın.

Max uzaklaşırken Eva da özel bölümlerinden çıkıp yanlarına gelmişti. Binici kıyafeti giymişti ve iyice dinlenmiş görünüyordu, saçları güneşte parlıyor, teni altından akan genç, tatlı kanıyla parlıyordu.

Graf Otto, onu onaylarcasına süzdükten sonra Leon'a döndü. "Ve şimdi Courtney, havaalanına gideceğiz. Makinelerimi uçuracağım." Gece av aracı yıkanmış ve cilalanmıştı. Üçü bindiler ve Graf Otto açık polo sahasına doğru yola çıktı.

Oraya vardıklarında Gustav'ın *Kelebek*'le *Arı*'yı pistin kenarına getirmiş olduğunu gördüler. Graf Otto iki uçağın da etrafında dolanıyor dikkatle inceliyor, bir yandan da Gustav'la konuşuyordu. Sonunda tatmin olunca uçağın kanadına çıkıp bağlantı tellerini ve dikmeleri kontrol etti. Yakıt tanklarının kapaklarını açıp yakıt seviyesine ve ateşleme mekanizmalarına baktı. Yakıt tanklarının yağ çubuklarını çıkarıp seviye kontrolü yaptı.

İki uçakla ilgili tamamen tatmin olduğunu bildirip *Arı*'nın kokpitine tırmandığında öğlen olmuştu. Uçuş başlığının çene kayışını tuttururken Gustav'a motorları çalıştırsın, diye işaret verdi. Motorlar ısınıp tatlı tatlı mırıldanmaya başlayınca polo sahasının sonuna kadar gidip koca makineyi rüzgâra doğru çevirdi.

Motorların sesi tüm Nairobi halkını oraya toplamıştı, pistin kenarında heyecanla bekliyorlardı. Dört motordan aslan kükremesini andıran bir ses çıktı ve *Arı,* Eva ile Leon'un hangarın önünde beklediği yere doğru ilerlemeye başladı. Leon eşitlik iddiasında bulunmuş olmamak için kadının birkaç adım gerisinde duruyordu. *Arı* çabucak hız kazandı. Kuyruk tekeri havaya kalktı ve Leon nefesi kesilerek, koca iniş takımlarının çimenlerin üstünde rahatça sıçrayıp yerçekiminden kurtuluşunu ve havada yükselişini izledi. Uçan makine başların sadece yirmi adım üstünden kükreyerek geçti. Herkes... Eva dışında, hemen yere eğilmişti.

Leon doğrulduğunda kadının gizlice kendisini seyrettiğini gördü. Dudaklarının köşeleri alaycı bir tebessümle kıvrılmıştı. Keyifle, "Aman Tanrım!" dedi. "O cesur ve gözü pek vahşi hayvan avcısı mı bu?"

Tanıştıklarından beri ikinci defa doğrudan yüzüne bakarak ona hitap ediyordu. Graf Otto ortada olmayınca tavrının bu kadar değişmesi Leon'u ürkütmüştü. "Fräulein, umarım beklentilerinizi karşılayamadığım tek an bu olur." Hafifçe başını eğdi.

Kadın kısa konuşmayı bitirmek için kasten arkasını döndü ve elini gözlerine siper ederek *Arı*'yı izlemeye başladı. Hafifçe terslenmiş olsa da Leon, kadının tebessümünü zevkle hatırlıyordu, oysa dostça olmaktan ziyade alaycı bir tavırdı. Kadının baktığı yere bakınca *Arı*'nın piste inmek üzere alçalmakta olduğunu gördü.

Graf Otto uçağı yere indirip hangara doğru taksiledi. Motorları kapattarak aşağı atladı. Onu seyreden personeli çılgınca tezahürat ediyor o da eldivenli eliyle onlara karşılık veriyordu. Gustav hemen yanına koştu ve iki erkek *Kelebek*'e doğru yürürken derin bir sohbete daldılar. Graf Otto, merdivenin dibinde Gustav'dan ayrılıp kokpite tırmandı ve motorları çalıştırdı. Polo sahasının sonuna kadar taksi yapıp döndü ve kükreyerek onlara doğru gelmeye başladı. Leon bir kez daha hayranlıkla *Kelebek*'in yerden havalanıp başının üstünden geçişini izledi. Bu sefer o da eğilmemişti ve Eva'ya bir göz atınca yine kendisine baktığını fark etti. Başını yana eğmişti ve menekşe gözlerinde muzip parıltılar vardı. Motorların gürültüsü yüzünden duyamadığı halde dudak hareketlerinden, "Bravo!" dediği belli oluyordu. Alaycılığın yerini küçük, gizemli bir tebessüm almıştı. Sonra dönüp uçağın sahanın üzerinde iki tur atışını ve yere inmek için rüzgâra doğru gelişini izlemeye başladı. Uçak piste değdi ve hangarın önünde bulundukları yere geldi.

Leon, Graf Otto'nun motorları kapatıp uçaktan inmesini bekledi, ama o kokpitten aşağı bakıp kalabalığı süzdü. Eva'yı görünce de yanına gelmesi için işaret etti. Kadın hemen bu isteğe boyun eğip koşmaya başladı, Gustav'la adamlarından ikisi de seyyar merdivenle onun önünden koşuyorlardı. O sırada pervanelerden gelen rüzgâra yakalandı ve eteği bacaklarına dolandı. Geniş kenarlı şapkası da başından uçmuş ve uzun siyah saçları yüzüne dökülmüştü. Eva gülerek koşmaya devam etti. Şapkası Leon'un bulunduğu yere doğru yuvarlandı ve geçerken Leon yakaladı.

Eva merdivene ulaşmış ve rahatça yukarı tırmanıvermişti. Belli ki bunu pek çok kez yapmıştı. Leon kokpitin kenarından gözden kayboluşunu seyretti. Sonra Graf Otto'nun başı ona doğru döndü ve eliyle gelmesini işaret etti. Şaşıran Leon soru sorarcasına göğsüne dokundu. "Kim? Ben mi?" Graf Otto kesin bir tavırla başını sallayıp eliyle bir daha gel hareketi yaptı, bu seferki daha buyurgandı.

Leon uçağa doğru koştu, kalbi heyecanla çarpıyordu ve merdiveni tırmandı. Kokpite ulaşınca şapkayı Eva'ya uzattı. Kadın doğru dürüst başını bile çevirmeden şapkasını aldı. Birkaç dakika önceki o keyifli anlar hiç yaşanmamış gibiydi. Nereden bulduysa bulup o da bir uçuş başlığı takıp çenesinin altından bağladı. Sonra da duman rengi gözlüğü taktı.

"Merdiveni çek!" Graf Otto bağırmış sonra da bir el işaretiyle emrini pekiştirmişti. Leon yandan sarkıp merdiveni aldı ve gövdedeki kancasına astı.

"Güzel. Şuraya otur!" Yanındaki koltuğu gösteriyordu. Leon oturup kemerini bağladı. Graf Otto ellerini boru gibi yaparak kulağına bağırdı. "Yolu gösterirsin, *ja?*"

Leon da bağırarak, "Nereye gidiyoruz?" dedi.

"En yakın av kampına."

Leon, "Yüz yetmiş kilometre uzakta," diye itiraz etti.

"Kısa bir uçuşmuş. *Ja!* Oraya gidiyoruz." Biraz daha gaz verip, pistin diğer ucuna gitti, gösterge panosundaki ibreleri kontrol etti, sonra dört kumanda kolunu ağır ağır sonuna kadar ileri itti. Meerbach'ın motor gürültüsü kulakları sağır edecek gibiydi. *Kelebek* ileri atıldı, yerdeki tümsekleri çukurları hoplaya zıplaya yuttu, hızı giderek artarken kanatları da sallanıyordu. Leon kokpitin yanına tutunmuş karşıya bakıyordu. Rüzgâr yüzünden gözünden yaşlar akıyordu, ama kalbi adeta motorlarınki kadar güçlü bir sesle şarkı söylemekteydi. Sonra, hiç beklenmedik bir şekilde bütün hoplayıp zıplamalar kesildi. Leon yan taraftan aşağı bakınca toprağın giderek kaybolduğunu gördü. Rüzgâra doğru, "Uçuyoruz!" diye bağırdı. "Sahiden uçuyoruz!" aşağıda kenti gördü, ama ne olduğunu anlaması biraz zaman aldı. Bu açıdan bakınca her şey çok farklı görünüyordu. Önce yılan gibi kıvrılan demiryolunu fark etti, sonra da diğer tanıdık yerleri seçmeye başladı: Muthaiga Şehir Kulübü'nün pembe duvarları; Delamere'nin yeni otelinin çatısında parlayan demir korkuluk; hükümet binasının beyaz badanalı gövdesi ve vali konağı.

Graf Otto dikkatini çekmek için kolunu sarsıp, "Ne tarafa?" diye sordu.

"Demiryolunu takip edin." Leon batıyı gösterdi. İki eliyle birden saatte yüz yetmiş kilometre hızla yüzüne çarpan rüzgâra karşı korunmaya çalışıyordu. Graf Otto kemikli parmağıyla böğrünü dürtüp kokpitin yan tarafındaki küçük bölmeyi gösterdi. Leon kapağı açıp deri bir başlık buldu. Başına geçirip kayışını çenesinin altından bağladıktan sonra gözlüğü de gözüne taktı. Artık o da görebiliyordu. Başlığın kulaklarını örten kısmı da motorların gürültüsünden koruyordu.

O, başlıkla uğraşırken Eva yerinden kalkıp, kokpitin ön tarafına gitmişti ve ayaktaydı, kenarı çevreleyen korkuluğa tutunuyordu. *Kelebek*'in hareketine karşı zarif bir şekilde denge sağlarken bir savaş teknesinin pruvasındaki heykelleri andırıyordu.

Tam o anda uçak hiç beklenmedik ve mide bulandıran bir şekilde dalışa geçti. Leon panik halinde en yakındaki tutamağı kavradı. Düşeceklerinden ve çok yüksekten yere çarparak ani, ama kötü bir şekilde can vereceklerinden hiç kuşkusu yoktu. Fakat *Kelebek* istifini bozmamıştı: kanatlarını zarif bir şekilde hareket ettirerek sakince batıya doğru süzüldü.

Eva hâlâ burunda duruyordu ve Leon ancak o zaman, kadının beline sarılı emniyet kemerini ve kemerin kilitli kancalar sayesinde yere tutturulmuş mapaya(*) bağlı olduğunu fark edebildi. Böylece *Kelebek* dalış yaptığında sağa sola savrulmuyordu.

(*) Tepesinde palanga takmaya yarayan bir halka bulunan çivi.

Graf Otto hâlâ iri çilli ellerinin hafif dokunuşlarıyla kumanda kollarını idare ediyordu. Ağzında yanmadan duran Cohiba purosunun kenarından Leon'a sırıttı. "Yükselen sıcak hava yüzünden!" diye bağırdı. "Bir şey yok!"

Leon paniklediği için utanmıştı. Havanın da su gibi beklenmedik akıntılar yarattığını bilecek kadar çok şey okumuştu uçuş teorisi üzerine.

Graf Otto, "Öne git," dedi. "İleriyi görebileceğin bir yerde dur ki bana yön verebilesin." Leon temkinli bir şekilde kokpitin ön kısmına doğru ilerledi. Eva, ona hiç bakmadan kenara çekilip, yer açtı ve Leon da onun yanında durdu. Elleriyle sıkı sıkı korkuluğa tutunuyorlardı. O kadar yakındılar ki Leon büyük bir zevkle rüzgâra rağmen onun kendine has kokusunu duyabildiğini fark etti. İleri bakarken, gözucuyla da kadının durduğu tarafı süzdü. Rüzgâr yüzünden bluzu ve uzun eteği vücuduna yapıştığı için bütün kıvrımları ve hatları ortaya çıkmıştı. Bacaklarının uzun ve ince olduğunu ilk kez fark ediyordu, sonra gözünü pamuklu kadife ceketin altındaki ikiz tepelere kaydırdı. İlk bakışta göründüklerinden daha iri, Verity O'Hearne'ninkilerden daha yuvarlak ve dolgun olduklarını anlamıştı. Bakışlarını çevirmek için kendini zorladı ve karşıya doğru bakmaya çalıştı.

Şimdiden Büyük Rift Vadisi'nin kenarına yaklaşmışlardı. Tren yolunun volkanik vadi tabanına doğru inişe geçtiği noktada çelik rayların parladığını gördü. Dönüp Graf Otto'ya baktı ve bir el hareketiyle doksan derece güneye dönmesini söyledi. Alman başını salladı ve *Kelebek* tek kanadının üstüne yatarak ağır ağır sola döndü. Merkezkaç kuvveti Eva'yı hafifçe ona doğru itti ve uzun, zevkli bir an için Leon, kadının sıcak uyluklarının kendisininkilere temas ettiğini hissetti. Geri çekilmediğine göre kendisi bundan habersiz olmalıydı. Sonra Graf Otto sancak kanadını kaldırdı ve *Kelebek* tekrar düz uçmaya başladı. Temas kesilmişti.

Büyük Rift Vadisi önlerinde uzanıyordu. Bu yükseklikten bakınca insanlar için değil Tanrı'yla melekleri için yaratılmış gibi görünüyordu. Şimdi Leon bu bölgenin güzelliğine gerçekten hayran olmuştu: kavrulmuş kayalıklar, yer yer sık ormanlarla bölünen aslan rengi düzlükler ve tepelerle dağların bilinmez derinliklere uzanan mavi kayaları.

Graf Otto *Kelebek'*in burnunu aşağı indirdiğinde uçak bir hava boşluğuna düştü ve birdenbire ayaklarının altındaki zemin de aşağı doğru kaydı. Altlarından geçip giden yamaçlar o kadar yakındı, ki tekerleklere çarpacakmış gibi görünüyordu. Vadi tabanı onlara doğru yükseliyordu sanki. Leon, Eva'nın daha da sıkı tutunduğunu gördü. Kadının vücudundaki gerilimin sırtını kamburlaştırdığını fark edebildi. Onun az önceki sataşmasına karşılık vermek için ellerini korkuluktan çekip kalçalarına dayadı ve uçak dalış yaparken kolayca esneyerek uyum sağladı. Bu sefer Eva, onu görmezden gelemedi ve Leon uçağın hareketine uygun yeni bir pozisyon alırken kaçamak bir bakış fırlattı. Sonra başını yine öne çevirdi, ama bir elini parmaklıktan kaldırıp avucunu yukarı çevirerek bir geri çekilme jesti yaptı.

Uçak vadi duvarından aşağı dalarken Graf Otto burnunu yukarı kaldırdı. Yerçekimi yüzünden Leon'un dizleri büküldü ve Eva'yla bir daha çarpıştılar. *Kelebek* tekrar düzelirken kadın diğer tarafa savruldu. Sol tarafta kalan vadi duvarını yalayarak geçtiler, o kadar yakındı ki kanadın ucu her an değecekmiş gibi görünüyordu.

Leon birden ileride bir arı sürüsü kocaman siyah bir bulut halinde uçtuğunu gördü. *Kelebek* onların üstüne doğru giderken, uçağın gelişinden korkan büyük bir bizon sürüsünün de panik halinde kaçtığını fark etti. Graf Otto'ya tekrar işaret etti ve *Kelebek* diklemesine kaçan sürüye doğru daldı. Eva yine ona yaslanmıştı ama bu sefer kalçasıyla kasten çarpıyordu. Leon kasıklarında bir elektriklenme hissetti, kadının aralarındaki fiziksel çekimin farkında olduğunu anlatmaya çalıştığını anladı.

Hörgüçlü bizonların o kadar yakınından uçuyorlardı ki Leon sırtlarındaki kurumuş çamur topaklarını görebiliyor, yağmacı bir aslanın pençesine takılan liderlerinin sırtındaki izleri seçebiliyordu.

Eva heyecanla el sallayıp kendi tarafında bir yeri gösterene kadar uçtular. Graf Otto uçağı kadının gösterdiği yöne doğru eğdi. Sonra *Kelebek* düzeldi ve biraz uzakta yoğun dikenli bitkilerin arasından çıkan beş erkek filin peşine takıldı. Ortada bir yerçekimi sorunu olmadığı halde Eva kalçasıyla küçük bir darbe daha indirdi. Graf Otto von Meerbach'ın burnunun dibinde iç gıcıklayıcı, ama tehlikeli bir oyun oynuyorlardı. Leon rüzgâra karşı bir kahkaha attı ve Eva da kısık gözleriyle onu süzerek gizemli bir şekilde gülümsedi.

Kaçan fillerin üstüne daldılar. Leon hepsinin yaşlı erkekler ve iki tanesinde de ellişer kiloluk dişler olduğunu gördü. Biri sadece tek dişliydi, diğeri dudak hizasından kırılmıştı ama sağlam dişi o kadar büyüktü ki diğerleri onun yanında cüce gibi kalıyordu. Otto biraz daha alçaldı, biraz daha alçaldı, o kadar ki sürünün arasında uçacakmış gibi oldu. Filler *Kelebek*'ten hızlı koşamayacaklarını anlamış olacaklardı: geri döndüler ve omuz omuza verip gökyüzünden gelen bu tehlikeye karşı sağlam bir duvar oluşturdular. Böğürtülerini Leon uçağın sesine rağmen duyabiliyordu, kafalarını saldırgan bir tavırla yukarı kaldırmışlardı. Uçak üstlerinden süzülürken kulaklarını savurarak yine böğürdüler ve yılankavi hortumlarını uçağı yakalayacakmışçasına havaya kaldırdılar.

Graf Otto yerden yüz metre kadar yükselip güneye doğru devam etti. Önlerine yeni ve beklenmedik manzaralar serilmişti. Gizli vadilerin, gizli girişlerin ve Rift Vadisi duvarındaki çıkıntıların üstünden geçiyorlardı, bazıları Leon'un gördüğü haritalarda hiç yer almıyordu. İki üç vadide akarsu kaynakları bulunuyordu ve yeşil çayırlarda zürafadan gergedana kadar birçok hayvan otluyordu. Leon sonradan araştırmaya gelmek üzere her birinin yerini hafızasına kaydetmeye çalıştı ama o kadar hızlı uçuyorlardı ki takip etmek imkânsızdı.

Biraz daha yükselince iki yüz kilometre kadar ötede beliren muazzam Kilimanjaro Dağı'nı gördüler. Uzaktan dağ mavi görünüyordu ve zirveyi örten bulutların arasından güneş altın ışıklarını göstermekteydi. Sonra Graf Otto, Leon'un dikkatini çekmek için kanatları oynattı ve kırk, elli kilometre ötedeki daha yakın dağı gösterdi. Dağın tepesinin düz olduğunu görmemek imkânsızdı ve muhtemelen Graf Otto'nun dikkatini çeken de o olmuştu.

Leon, "Lonsonyo Dağı!" diye haykırdı ama sesi rüzgârla motorların gürültüsünde kayboldu. "Oraya gidelim!" O hararetle el işaretleri yapınca Graf Otto biraz daha gaz verdi. *Kelebek* yukarı tırmanıyordu, ama Lonsonyo'nun düz tepesi neredeyse deniz seviyesinden on bin fit yüksekte kalıyordu. Uçak önce hızla tırmandı, ama yükseklik arttıkça hızı düştü. O kadar ağır gidiyordu ki yamaçların zirvelerinden ancak elli fit yukarıdaydılar.

Karşılarında Lusima'nın sığırları dağın düz tepesindeki tatlı otları yemekteydi. Leon onların ötesinde *manyatta*'yı oluşturan kulubeleri ve sığır ağıllarını gördü ve Otto'ya köye doğru dönmesini işaret etti. Keçiler, tavuklar ve çocuklar çil yavrusu gibi kaçıştılar. En büyükleri ve konsey ağacının dallarına en yakın duranı olduğu için Lusima'nın kulübesini diğerlerinden ayırmak kolaydı. Kulübenin tam tepesine geldiklerinde Lusima görünürde yoktu. Sonra aniden kulübesinin alçak kapısından çıktı ve başını kaldırıp Leon'a baktı. Minik kırmızı peştamalı, ayak ve el bilekleriyle boynuna takmış olduğu boncuklar dışında çıplaktı. Komik bir şaşkınlıkla *Kelebek*'e bakıyordu. Leon, "Lusima!" diye bağırıp başlığıyla gözlüğünü çıkardı. "Lusima Ana! Benim! M'bogo, oğlun!" Leon, çılgınca el sallarken Lusima birden tanıdı onu. O kadar yakındılar ki, Leon, onun yüzünün aydınlandığını gördü ve Lusima da iki elini birden sallamaya başladı. Ama hızla geçip gittiler ve Lusima geride kaldı.

Graf Otto bir kez daha kanatları oynatarak ve el işaretleriyle Leon'dan av kampının yerini göstermesini istedi. Lonsonyo Dağı'nın öbür tarafında kaldığı için Leon düz zirvenin dik yamacından sağa doğru bir dönüş yaptırdı. Dağın bu tarafını daha önce hiç görmemişti. Şimdiye kadar hep güney tarafından inip çıkmıştı.

Yamaç, devasa bir ortaçağ kalesinin dış duvarları gibi dik ve erişilmezdi; likenler tarafından rengârenk yamalarla boyanmıştı. Sonra *Kelebek* beklenmedik bir şekilde yamaçtaki bir açıklıkla aynı hizaya geldi, bu diklemesine baca, dağı ta zirveden etekteki taşlı yamaça kadar ikiye bölmekteydi. Bacanın tepesindeki açıklıkta, yukarıdan inen yağmur sularının oluşturduğu parlak bir şelale dökülüyor, set set dantel perde gibi yosun tutmuş kayaların üstüne iniyordu. Yanından geçerken serpintileri yüzlerine çarptı. Gözlükleri ıslandı, yanaklarına da vuran damlalar kar taneleri kadar soğuktu.

Şelale yamacın dibindeki havuza kadar birkaç yüz metre iniyordu. Güneş ışınları o karanlık ve esrarengiz boğaza ulaşamıyordu: o yüzden havuz mürekkep kadar karaydı. O kadar düzgün bir daire şeklindeydi ki pekâlâ antik Roma veya Mısır mimarlarının elinden çıkmış olabilirdi. *Kelebek* hızla üstünden uçarken bu muhteşem manzarayı ancak birkaç saniyeliğine görebildiler; dağdaki yarık, adeta devasa bir katedral kapısıyla örtüldü ve şelale görünmez oldu.

Dağın gölgesinden çıktıklarında güneş kırmızıya dönmeye başlamıştı ve ufuktaki alçak toz, duman sisinin içinden geçiyordu. Leon av kampını görebilmek için mor düzlüğe baktı. Sonunda, ileride dalgalanan gümüş rengi rüzgâr hortumunu seçebildi. Graf Otto'ya o tarafa dönmesini işaret etti ve biraz sonra Leon'un Percy Kampı adını verdiği kampın tentelerini ve yeni yapılmış saz damlarını gördüler. Hemen arkasında da yüz elli, iki yüz metre yüksekliğinde çok uzaklardan bile görülebilen küçük bir tepe vardı.

Graf Otto rüzgârın yönünü anlamak ve pisti tanımak için kampın üstünde birkaç tur attı. Leon kanadın yanından aşağıdaki sık bitki örtüsüne bakıyordu. Kilometrelerce uzanıyordu ve tam ortasında o kara şekiller vardı yine. İriliklerine bakarak erkek bizonlar olduklarını düşündü, üç ihtiyar bekârdılar. Kesin olan tek şey vardı, o da bu ihtiyar münzevilerin kesinlikle huysuz ve tehlikeli oluşuydu. Kafalarını kaldırıp kötü kötü uçağa baktıkları zaman Leon, hayvanları çabucak tartıp kendi kendine, "Aralarında düzgün bir kafa yok," diye mırıldandı. "Hepsi Musevi takkesi takmış." Bu deyim avcılar arasında, boynuzları yıpranmış, sivri uçlarını yitirmiş bizonlar için kullanılırdı.

Graf Otto yere konup *Kelebek*'i pistin diğer ucuna götürdüğünde karşıdan bir toz bulutunun yaklaştığını gördüler. Sonra arabalardan biri ortaya çıktı, Hennie du Rand direksiyondaydı, Manyoro'yla Loikot da arkaya tünemişlerdi.

Leon merdivenden inince Hennie, "Çok özür dilerim patron," dedi. "En az birkaç hafta sonra gelirsiniz diye düşünüyorduk. Bizi gafil avladınız." Gözle görünür şekilde bocalıyordu.

"Gördüğün gibi burada olmaktan dolayı ben de senin kadar şaşkınım. Graf kendi programına göre hareket ediyor. Kampta yiyecek ve içki var mı?"

"*Ja!*" Hennie başını salladı. "Max, Tandala'dan epey bir şey getirdi."

"Duşta sıcak su var mı? Yataklar yapıldı mı, tuvalette kâğıt var mı?"

Hennie, "Sen bir daha soramadan hepsi halledilmiş olacak," diye söz verdi.

"O zaman sorun yok demektir. Graf'ın hayat anlayışı 'Durabo' bakalım doğru muymuş bu gece anlarız." Leon merdivenden inmiş olan Graf Otto'ya döndü.

"Her şeyin hazır olduğunu söyleyebildiğim için mutluyum efendim," diye rahatça yalan söyledi ve çifti kalacakları yere götürdü.

Nasıl olduysa Hennie ile aşçısı bir mucize gerçekleştirdiler. Max'in Tandala'dan getirdiği sandıklar dolusu yiyecekle güzel bir yemek hazırladılar. Leon ana çadırda konuklarını bekliyordu. Eva içeri girince gördüğü manzara karşısında ağzı açık kaldı. İlk kez güzel bir kadını pantolon etekle görüyordu, bu cüretkâr moda henüz kolonilere ulaşmamıştı. Kıyafet bacakları tamamen örttüğü halde içindeki güzellikleri göz önüne seriyordu. Leon ancak Graf Otto'nun çadıra girmesinden hemen önce ayırabilmişti gözlerini.

Hennie birkaç kasa Meerbach Eisbock birasını ıslak torbalarda soğutmuştu. Bu bira geleneksel Münih Ekim Festivali'nde sayısız altın madalya kazanmıştı. Meerbach imparatorluğunun küçük bir parçası olan Bavyera fabrikasında üretiliyordu. Kendi kendinin başmüşterisi olan Graf yemek servis edilene kadar neredeyse yarım litreyi devirmişti.

Masanın başındaki yerini alınca biradan Burgundy şarabına geçti. Bu 1896 mahsulü Romanée Conti'yi Wieskirche'deki mahzeninden kendi eliyle seçmişti. Antilop ciğeri ezmesi ve kızarmış kaz ciğeri üstünde yabanördeği çok iyi gidiyordu. Graf Otto yemeğini birkaç kadeh elli yıllık porto ve Havana'dan gelen bir Montecristo purosuyla bitirdi.

Koltuğunda arkaya yaslanıp kemerini gevşetirken purosundan bir nefes alıp keyifle iç geçirdi. "Courtney, gelirken gördüğümüz o bizonları hatırlıyor musun, *ja?*"

"Hatırlıyorum efendim."

"Sık bitki örtüsünün arasındaydılar, *nein?*"

"Öyle sıktı ki. Ama hiçbiri mermileri ziyan etmeye değmezdi."

"Ah zo, o zaman tehlikeli de değiller öyle mi?"

"Çok tehlikeli olabilirler. Özellikle yaralı olurlarsa, ama..."

Graf Otto sözünü kesti. "Ama kelimesini pek sevmem Courtney." Ruh hali aniden ve gözle görünür şekilde değişmişti. "Genelde birinin bana itaatsizlik etmek için mazeret hazırladığını gösterir." Kaşlarını çatmıştı ve yanağındaki düello yarası şeffaf beyazdan gül pembesine dönmüştü.

Leon henüz bunun bir tehlike işareti olduğunu bilmiyordu. Aldırmadan sözüne devam etti.

"Ben sadece diyecektim ki..."

"Senin ne diyeceğin beni ilgilendirmiyor Courtney. Senin benim dediklerimi dinlemeni tercih ederim."

Leon kızardı ve sinirlendi, ama sonra Graf Otto'nun görüş alanında oturmayan Eva'yı gördü, kadın dudaklarını büzmüştü ve belli belirsiz başını sallıyordu. Leon da derin bir nefes aldı ve büyük çaba harcayarak kadının uyarısını dikkate aldı. "O bizonları avlamak mı istiyorsunuz efendim?"

"Ah Courtney, sık sık öyle görünsen de bir *Dummkopf* (*) değilsin demek ki!" Graf Otto gülerek lütufkâr haline döndü. "Evet, gerçekten de o bizonları vurmak istiyorum. Bana ne kadar tehlikeli olduklarını göstermen için bir fırsat vereceğim sana, *ja?*"

"Tüfeğim Tandala'da kaldı."

"İhtiyacın olmayacak ki. Hayvanları vuracak olan benim."

"Silahsız olarak mı gelmemi istiyorsunuz?"

"Sos midene mi dokundu, Courtney? Öyleyse yarın yatakta kal, hatta altına gir. Kendini nerede sıcak ve güvende hissedeceksen orada bekle."

"Siz avlanırken yanınızda olacağım."

"Birbirimizi anladığımıza sevindim. Bu her şeyi basitleştiriyor, öyle değil mi?" Ucu parlayana kadar purosunu emdi, sonra dumanı kusursuz bir halka şeklinde Leon'un suratına doğru üfledi. Leon parmağını ortasına uzatıp suratına gelmeden halkayı bozdu.

Eva aralarındaki gerilimi azaltmak için sakin bir tavırla araya girdi. "Otto, bizi üstünden geçirdiğin o düz tepeli güzel dağ neydi?"

Graf Otto, "Onu Courtney'e sor," dedi.

"Lonsonyo Dağı denir, Masai'ler için kutsal bir yerdir ve en güçlü ruhani liderleri orada yaşar. Geleceği şaşırtıcı bir doğrulukla tahmin eden bir büyücüdür." Leon cevap verirken Eva'nın etrafına bakmamıştı.

Kadın, "Ah Otto!" diye bağırdı. "O en büyük kulübeden çıkarken gördüğümüz kadın olmalı. Bu kâhinin adı nedir?"

Graf Otto, "Bu sihir dalaverelerine bayılıyorsun değil mi budala?" diye dalga geçti.

"Falıma bakılmasına bayılırım bilirsin." Eva tatlı tatlı gülümseyince adamın kalan öfkesi de buhar oldu. "Prag'daki Çingene kadını hatırlamıyor musun? Bana bütün kalbimle güçlü, sevecen bir erkeğe bağlanacağımı söylemişti. Tabii ki sendin o!"

(*) Salak.

"Tabii ki. Başka kim olabilirdi?"

"Otto, neydi kadının adı, yani kâhinin?"

Adam, Leon'a döndü ve kızıl kaşlarından birini kaldırdı.

"Adı Lusima efendim." Leon bu soru cevap oyununun nasıl oynanacağını öğrenmişti.

Graf Otto, "Onu iyi tanır mısın?" diye sordu.

Leon keyifle güldü. "Beni, oğlu olarak kabul ettiği için bayağı iyi tanıyorum."

"Ha, ha! Eğer seni evlat edindiyse yargılarına pek güvenilmezmiş. Yine de..." Graf Otto, Eva'ya bakarken teslim olurcasına ellerini kaldırdı. "...isteğini kabul etmedikçe huzur bulamayacağımı görüyorum. Pekâlâ, götüreyim seni o dağa da ihtiyar kadın falına baksın."

"Çok teşekkür ederim Otto." Eva, adamın elini okşadı. Leon midesinde yakıcı bir kıskançlık hissetti. "Artık Prag'daki Çingene kadının haklı olduğunu görüyorsun. Bana karşı çok iyisin. Ne zaman götüreceksin? Belki şu bizonları avladıktan sonra olur, ha?"

"Göreceğiz," diyen Graf Otto konuyu değiştirdi. "Courtney, şafak sökerken hazır olurum. Sürüyü gördüğümüz yer birkaç kilometreden uzak değil. Güneş yükselmeden oraya varmak istiyorum."

Graff Otto av arabasını dikenli çalıların kenarına park ettiğinde sabah olmak üzereydi ve gece serinliği hâlâ devam ediyordu. Manyoro ile Loikot da kuru dallarla yaktıkları isli küçük ateşin başında ellerini ısıtıyorlardı. Leon arabadan inip yanlarına yaklaşınca ayağa kalkıp, ateşi toprakla örttüler. "Ne anlatacaksınız bana?"

"Ay battıktan sonra kampın yanındaki gölden su içtiklerini duyduk. Bu sabah bulduğumuz izler gölden buraya kadar devam ediyor. Çalıların içinde ve yakındalar. Oraya gireli çok olmadı, seslerini duyduk," diye rapor veren Manyoro devam etti. "Gerçekten çok yaşlı ve çok çirkinler. Kichwa Muzuru bunlardan birini gerçekten vurmak istiyor mu?" Graf Otto'ya saçının renginden ve Masai'lerin hayran olduğu korkusuz görünümünden ötürü, "Ateş Kafa" adını vermişlerdi.

"Evet, kararlı. Fikrini değiştirmeyi başaramadım."

Manyoro boyun eğercesine omuz silkti. Sonra, "Sen hangi *bunduki*'yi taşıyacaksın M'bogo? Büyük tüfeğin Tandala'da kaldı."

"Bugün *bunduki*'m yok. Ama önemli değil. Kichwa Muzuru sihirbaz gibi ateş ediyor."

Manyoro tereddüt ederek ona baktı. "Ya biri bira çanağını kırarsa M'bogo, o zaman ne olacak?"

"O zaman Manyoro, bununla bizonun gözünü oyacağım." Leon aracın yanından aldığı kalın sopayı gösterdi.

"O silah değil ki. Bitler bile kaşınmaz onunla. Al." Manyoro iki kısa mızrağından birinin sapını Leon'a doğru çevirip uzattı. "Al sana gerçek bir silah."

Çok güzel bir bıçaktı, bir metre uzunluğunda ve her iki yanı da keskindi. Leon kolunda test etti. Tüylerini ustura gibi rahatça ve dibinden kesmişti. "Teşekkür ederim kardeşim, ama buna ihtiyacım olmamasını umuyorum. İz sürmeye devam edin Manyoro, ama Kichwa Muzuru bira çanağını kırarsa diye kaçmaya da hazır olun!"

Leon onlardan ayrılıp tüfeğini deri kılıfından çıkarmakta olan Graf Otto'nun yanına döndü. Onun büyük kalibreli, çift namlulu güçlü bir silah, muhtemelen Avrupa yapımı bir 10.75 olduğunu görünce içi biraz rahatladı. Bir bizonu rahat rahat devirecek güçteydi.

Leon yaklaşınca Graf Otto, "Eee Courtney, biraz spor yapmaya hazır mısın?" diye sordu. Dudaklarının arasında yanmayan bir puro vardı ve branda bezinden av şapkasını geriye doğru itmişti. Çelik yelekli şarjörleri tüfeğe yerleştirmekle meşguldü.

"Bununla eğlenmeyi planlamadığınızı umuyorum efendim, ama evet, hazırım."

"Öyle olduğunu görüyorum." Leon'un elindeki mızrağa bakıp sırıttı. "Bununla tavşan mı bizon mu avlıyorsun?"

"Doğru yere indirseniz iş görür."

"Sana küçük bir söz vereyim Courtney. Eğer bununla bizon öldürürsen ben de sana uçağı kullanmayı öğretirim."

"Cömertliğiniz karşısında ezildim efendim." Leon hafifçe başını eğdi. "Fräulein von Wellberg'e biz dönene kadar arabada kalmasını söyler misiniz lütfen? Bu hayvanların ne yapacağı belli olmaz ve ilk atıştan sonra her şey olabilir."

Adam, Eva'yla konuşmak için purosunu ağzından çıkardı. "Bugün uslu bir kız olur musun *meine Schatze,*(*) dostumuzun dediğini yap lütfen tamam mı?"

Eva, "Ben hep uslu bir kız değil miyim zaten Otto?" dedi ama gözlerindeki ifade bu tatlı sözleriyle çelişiyordu.

Graf Otto purosunu tekrar dudaklarının arasına koyup gümüş gaz lambası kutusunu kadına uzattı. Eva kutunun kapağını açıp kırmızı uçlu bir kibrit çıkardı, çizmesinin tabanına sürttü ve alev çıkınca sülfür kokusunu duymamak için kolunu uzatıp puroyu yaktı. Graf Otto, Cohiba'sını üflerken Leon'un gözlerini izliyordu. Leon bu küçük hâkimiyet ve hizmet gösterisinin muhtemelen kendisi için yapıldığının farkındaydı. Bu adam hiçbir şeyi atlamazdı: herhalde havadaki elektriği hissetmişti ve Eva üzerindeki efendilik hakkını gösteriyordu. Leon doğal bir ifadeyle durmaya devam etti.

Sonra Eva yine yumuşak bir tavırla araya girdi: "Lütfen dikkatli ol Otto. Sensiz ne yaparım bilemiyorum."

(*) Sevgilim.

Leon acaba beni Graf'ın kıskanç öfkesinden korumaya mı çalışıyor diye merak etti. Eğer amacı buysa işe yaramıştı.

Graf Otto kıkırdadı. "Sen, bizon için üzül, benim için değil." Tüfeğini omuzladı ve başka bir şey söylemeden Masai'lerin peşinden çalıların arasına daldı. Leon da arkasından gitti ve sessizce ilerlediler.

Çalılar sık olduğu için üç bizon beslenmek için sürüden ayrılmışlardı ve izleri ileri geri gidip geliyordu. Onlar birinin peşinden giderken başka biriyle karşılaşmaları çok kolay olacağından ağır ağır, üç beş adımda bir durup etrafı kolaçan ederek yürüyorlardı. Yüz adım kadar gitmişlerdi, ki kırılan dalların çıtırtısını, ardından da yakından gelen hafif bir homurtu duydular. Manyoro tek elini kaldırdı, sessizce durup beklemelerini işaret etti. İnsana çok daha uzun gelen bir dakika boyunca hiçbir ses duyulmadı, sonra bitkiler hışırdadı. İri bir şey çalıları yara yara tam üstlerine doğru geliyordu. Leon, Graf Otto'nun koluna dokundu ve adam tüfeği omzundan indirip göğsüne dayayarak hazırlandı.

Aniden tam karşılarındaki çalılar aralandı ve bir bizonun başıyla omuzları ortaya çıktı. Yaralanmış ve hırpalanmış yaşlı bir hayvandı, bir boynuzu kırılmış, geride testere gibi çentikli bir kök kalmıştı, diğeri de sürekli ağaç gövdelerine, akkarınca yuvalarına sürtünmekten adeta körelmişti. Boynu kemikli ve yer yer kelleşmişti. Onlara yakın olan gözü beyaz ve camı andırıyordu, iltihap yüzünden tamamen kördü. Hayvan önce onları görmedi. Bir süre öylece durdu ve ağzından salyalar akarken çenesini oynatmaya devam etti. Göğsüne inen iltihap yüzünden gözüne üşüşen sinekleri kovalamak için başını sallıyordu.

Leon, zavallı ihtiyar kör, diye düşündü. Kafasına bir mermi sıkmak gerçekten onun için iyilik olacaktı. Graf Otto'nun koluna dokundu. "Yapın," diye fısıldadı ve kendini silah sesine hazırladı. Ama ondan sonra olacaklara hiç hazırlıklı değildi.

Otto başını arkaya atıp, "Gel bakalım! Ne kadar tehlikeli olabileceğini göster bize!" diye bağırdı. Sonra bizonun başının üstüne tek el ateş etti. Hayvan ani bir hareketle onlara doğru döndü. Sağlam gözüyle bakıp hayretle böğürdü ve dönüp kaçmaya başladı. Dörtnala koşarak tekrar çalılığa daldı. Tam o anda, hayvan gözden kaybolmadan Graf Otto bir el daha ateş etti.

Leon bizonun sağrısından, lekeli gri postunun altından görünen boğum boğum omurganın bir karış solundan kalkan tozu gördü. Kaçan hayvanın ardından dehşetle baktı. Gördüklerine inanamadığını belli eden bir ses tonuyla, "Onu bilerek yaraladınız!" dedi.

"*Jawohl!* Tabii ki. Biraz spor yapmak için yaralı olması gerektiğini söylemiştin. Eh, artık yaralı ve diğer ikisini de gıdıklamayı düşünüyordum!" Leon şoku atlatamadan Graf Otto vahşi bir savaş çığlığı daha attı ve yaralı hayvanın peşine düştü. İki Masai de Leon kadar şaşkındılar ve üçü hayretle durup Alman'ın arkasından bakakaldılar.

Loikot şaşkın bir sesle, "Deli o," dedi.

Leon acı içinde, "Evet öyle," dedi. "Sesini dinleyin."

Tam karşılarındaki çalılarda bir arbede yaşanıyordu: tepinen toynaklar, kırılan dallar, kızgın ve korku dolu homurtular, tüfek patlamaları, ağır mermilerin ete ve kemiklere çarparken çıkardığı boğuk sesler. Leon, Graf Otto'nun yaralamak üzere üç bizona da ateş ettiğini anlamıştı. Masai'lere döndü. "Artık burada yapabileceğiniz hiçbir şey yok. Kichwa Muzuru bira çanağını paramparça etti. Arabaya dönün," diye emir verdi. "Hanım Sahip'e göz kulak olun."

"M'bogo bu büyük bir aptallık. Ya hep birlikte oraya gideriz ya da hiç gitmeyiz."

Bir tüfek patlaması daha duyuldu ve ardından bir bizonun feryadı yükseldi. Leon en azından biri gitti, diye düşündü, ama iki tane daha vardı. Tartışmanın ne yeri, ne de zamanıydı. "Gelin o zaman," diye çıkıştı. Koştular ve çalıların ortasındaki küçük açıklığın kenarında duran Graf Otto'nun yanına geldiler. Ayağının dibinde ölü bizonun leşi duruyordu. Arka bacakları hâlâ spazm geçiriyordu. Hayvan açıklığa girdiği anda saldırmıştı. O da beynine bir kurşun sıkmıştı.

Graf Otto soğuk bir tavırla, "Yanılmışsın Courtney. O kadar da tehlikeli değillermiş," dedi, bir yandan da tüfeğini dolduruyordu.

Leon, "Kaç tane daha yaraladınız?" diye bağırdı.

"İkisini de tabii ki. Merak etme. Hâlâ uçmayı öğrenme şansın var."

"Cesaretinizi kuşku bırakmayacak şekilde kanıtladınız efendim. Şimdi tüfeğinizi bana verin de işlerini bitireyim."

"Erkek işlerini asla çocuklara bırakmam Courtney. Üstelik, senin o güzel mızrağın var. Ne diye tüfeğe ihtiyacın olsun ki?"

"Birinin ölümüne yol açacaksınız."

"*Ja,* belki. Ama o kişi ben olmam herhalde." Açıklığın karşısındaki çalılara doğru koştu. "Bir tanesi buraya kaçtı. Kuyruğundan çekmeye gidiyorum."

Onu durdurmaya çalışmak boşunaydı. Graf Otto açıklığın sonuna yaklaşırken Leon nefesini tuttu.

Yaralı bizon ilk bitki grubunun arkasında onu bekliyordu. Adamın yaklaşmasına izin verdi, sonra sadece beş metre uzaktan saldırıya geçti. O saldıramadan çalılar bir anda paramparça oldu. Graf Otto hemen tüfeğini omzuna kaldırmıştı ve ateş ettiğinde namlular neredeyse hayvanın ıslak siyah burun deliklerine değiyordu. Beynine iyi bir atış daha yaptı. Bizonun ön bacakları geriye büküldü. Yine de yaptığı atağın verdiği hızla çığ gibi işkencecisinin üstüne yığıldı. Graf Otto arkaya doğru uçarken tüfek elinden fırladı ve adam sırtüstü yere çarptı. Leon çarpmayla ciğerlerinden boşalan havanın sesini duymuştu. Leon yardımına koşarken o da acıyla doğrulmuş soluyordu.

Manyoro uyarmak için arkasından bağırdığında Leon açıklığın ortasına varmıştı. "Solunda M'bogo. Diğeri geliyor!"

Leon soluna doğru baktı ve üçüncü yaralı bizonun üstüne doğru geldiğini gördü, o kadar yakındı ki boynuzlarını takmak için başını eğmeye başlamıştı bile. Hayvanın cerahatli gözünü gördü bu, Graf Otto'nun ilk ateş ettiği bizondu. Leon hayvanı karşılamak üzere döndü ve toparlandı, parmak uçlarında gayet dengeli bir şekilde, durumu değerlendirerek beklemeye başladı. Bizon yaklaşınca görmeyen gözünün olduğu tarafa çekildi ve hayvan onu göremez oldu, bir saniye önce bulunduğu yere doğru boynuzunu savurdu. Boynuz kırık ve körelmiş olmasa, muhtemelen Leon'un karnını deşerdi ve her ne kadar parmak uçlarında güzel bir dönüş yapmış olsa da kırık ucu gömleğine takılarak yırtıp geçti. Leon karnını içeri doğru çekince bizonun devasa gövdesi sürtünerek önünden geçip gitmiş, pantolonun paçalarına kanları bulaşmıştı.

Graf Otto, "Selam, boğa," diye bağırarak bizonu kızdırdı. Ayağa kalkmaya çalışıyordu, boş ciğerlerinin verdiği acıya rağmen sesi gülmekten boğuklaşmıştı. "Selam matador!" Tüfeğini almak için eğilirken hâlâ hırıltılı bir sesle gülüyordu.

Bizon ön bacaklarını gerip bekleyince Leon, "Vurun onu!" diye bağırdı.

Graf Otto da bağırarak, *"Nein!"* diye karşılık verdi. "O küçük mızrağı kullanışını görmek istiyorum." Elindeki tüfeğin namluları yere doğruydu. "Uçmayı öğrenmek istiyor musun? O zaman mızrağı kullanman gerek."

İlk atışı hayvanın arka bacağını kalçadan kırdığı için başarısız saldırısından sonra hemen toparlanamamıştı. Ama sonra aksayarak döndü ve tek gözünü yine Leon'a dikti. Dörtnala üstüne doğru koşmaya başladı. Leon bizonun ilk geçişinden bir şeyler öğrenmişti: mızrağı klasik Masai tarzında, yani uzun bıçağı eskrim kılıcı gibi ön koluyla aynı hizada tutarak bizonun iyice yaklaşmasını bekledi. Son anda yine kendini geri çekip hayvanın görüş alanından çıktı. Büyük siyah gövde bacaklarına sürtünerek önünden geçerken uzanıp kılıcı hayvanın kürek kemiklerinin arasına sapladı. Fazla derine itmeye çalışmamış, kendiliğinden girmesi için bırakmıştı. Jilet gibi keskin çeliğin postu o kadar kolay delmesine şaşırmıştı. Üç ayak, savrulan kara gövdenin altında kaybolurken oluşan şoku güçlükle hissetti. Mızrağın sapını tutan elini gevşetti ve bizonun, sırtındaki mızrağın verdiği acıyla başını iki yana savurarak geçip gitmesine izin verdi. O vah-